사마귀가
친구에게

I

# 사마귀가
# 친구에게

## I

윤진아 장편소설

D&C
BOOKS

차례

1장

# 1장

티티라는 아홉 해를 기다린 언덕 위에 서 있었다.

그녀의 시야를 가득 채운 항구 도시는 바다를 향할 뿐, 등진 땅에는 영 무관심했다. 짠바람을 맞고 자란 티티라 역시 평소라면 성벽의 엉덩이나 보러 산책에 나서지는 않았을 것이다.

그러나.

그녀는 10월 1일, 오늘의 약속을 기억하자면 조금 힘이 빠졌다. 재미있게 살다가도 자꾸만 밟혔다. 오래 묵은 약속은 해가 갈수록 누운 자리의 바늘처럼 사람을 찔러 왔다.

우리는 삼 년에 한 번씩 만나기로 했으니, 너는 벌써 세 번의 기회를 놓친 것이다. 상주商主[1]도 말했지, 세 번 실패한 녀석은 개 밥그릇으로도 못 쓴다고. 너는 이제 쥐 밥그릇이다. 그것도 내가 만

---
1) 상단의 주인.

나서 이름을 붙여 줘야 말이지만.

노을이 끝나 가고 있었다. 언덕으로 난 길을 살폈지만 텅텅 비어 있을 따름이었다. 세 해 전에도, 여섯 해 전에도 그러했듯, 그들의 약속은 성사될 것 같지가 않았다. 그녀는 세 해 전에도, 여섯 해 전에도 이번이 정말 마지막이라고 다짐했다.

티티라는 포기하고 일찍 내려가려 했다. 지난번처럼 한밤중까지 마음이 아쉬워 남아 있지는 않을 것이다.

그렇게 몸을 돌렸을 때, 누군가가 성문 앞길을 비껴 걸어오는 모습이 보였다. 그녀는 딱 저 사람이 언덕을 지나가는 것까지만 보고 떠나겠다고 결심했다.

이건 미련이 아니야.

그는 언덕으로 오고 있었다.

미련이라면 내가 왜 일찍 내려갈 마음을 먹었겠어?

그가 언덕을 똑바로 올라오고 있었다.

미련이 아니라면, 내가 왜 이 자리에서 꼼짝도 못 하겠어?

얼어붙었다. 시야 속, 키가 크고 색이 짙은 남자는 삶의 전성기에 있었다. 앞으로도 오래도록 그에게 깃들 젊음과 강건함이 보는 사람을 질리게 했다.

티티라 돔니니는 안스카리우스를 발견했다.

그녀는 허둥지둥 언덕을 뛰어 내려갔다. 아무 생각 없이 엎지른 물처럼 쏟아졌다. 오로지 중요한 것은 약속과 이름이었다.

"안스!"

티티라는 마침내 다다라 그를 껴안았다.

덥석 부여잡는 순간, 친구가 예전보다 훨씬 커진 것 같다는 느낌이 들었다. 물론 우리는 갓 스물일 적에 헤어졌으니 어디서 마법의 콩이라도 주워 먹고 오지 않는 한, 눈높이가 달라질 순 없겠지. 다만 전쟁이라도 치르고 온 양 단단한 몸이 당황스러웠던 것이다. 뱃사람이 되었다던 소문과 영 어울리지 않았다.

그녀는 반가움과 궁금증 속에 몸을 확 젖혔다.

"안스, 말이라도 좀 해 봐! 사람이 염치가 있어야지."

손끝, 발끝이 홧홧했다. 너무 반가웠다가, 화가 났다가, 믿기지 않다가, 그랬다. 오래도록 안스의 그림자 한쪽 볼 수 없던 도시에서 태연하게 걸어오는 주인공이라니, 혹시 이날을 위해 숨어 있었던 것은 아닐까.

"삼 년 전에는 왜 못 온 거야? 아니, 육 년 전에는? 어떻게 된 거야?"

급기야 살짝 발끝이 들렸다. 티티라는 잠시도 발을 가만히 두지 못하고 제자리에서 맴돌았다. 젠장, 몸이 떨려. 손도 떨린다고. 도무지 주체가 안 되었다.

"너, 이 개새끼, 연락도 없이……. 나는 약속대로 삼 년 만에 돌아왔어. 너는, 대체, 어떻게 돼먹은 거야? 이 바닥에서 제일 어린 사환使喚[2]도 티티라 돔니가 소조폴에 있단 걸 안다! 305년부터, 내가 광신자 놈들 발바닥을 핥으며 잘살고 있단 사실을 모르는 사람이―"

"배금拜金[3]은 소조폴의 미덕이지."

그녀는 말을 뚝 멈췄다.

처음으로 옛 친구의 눈을 바라보았다.

---

2) 관청, 상단, 가게 따위에서 잔심부름을 시키기 위하여 고용한 사람.
3) 돈을 최고의 가치로 여기고 숭배함.

안스카리우스는 녹색과 청색과 회색에서 시작하여 서서히 동공을 향해 타들어 가는 눈동자를 가졌다. 동공이 움직였다. 검은 동그라미뿐 아니라, 그를 감싸 안은 낙엽과 비바람과 바다와 초원이 함께 움직였다.

그의 눈은 자신이 기억하는 그대로 대단했다. 이 눈을 지닌 사람은 제 친구뿐이었다. 그토록 많은 사람을 만났어도, 이 망할 놈뿐이었다.

"티티라 돔니니."

그러나 이 목소리는 아니다.

티티라는 한 발자국 뒤로 물러났다. 한꺼번에 닥친 생각을 정리하기 위해 숨을 들이켰다.

"소조폴의 어린 상주. 시노드 신넬 남부에서 좋은 올리브유를 제공하지."

'어려'? 자기 나이도 제대로 모르는 놈이 아주 웃기고 있네. 티티라는 혀끝까지 나온 말을 삼켰다. 그럴 수밖에 없었다. 그의 첫마디를 들은 순간부터 의심과 혼란이 뒤엉킨 아수라장이었다. 정말 반으로 찢어진 싸움판이 되었다.

마침내 그녀는 붙잡았다.

"누구야?"

그러니까 자신을.

"구 년 사이 머리가 돌아 버렸나? 처음 왔을 때에도 표류했다더니, 제 버릇 개 못 주고 또 바다에서 헤매다 미쳤나?"

"돔니니, 법황의 자비 아래 사역관으로 가기를 권한다."

돔니니— 아니, 티티라는 고개를 기울였다.

"안스카리우스?"

"그래. 네게 물어볼 것이 있다."

"그 이름에 대답하는 걸 보면 제 친구 안스는 아닌데, 누구십니까?"

"나는 소조폴의 총독, 안스카리우스 드라수스 바를라암이다."

순간 번개에 맞은 것 같았다. 무슨 미친 소리지? 물론 그녀는 '드라수스 바를라암'을 알았다.

올해 첫날 부임한 돼지 법황의 하수인. 구 년 전 소조폴을 점령하고 그 학살을 교두보 삼아 시노드 신넬 남부를 집어삼킨 교국敎國의 총독. 얼굴을 드러내지 않아, 자신이 오래도록 헐값에 뇌물을 바치면서도 숨소리 한 번 못 들어 본 점령자.

티티라는 그제야 상대의 옷차림을 발견했다. 그는 음영이 비치지 않는 검은 망토를 걸치고 있었으며, 그것은 그 자체로 교국의 권위였다.

"티티라 돔니니, 따라와."

안스카리우스는 뒤돌았다. 마치 자신이 도망가지 않을 것을 짐작한 듯 여유로웠다. 물론 티티라는 따라갈 것이다. 그녀는 구 년 전 소조폴이 어떻게 학살당했는지 아주 잘 아는 사람이었기에.

그러나 그 사실을 아는 것과, 안스의 얼굴을 한 사람이 교국 잡종이라는 사실을 받아들이는 것은 조금 다른 문제였다.

어제도 자신이 올리브유 백이십 궤짝을 바친 총독이 아닌가. 무언가 잘못되었다. 내가 잠깐 백일몽을 꾸는 것일 수도 있다. 아니면 착각했거나. 하지만 안스와 똑 닮은 사람이, 심지어 우리가 약속한 날 이 자리까지 왔다면 모든 것이 우연일 수는 없단 말이다. 그러니까…….

남자가 뒤돌아 짜증스레 덧붙였다.

"마지막 경고다."

티티라는 발을 질질 끌며 움직이기 시작했다. 그는 소리 없이 걸어가고 그녀만 반항하듯 요란한 흙바람을 일으켰다. 그간 익힌 교국의 법도대로라면 길거리에서 백 번 매질을 해도 모자란 죄지만, 의외로 남자는 신경 쓰지 않는 모양이었다. 더 이상 돌아보지도, 말을 걸지도 않았다.

티티라는 품 안의 칼을 만지작거렸다.

누구야, 넌?

"이름이 뭐지?"

"티티라."

"'티티라입니다.'라고 해야지."

"누구신데요?"

"터르노보 우스페히."

"모르겠어요."

"알게 될 거야."

티티라는 쭈뼛거리며 엄마, 아빠를 돌아보았다. 그들은 피곤하다는 듯 고개를 까닥였다. 그러나 우스페히라는 사람은 평소처럼 그들이 무기력하도록 두지 않았다.

"아이한테 설명을 해 줘야겠습니다."

"상황을 이해할지 모르겠어요……."

"그건 당신 사정이고. 내게 도움이 될 만큼은 설득해요."

"어……."

"어서."

그가 계속 채근하는 바람에, 마침내 엄마가 한쪽 무릎을 꿇었다. 눈높이가 맞은 티티라는 눈을 끔뻑였다.

"티. 이분이 회관에서 일하는 너를 눈여겨보셨어."

티티라는 두 번째로 눈을 끔뻑였다. 일곱 살이었지만, 그게 무슨 뜻인지는 알고 있었다. 그녀는 팔려 가서 못 돌아온 친구들을 기억했다.

"아니, 혹시 놀라를 떠올리는 건 아니지? 그건 블리스 부부가 그래서는 안 되는 거였어. 우리는, 단지…… 네 동생이 무려 셋이나 된단다……. 하지만 티. 절대, 절대 아니야, 절대!"

엄마의 비명 같은 목소리에 번쩍 정신이 들었다. 티티라는 저도 모르게 우스페히를 바라보았다. 그는 품속 시계를 꺼내고 있었다.

"티, 그러니까…… 이분은 우스페히상商의 주인이신데, 네가 어린 나이에 일을 잘한다고 칭찬하셨단다. 그래서 너를 사환으로 쓸 수 없겠느냐고 말씀 주셨어."

티티라는 여전히 우스페히, 혹은 터르노보를 바라보고 있었다.

"사환은 무슨 일을 해요?"

"내 방 바깥의 모든 잡일."

"빵은요?"

"굽지는 않는다."

"그럼 좋아요. 엄마, 갈래."

엄마는 새하얗게 변한 얼굴로 그녀의 어깨를 잡았다. 언뜻 보면 미련처럼 보였지만, 티티라는 그것이 안심한 표정이라는 사실을 잘 아는 딸이었다.

"그래그래……. 나중에 꼭 자유롭게 다닐 수 있도록 해 주신다고 했고, 아니, 원래 상단의 사환들이란 항상 주인을 따르기 마련이잖니. 여러 군데 다니고…… 좋은 기회가 될 거야."

티티라는 그런가 보다 생각했다. 자유가 뭐지? 그보단 빵을 준다는 약속이 마음에 들었다. 더 이상 쥐구멍에서 훔쳐 먹고 싶지 않았다.

우스페히는 큰 손으로 티티라의 어깨를 감쌌다. 그녀는 그 힘에 고꾸라질 뻔했다.

"뒤로 가 있어."

티티라는 어른들이 무슨 일을 하는지 슬쩍 흘겨보았다. 우스페히는 제 머리보다 큰 주머니를 엄마에게 건네고 있었다. 일십 은銀은 될 것 같았다.


"팔려 가면 못 돌아온대. 놀라는 죽었대."


티티라는 굶지 않는다는 말이 내가 죽기 때문에 굶지 않는다는 말일까 고민했다. 하지만 날 죽이면 내가 저 사람을 위해 무슨 일을 해 줄 수 있지?

"가자."

그녀는 등을 툭 치는 큰 손에 다시 한번 중심을 잃었다. 이번에는 정말로 웅덩이에 얼굴을 박을 뻔했는데, 가까스로 우스페히에게 붙잡혔다.

"힘이 없군. 몸이 약한 게 단점이야."

"나는 안 약해요."

"'저는'."

"저는, 안 약해요. 배고파요."

"내겐 어린 사환이 하나 더 있어. 몸을 쓰는 법은 그놈이 알려 줄 것이다."

"일은 언제부터 해요?"

"네가 준비되었을 때."

그는 마을 입구에 서 있는 수레 위로 그녀를 안아 올려 주었다. 티티라는 어설프게 당당한 자세로 서 있다가, 먼저 수레에 타 있던 무장한 남자 대여섯과 눈이 마주쳤다. 그녀는 냉큼 등받이에 붙어 앉았다.

"애 잘 돌봐라. 도망치게 두지 말고. 아, 먹을 것 좀 챙겨 주고."

이상한 말이다. 빵을 주는데 왜 도망치지?

그때, 한 명이 소리 없이 더러운 배낭을 던졌다. 티티라는 제 발치로 쏠려 온 배낭을 조심스레 열어 보았다. 베어 먹은 빵이 하나 있었는데, 남은 조각이 제 가슴팍보다 더 컸다! 그녀는 고맙다는 말도 없이 빵을 먹으며 더듬이처럼 주변을 살폈다.

우스페히는 혼자 멀리, 수레 줄의 맨 앞으로 가는 것 같았다. 수레가 덜컹덜컹 움직일 자세를 잡자 다들 모자로 얼굴을 덮기 시작했다.

아무도 더럽고 작은 여자아이에겐 말을 걸지 않았다. 대신 툭 하고 천 쪼가리에 가까운 담요가 떨어졌다. 그녀는 그제야 처음으로 감사 인사를 했다.

"고마워요."

이내 초봄의 정적 속에서, 수레가 움직이기 시작했다.


소조폴까지의 여행은 한 달도 넘게 걸렸다.

티티라는 자신과 함께 수레에 앉아 있던 사람들은 '용병'이라 불리며, 그들이 이 상단의 돈과 물건을 지킨다는 사실을 알게 되었다. 이는 가장 오래 자던 옆자리 사람에게서 배운 것인데, 그는 그녀에게 빵과 전을 넌져 준 장본인이기도 했다.

그녀와 인사를 한 첫 이방인. 그의 이름은 오트카저트 서스였다. 그는 무슨 이유에서인지 티티라에게 참 잘해 주었다. 매일같이 보자니 무성한 수염을 제하면 의외로 아주 젊을지도 모르겠다는 생각이 들었다. 그래서 얼마나 오래 상단을 따라다녔는지 묻자, 대답이 술술 흘러나왔다.

"이번 상로商路[4]에 나온 건 육 개월째, 계약한 건 사 년쯤 됐지. 이 짓을 한 지는 오륙 년? 얼마 안 지났군."

"우스페히 상단은 좋은 곳이에요?"

"당연하지. 소조폴에서는 한 손에 꼽혀."

"소조폴은 어디예요?"

"시노드 신넬 남부 최대 항구. 땅개들에게는 기회가 별로 없는 곳이지. 그러니 여기 있는 놈들은 작살나게 운이 좋은 거야."

"왜요? '땅개'가 뭐예요?"

"배를 안 타는 용병들. 남부선 거래 대부분이 항구를 통해 이뤄지니 기회가 적어."

---

4) 장사하려고 나선 길.

"그런데 이번에는 수레로 가고 있는걸요?"

"응. 금이 쏟아지는 라주마 산맥에는 큰 강이 없거든."

티티라는 자기가 귀찮게 질문하고 있다는 사실을 깨달았지만 새로운 일들이 너무도 궁금하여 어쩔 수 없었다.

"소조폴은 얼마나 커요?"

"네가 지금껏 본 어떤 도시보다 클 거다."

"도시를 본 적이 없어요."

"너, 화전火田 마을 출신이지? 팔려 왔냐?"

"제가 똑똑하다고 사환으로 쓰신다고 했어요."

"여자애를 무슨……. 하긴, 지난번엔 표류한 꼬맹이를 사환으로 둔다고 하질 않나. 재수 옴 붙게."

"나는 재수 좋아요."

그가 웃음을 터뜨렸다. 아, 그래그래. 상주가 왜 너를 데려왔는지 알겠다며 머리를 쓰다듬었다.

"그런데 그것도 병인 거야."

"네?"

"다 큰 놈들을 못 믿으니까 가진 것 없는 어린애들을 부리는 거말이야. 여기저기서 잔뼈가 굵은 청년을 써야 일이 굴러가지, 상인이 전혀 효율적이지 못한 선택을 한다는 것 자체가 확실한 징후 아니겠냐."

"네?"

그때 누군가가 기침을 했다.

"오트, 돈 주는 사람 험담은 하지 마라."

"미안. 개 버릇 남 못 준다고."

"소조폴에 돌아가면 다음은 디스탄치야. 잠시도 못 쉬니 쉴 수 있을 때 좀 자. 자꾸 입 씨불이지 말고."

"소조폴이 코앞인데 퍽이나 오래 자겠다."

"소조폴이요? 어디요?"

티티라가 불쑥 끼어들었다.

오트카저트는 웃었다. 고민하는 태도로 수염을 긁더니, 수레가 언덕을 넘는 듯하자 팔을 뻗었다.

"아끼 부디 보였잖이, 저서아."

"그래! 그러니까 조금이라도 자라고, 이 개뼈다귀 같은 놈아."

투덜거리던 남자가 배낭을 던졌다. 오트카저트는 얼굴로 짐을 받아쳤다. 그는 으르렁대며 상대에게 덤벼들었다.

"이 망할 새끼!"

다들 킬킬거리며 웃었다. 티티라는 떨어질락 말락 하는 수레의 끄트머리에서 두 사람이 주먹다짐을 하는 모습을 보았다. 난폭했지만 이상하게도 둘 모두 화가 난 것 같지 않았다.

그들의 싸움 너머로 소조폴이 점점 커졌다.

도시란 저런 건가 봐.

모든 건물이 사오 층은 되는 것 같았다. 하나하나에는 잠깐 놀라고 말 뿐이었지만, 그런 게 수만 채가 모이자 개미의 산처럼 보였다.

돌과 나무가 모여 있는 풍경이 왠지 모르게 움직이는 생명체 같았다. 아, 어쩌면 낡은 성벽 위 수많은 깃발들 때문일지도 모르겠다. 깃발 절반은 성벽에 달려 있었지만, 나머지 절반은 저 멀리 있는 항구, 배의 꼭대기에 있었다. 아주 멀리서, 가까이서, 비스듬히서, 후루룩 날리는 바람에 미친 듯이 나부꼈다.

티티라는 생전 처음 겪는 경험들, 장면들, 감정들에 맨손을 댔다. 스며들도록 두지 않고 자신이 다가갔다.

그녀가 일어서자 이제 사람들은 우스꽝스럽게 싸우는 둘을 보고 있지 않았다.

"거지 아가씨, 소조폴을 처음 봤네. 다들 방해하지 마라."

"그래. 누가 북이라도 쳐 줘야겠다."

티티라는 그들의 반응보단, 점차 분주해지는 길가를 느꼈다. 사람이 아주아주 많았다. 여러 사람이 '우스페히'라고 소리치는 것을 들었다. 그보다 더 많은 사람들이 관심을 두지 않고 인파에 쓸려 나갔다. 어마어마했다.

수레 위로 성벽의 그림자가 졌다. 수레는 부드럽게 소조폴 안으로 파고들었다. 도시 안은 멀리서 봤던 것보다 더 엉망이었다. 천막이 너무 많이 쳐져 있어 건물 높이를 제대로 보기 어려웠다. 그러나 크고 더럽고 소란스럽다는 사실만큼은 분명했다.

갑자기 수레가 우뚝 멈췄다. 용병들은 수레를 휙 뛰어넘어 떠났다. 티티라는 순식간에 수레에 혼자 남았다. 내려가야 할까? 그런데 상주가 도망치지 말라고 했는데.

"내려와."

그녀는 고개를 들었다.

자기 또래의 남자애였다. 아주 이상한 색의 눈을 가지고 있었다. 얼룩덜룩한 개울물 같았다.

"더러워 죽겠네. 씻고 식사한 뒤에 뭘 할지 알려 줄게."

"넌 누군데?"

"너랑 같은 심부름꾼이야. 우스페히 씨에게 들었어."

"티티라."

"안스카리우스."

"이름이 바보 같아."

"알아. 안스라고 불러."

티티라는 안스를 졸졸 따라갔다. 건물로 들어가네? 그녀는 지붕 아래에서 씻을 수 있다는 사실에 깜짝 놀랐지만, 꾹 참고 처음인 티를 내지 않으려 했다.

"문밖에 있을 테니까 씻고 나와."

그는 반쯤 닫힌 문 사이로 주저앉았다.

"안 바빠?"

"지금은 이게 내 일이야."

티티라는 곧장 벌거벗었다. 듣는 둥 마는 둥 누군가가 따뜻하게 데워 둔 나무통에 들어갔다. 김이 모락모락 나는 탕이라니! 이야기 에선 공주님들이 '따뜻한 욕조'를 사용하던데, 이 삐걱거리는 나무통이 꼭 동화처럼 느껴졌다.

그녀는 여기서 나가면 무엇을 먹게 되는지 물어보고 싶은 마음을 꿀꺽 삼켰다. 따뜻한 물을 보니 따뜻한 음식을 기대할 수밖에 없었다.

"이름이 '티티라'라고? 성은 없지? 이거 써야 해서 물어보는 거야."

그들은 한방에 있는 것처럼 대화했다.

"응. 뭘 써?"

"상단 인원 관리록. 나이는?"

"일곱 살."

"말도 안 돼. 그렇게 안 보여. 고향은?"

"사바."

"사바가 어딘데?"

"내가 자란 데."

"그런 촌구석을 어떻게 알아? 주(州) 이름을 이야기해."

"'주'가 뭐야?"

"파즐리비, 디스탄치야, 라주마, 프레두. 이런 거."

"디스탄치야에는 용병들이 간다고 했어. 라주마는 이번 여행길의 목적지랬어."

"누가 물어봤냐? 네 고향이나 알려 줘."

"주변에 아젠치가 있었어. 제일 큰 도시라고 했어."

"아젠치면…… 우다러트……. 너는 지도 먼저 외워야겠다. 글은 읽을 줄 알아?"

그녀는 자랑스럽게 대답했다.

"응."

젊었을 때 도시에서 일했다던 오그롬 아저씨에게 배웠다. 오그롬 아저씨는 마을에서 유일하게 글을 읽고 쓸 수 있는 사람이었고, 티티라는 그 능력을 너무너무 가지고 싶어 했다. 그녀는 뿌듯하게 한마디를 더했다.

"내가 글을 읽을 줄 알아서 우스페히에 들어올 수 있었던 거야?"

"글은 다 읽을 줄 알아."

티티라는 콧김을 내뿜으며 물속으로 들어갔다.

"아픈 데 있으면 빨리 얘기해. 말 안 해도 어차피 나중에 들켜서 쫓겨나니까."

"없어."

"아프면 돈도 물어내야 해. 매년 시험 볼 거야."

"너 짜증 나. 아픈 곳 없어."

"알겠어. 나중에 블리조 씨한테 가면 알겠지."

그녀는 벌써부터 안스가 마음에 들지 않았다. 나랑 별 차이도 안 나 보이는 주제에……. 멍청한 게…….

"너 몇 살이야? 뭘 알아? 바보야?"

"열 살? 블리조 씨는 열한 살이라고 하시고, 우스페히 씨는 아홉 살이라고 하셨어. 그래서 난 내가 열 살이라고 생각하려고."

"얼마나 여기 있었는데?"

"이 년."

"오트카저트 서스 말로는 상주가 '표류'했던 애를 주워 왔다던데, 너야?"

"응."

"어쩌다가?"

"몰라. 기억 안 나."

"어?"

"브즐롬 군도에서 구조됐어. 날 구해 준 황금 돛 상단에 어린애 는 필요 없대서, 우스페히 씨한테 왔지. 좋은 분이셔."

"그 전엔?"

"모른다니까. 깼더니 선실에 있었고, 일주일은 못 움직였어. 어 디서 불법 노예로 팔리다가 도망쳤나 보지."

"……."

"아! 됐다. 다 썼다. 야, 빨리 나와. 누가 너보고 그렇게 오래 있 으래?"

티티라는 안스가 정말 싫었다.

그러나 그가 들먹이는 우스페히라는 이름에는 고분고분해질 수밖에 없었다. 그녀는 태어나서 지금이 가장 배가 부른 상태였는데, 그건 정말 중요했다.

그녀가 씻고 나가자, 문 앞에 있던 안스가 대뜸 검은 막대를 내밀었다. 종이 밑에다가 네 이름 써. 그녀는 그대로 따르려다가, 갑자기 물어보았다.

"왜 이름을 써야 해?"

안스는 조금 허둥대는 것처럼 보였다.

"어…… 이래야 상단에 들어올 수 있어. 이름, 써야 해."

"읽어 봐도 돼?"

"무슨 말인지 모를걸."

"줘 봐."

그는 부루퉁하게 종이를 넘겼다. 티티라는 당당하게 받았지만, 고개를 숙이는 순간 한 글자도 이해하기 어렵겠다는 생각이 들었다. 그제야 안스가 쩔쩔맸던 것이 저 애도 제대로 이해를 못 해서였겠단 생각이 들었다.

"……."

알았다면 엄청 잘난 척했겠지. 안스와 단 삼십 분을 같이 있었지만 딱 잘라 말할 수 있었다.

그녀는 그보다는 정직했다.

"잘 모르겠어. 근데 여기 보면 내가 열여덟 살이 되면 끝나는 거 아냐?"

티티라는 '본 계약은 당사자가 18세가 되었을 때 만료되며, 이후 상단주(이하 계약주)의 의지에 따라 연장된다.'라는 문장을 가리켰다. 그녀는 '18세'와 '만료'라는 단어를 알고 있었다.

"그런가?"

"그럼 좋아."

그녀는 우스페히에게 '좋다.'고 말하던 때처럼 흔쾌히 이름을 썼다.

안스는 종이를 받아 품에 넣곤, 식사나 하러 가자면서 턱짓했다. 티티라는 그를 졸졸 따라갔다. 아무리 미워도 어른들 사이에 있다가 비슷한 또래를 보니 좋았다.

"너, 그럼 이름은 누가 지어 줬어? '안스카리우스'는 너무 길어. 잘난 척하는 것 같아. 바보야?"

"이거 내 진짜 이름인데."

"기억 못 한다면서 이름은 어떻게 알아?"

"아, 내 몸에 문신이 있어. 그래서 우스페히 씨가 불법 노예상에서 도망쳤다고 생각하신 거야."

"와!"

그녀는 순간적으로 놀라움과 존경의 눈빛을 담아 그를 바라보았다. 진짜였어? 큰 도시로 나오니 '욕조'에서 목욕도 해 보고, 불법 노예상에서 도망친 애도 만나 보네!

"진짜? 멋지다!"

안스는 우쭐대며 말했다.

"문신 주변이 갈라져 있어서 고문당한 게 분명하대. 블리조 씨는 내가 아니라 주인 이름 아니냐고 했지만…… 우스페히 씨는 어느 멍청이가 불법 노예에게 자기 이름을 박느냐고 짜증 내셨지. 보통은 우스페히 씨 말씀이 맞아. 그러니 내 이름이 맞을 거야."

"와!"

그녀는 새삼 그를 다시 보았다. 고문까지!

"고문, 기억 못 해서 너무 안됐다!"

"나도."

"나이를 기억 못 한단 게 진짜 멋진 것 같아."

갑작스레, 태어난 날짜까지 정확히 알고 있는 스스로가 초라하게 느껴졌다. 전혀 자랑할 게 없는걸. 건초로 된 집에서 흙을 반쯤 섞은 빵을 먹고, 마을 회관을 돌아다니며 심부름을 하고, 가끔 친구들하고 개구리 사냥을 나가거나, 얼어붙은 개울에서 물고기를 잡거나, 쥐덫을 놓거나, 버섯을 따러 가거나―

"빨리 가자. 누가 온다고 해서 마린카 씨께 더 챙겨 달라고 했어."

티티라는 눈치가 아주 빨랐다. 그래서 그녀는 그 순간, 안스가 조금쯤 자기를 기다렸다는 사실을 알게 되었다.

"너나 나 말고 다른 애들은 없어?"

"지금은 없어. 원래 많이 있었는데 우스페히 씨가 다 쫓아냈대. 나 오고 난 뒤에도 드라스키라는 애는 육 개월 만에 나가야 했어. 다른 상단에도 사환들이 있지만…… 상단 어른들 없이 걔네랑 길게 말하면 안 돼."

"왜?"

"비밀을 말할 수도 있잖아."

"'비밀'?"

"여기 있다 보면 알게 될 거야. 네가 쫓겨나지만 않으면."

티티라는 또다시 안스가 싫어졌다.

그것을 아는지 모르는지, 그는 쌩 달려 나가 문을 두드렸다.

"마린카 씨!"

그러자 문이 활짝 열리더니 주름진 눈의 여성이 나타났다.

"곧 올 거라 생각했지. 참, 네 이름은 뭐냐?"

"……티티라입니다."

"예쁜 이름이구나."

그녀는 이름을 칭찬받은 적이 처음이라 눈만 깜빡깜빡했다.

마린카는 얼어붙은 아이를 보곤 웃으며 들어갔다.

안스는 먼저 반 발자국 들어가, 손짓으로 그녀를 불렀다.

"마린카 씨는 우스페히상의 주방장이셔. 최고야. 주방에 자리가 있으니 빨리 먹자."

"너도?"

"너만 먹고 나는 굶냐?"

그녀는 군말 없이 안으로 들어갔다. 구석진 자리에 따뜻한 음식이 놓여 있었다. 그중 하나는…… 고기였다! 안스가 짜증 난다는 작은 문제만 빼면, 소조폴에 들어오고부터 모든 일이 꿈만 같았다!

그녀는 허겁지겁 앉아 손으로 음식을 먹으려다가, 안스에게 팔뚝을 잡혔다.

"안 돼. 나중에 중요한 자리에서도 그렇게 먹을 거야?"

그녀는 얼굴이 붉어졌다. 화가 났다. 어떻게 먹어야 하는지 몰랐다.

그제야 처음으로 안스가 고개를 기울였다.

"나도 처음엔 그랬어. 다 그러니까, 걱정하지 마."

안스는 티티라가 잘 볼 수 있게 식기를 쥐었다. 그리고 아무 말 없이 먹기 시작했다. 한참 동안 나무 식기들이 부딪치는 소리만 났다.

그녀는 느릿느릿 따라 했다.

짜증 나는 애.

그 뒤 안스는 티티라를 블리조 씨에게 데려갔다. 블리조 씨는 그녀의 열 배 크기는 됨직한 사람이었는데, 우락부락한 외모와 달리 웃음이 많아 신기했다.

한참 동안 서로를 소개한 후, 그는 그녀가 토할 때까지 달리게 만들었다. 그리고 딱 한 마디 했다.

"건강함!"

그녀는 두 시간 전 먹은 고기를 다 토해 냈다. 처음 먹어 보는 돼지고기였는데.

안스가 옆에서 웃으며 '건강하대.'라고 할 때는 정말 화가 났다. 때리려 했지만 그가 먼저 피했고, '너도 이 년쯤 하면 이렇게 잘 피할 수 있다.'며 약 올렸다.

티티라는 분과 피로를 못 이기고 울었다. 안스는 히죽이며 그녀를 잡아당겼다. 어디로 가는지도 모르는 채 질질 끌려가려니 정말 끔찍했다. 그녀는 바보, 멍청이, 개, 불가사리, 납작 돌, 썩은 똥이라고 욕했다. 아주아주 긴 시간 뒤 침대에 내던져지고, 발끝 하나 못 움직일 때까지 계속 욕을 했다.

안스는 그녀가 욕할 때마다 두 배씩 힘을 얻는 것처럼 보였다. 마지막 문을 닫기 전에는 친절하게 잘 자라고 인사하기까지 했다. 물론 티티라는 작은 불덩어리가 되어 한밤중까지 제대로 잠들지 못했지만.

티티라는 다음 날에도, 다다음 날에도 끝내 우스페히를 보지 못

했다. 아니, 소조폴에 들어오고 한 달이 넘도록 그를 보지 못했다. 그동안은 안스를 따라다니며 그 애가 무슨 일을 하는지 지켜보고, 안스가 실실 웃는 가운데 지도와 산수를 배우고, 가끔 블리조 씨에 게 불려 가 또 토할 때까지 달려야 했다.

그녀는 오기로라도 우스페히 씨와 이야기하고 싶다는 소리를 하 지 않았다. 아마 심부름하며 우스페히 씨와 스쳤을 때, 그가 눈길 한 번 안 주었기 때문인지도 몰랐다.

티티레는 니 이싱 배가 고쁘시 않게 되고, 작은 방이 생기고, 마 지막으로 자신이 모르는 것이 너무 많다는 사실을 깨닫게 된 순간 부터 항상 마음이 급했다.

똑똑하다고 생각해서 데려왔는데 아니면 어떡해? 다른 애들처럼 쫓아내면 어떡해?

한 달, 두 달, 세 달, 반년. 상단 건물에서 우스페히 씨를 가끔 볼 수 있었지만 그뿐이었다. 그는 그녀와 한마디도 말을 섞지 않았다. 그동안 티티라는 지도를 달달 외웠고, 여러 자리의 사칙 연산을 할 수 있게 되었고, 한 시간 달리고 토하던 것을 두 시간 달리고 토할 수 있게 되었다.

마린카 씨, 블리조 씨, 가끔 상단으로 돌아오는 오트카저트 씨, 산수와 지도를 가르쳐 준 이즈고랄 씨, 심부름을 알려 주는 투크 바하 씨……. 꽤 많은 사람들과 웃고 떠들 수 있었다. 좁은 방은 종 이와 잡동사니로 가득 찼다.

그렇게 여덟 살이 되던 봄, 처음으로 우스페히 씨가 자신을 업무 실로 불렀다. 거의 한 해 만이었다.

그는 자신이 절대 가까이 갈 수 없던 이 층 중앙의 업무실에 있었다.

"왔어?"

"안녕하세요, 상주님."

티티라는 그 말을 백 번 연습했다.

"그래. 나한테 궁금한 건 없고?"

"네?"

"없어?"

연습한 질문은 없었다. 그러나 불쑥 튀어나왔다.

"그동안 절 왜 안 부르셨어요? 안스는 많이 부르셨잖아요."

우스페히는 안경을 살짝 들었다.

"잘하고 있잖아. 굳이 부를 필요 있나."

"……."

"그보다 네 성姓을 만드는 게 좋겠다. 문서에 필요해. 어렸을 때 지어 둬야 나중에 거추장스러운 일이 안 생긴다."

"성을 만든다고요……?"

"'돔니니'로 해. 지금 이름은 지나치게 서부인 같아서 남부에선 장사하기 어려울 거다. '돔니니'는 그럭저럭 드문 성이니 살면서 드잡이할 놈도 몇 없을 것이고."

"……."

"네 이름을 말해 봐."

"티티라 돔니니입니다."

"좋아. 명부는 네가 직접 수정하도록."

그것으로 끝이었다. 그녀는 어색하게 입 안에서 이름을 불러 보았다. 티티라 돔니니. 티티라 돔니니. 티티라, 돔니니.

상단 마구간 앞을 빙글빙글 돌다가 안스를 만났다. 그는 어디에라도 다녀온 듯 땀을 뻘뻘 흘리고 있었는데, 그녀의 얼굴을 보자마자 흠칫 놀랐다.

"무슨 일 있어?"

"'티티라 돔니니'."

"그게 뭔데?"

"방금 우스페히 씨를 만났어. 이제 '티티라 돔니니'가 내 이름이네. 성을 지어 주셨어. '돔니니'."

그는 약간 이상한 표정이 되었다.

"알겠어, '돔니니' 씨. 아무튼 나는 바쁘니 이따가."

그리고 사라졌다.

티티라는 눈치 빠른 아이답게 바로 알아차렸다. 자신이 안스보다 훨씬 잘해서 그 애도 못 받은 성을 선물받은 것이다. 안스도 그걸 알아 기분이 상한 것이 분명했다.

네가 우스페히 씨를 자주 만나면 뭐 해, 나는 성을 받았는걸! 난 뭐든, 다 잘해! 내가 너보다 더 빨리 우스페히의 상비商神5)가 될 거야!

티티라는 스스로 만든 상단에 제 성을 붙이지 않았다. 그런 건 좀 웃기는 짓이다. 차라리 '황금 돛 상단'은 돈 앞에 솔직하기라도 하지.

---

5) 상단의 이인자. 상주 다음가는 직책.

그렇기에 그녀의 상단 이름은 '소조폴 상단'이었다. 일곱부터 열일곱까지, 시계탑이 있던 소조폴에서 십 년 동안 살았던 자신에게 딱 맞는 이름이라고 생각했다. 그 뒤 다시 오래도록 소조폴에서 버티고 있었으므로 확실히 탁월한 선택이었다.

소조폴 사람들은 헷갈린다고 투덜대며 티티라 돔니니 상단, 17상단, 올리브유 상단 등 제각기 바라보는 시선으로 부르곤 했지만.

티티라는 닫힌 문을 노려보았다.

'안스카리우스'는 소조폴 사역관으로 돌아오는 길 위에서 아무 말도 하지 않았다. 대화는커녕, 도시로 들어서며 모자를 깊이 눌러 쓰기까지 했다. 또한 사람들은 티티라가 사역관 사람과 같이 가는 모습을 보고 꿋꿋하게 시선을 피했다.

그렇게 서로가 서로를 등지니 안스를 닮은 사람이 있다는 사실을 어떻게 알았겠어.

안스는 옛날에도 상단 사람들 사이에서나 얼굴이 알려져 있었고, 토박이 상단은 소조폴 점령 시 대부분 학살되었으며, 그 역사도 벌써 구 년이 지났지. 시간은 자연스러웠다.

안스카리우스는 중요한 회의를 끝내고 돌아온다고 말한 뒤 그녀를 방에 두고 떠났다. 이 방은 문이 잠겨 있지도, 창문에 철창이 쳐져 있지도, 누군가 앞에서 지키고 있지도 않았다. 총독이란 그냥 그런 거다. 그녀는 모가지가 눌린 쥐처럼 얌전히 있었다.

그렇게 네 시간이 지났다.

한밤중, 노크도 없이 문이 열렸다.

상대는 티티라가 여전히 방 중앙의 의자에 꼿꼿이 앉아 있다는 사실에 반응하지 않았다. 당연히 그러리라고 생각했던 것 같다. 그는 망토를 벗어 소파에 던지곤 털썩 앉았다. 문을 두드리지도 않아. 인사도 없어. 아주 교국 놈들 같은 예의였다.

안스카리우스는 대뜸 물었다.

"티티라 돔니, 오늘 왜 그 자리에 왔지?"

그녀는 이 질문을 미리 각오했다. 하여 수백 번도 더 대답을 떠올리고 곱씹은 뒤였다. 마치 옛날 꼬맹이 때, 터르노보 우스페히에게 불려 가 성을 받던 날처럼—그러나 이번에는 '안녕히세요, 상주님.'이라는 두 마디보다는 길었다—.

"총독님, 외람된 말씀이지만 저도 제가 총독님을 안다는 사실이 믿기지 않습니다. 특히 총독께서도 저를 모르신다면요. 저는 약속된 시간에 오래전 헤어진 친구를 만나러 갔을 뿐이에요. 우연히도 총독님과 외모가 비슷해서 착각을 했습니다. 물론 이렇게 다시 뵈니 조금 다르신 것 같기도 합니다만……."

정말 그런 것 같기도 했다. 제 기억 속 안스는 구 년 전 모습이었다.

"저는 친구와 302년에 헤어졌습니다."

네놈들이 소조폴에 들어와서.

"그리고 삼 년 뒤에 보기로 했어요. 그때 사정이 있어 나오지 못하면 육 년 뒤에, 그때도 어려우면 구 년 뒤에……. 매 삼 년마다 약속한 날짜, 약속한 장소에서 만나기로 했습니다. 오늘은 저희가 헤어진 지 구 년째 되는 날이라 어김없이 기다렸습니다만, 그 자리에 총독께서 나타나신 겁니다. 무언가 착각이 있었던 것 같습니다. 저는 결코 교국에 불량한 마음을 품지 않았습니다."

언덕 위에서 광신자라며 폭언을 퍼부어 놓고선 시치미를 뚝 뗐다.

"약속을 했고, 얼굴은 닮았는데, 네가 찾던 사람이 아닌 모양이군."

"솔직히 말씀드리자면, 모르겠습니다. 제가 기억하던 친구의 모습과 많이 다르십니다. 발칙한 질문을 올립니다만, 혹시 연륜이 어찌 되십니까? 제 친구는 올해로 스물아홉이 되었을 겁니다."

"스물여덟."

"아, 그렇지요. 같은 분이 아니신 것 같습니다. 제가 착각을 했습니다. 정말 죄송합니다. 머리 숙여 사죄드립니다."

엉겁결에 고개를 주억거렸으나, 사실 안스의 나이는 확실하지 않았다. 우스페히 씨는 항상 안스가 본인이 생각하는 것보다 한 살 어리다고 주장했고, 그마저도 알 수 없는 노릇이었다. 정확히 알아볼 방법은 단 하나뿐이었다.

안스의 오른쪽 어깨에는 이름이 새겨져 있었다.

물론 총독을 껴안고 총독에게 욕지거리를 내뱉은 마당에, 상의까지 벗어 달라고 하는 희대의 미친 짓을 할 수는 없겠다. 다만, 마지막 질문 하나 정도는……

"혹시 딱 하나만 더 건방진 질문을 올려도 되겠습니까?"

"해."

"총독께서는 왜 그 자리에 오셨습니까?"

그는 그녀를 바라보았다. 젠장, 저 시선. 티티라는 의자 손잡이를 잡은 손에 꽈악, 힘을 주었다. 속으면 안 돼. 저놈은 안스가 아냐.

시선은 그녀에게 머무르지 않았다. 그는 잠시 동안 아래를 바라보다가, 한쪽 손목을 다른 쪽 손으로 쥐었다. 그리고 천천히 윗옷 소매를 풀기 시작했다.

티티라는 당황하여 몸을 젖혔다. 내가 설마 상의를 벗어 보라고 말한 건가? 아니, 말했다 쳐도 저렇게 고분고분한 게 말이나 되고?

아니야. 안 말했어, 바보야. 그럼 저건 뭔데?

그녀가 허둥지둥 고개를 돌리는 사이, 그는 왼쪽 소매를 걷어 젖혔다. 티티라는 총독이 무슨 트집을 잡을지 몰라 굳건하게 시야를 돌렸다. 부스럭거리는 소리가 요란하다가 어느 순간을 기점으로 확 잦아들었다.

"고개 들어."

티티라는 의심했지만 거절할 도리가 없었다. 조심스레 눈을 돌렸다.

침묵 속의······.

"······."

그녀는 자리에서 일어섰다.

안스카리우스의 팔뚝에는 강한 흉이 남아 있었다. 어디에 다친 상처가 아니었다. 누군가 의도를 가지고 남긴 글자였다.

**소조폴 1001 26**

소조폴, 10월 1일, 26구역.

그녀는 순간적으로 터져 나오는 말을 막지 못했다.

"제 친구는 오른쪽 등에 문신이 있어요. 자기 이름처럼 '안스카리우스'라고 쓰여 있었어요. 윗옷을 조금만 내려 주시면 확인할 수 있어요."

안스카리우스는 무표정한 얼굴로 꿈쩍도 하지 않았다.

"문신은 없다."

"아······."

잠깐 솟았던 희망이 푹 꺼졌다.

"제가 친구를 알았던 십 년 동안 문신은 흐려진 적이 없어요……."

"끝까지 들어. 지금은 없다. 하지만 네가 설명하는 것이 교국의 문신이라면, 후계자들에게 새겨 놓은 장치는 모두 동일하니 내게도 있었지."

그녀는 오락가락하는 대화에 정신을 차릴 수가 없었다.

"예? 문신이 있으셨다고요? '안스카리우스'로요?"

"칠 년 전에 사제왕이 되며 사라졌다."

"사라졌다니 무슨 소리예요……!"

티티라는 말을 꿀꺽 삼켰다. 안스의 얼굴을 하고 있어 자꾸 잊었지만, 그는 총독이었다. 살고 싶으면 정신 차려! 여긴 사역관이란 말이야!

그러나 안스카리우스는 의외로 너그럽게 답해 주었다.

"이 방에서 하는 이야기가 새어 나간다면 너를 죽일 것이다. 먼저 약속하고 시작하지."

"말씀 명심하고 비밀을 지키겠습니다."

"우선 교국의 문신은, 그 '안스카리우스'라는 문신은 내게도 있었다. 다만 사제왕 위를 승계하며 사라졌다. 이는 오래된 전통이다. 둘째, 나는 사제왕 위를 승계하기 전 기억이 정확하지 않다. 셋째, 내 팔뚝의 상처는 누가 새겼는지 모른다."

다시 아귀가 맞자, 그녀는 안스를 껴안을 뻔했다.

안스카리우스는 그녀의 얼굴에 서린 반가운 기색에 인상을 찌푸렸다.

"착각하지 마라. 나는 사고로 기억을 잃기 전 어떤 일이 있었는지 알고 싶을 뿐이다. 이 천박한 도시에 오래 머무를 생각은 없다."

"사고로 기억을 잃으셨다고요?"

진짜 미치겠네. 이 자식은 동화 속 공주님도 아니고 맨날 기억을 흘리고 다닌다.

"그래. 교읍지教邑地, 교국의 중심에 역병이 돌아 투병했다."

다 큰 남자가 역병에나 걸리고, 한심한 놈.

"회복되니 유년기의 기억만 남아 있더군. 법황의 한 주기가 모조리 날아갔어."

그녀는 부럴대다가 흠칫 놀랐다. 법황을 대하는 그의 말투는 굉장히 무례하게 느껴졌다. 그것을 눈치챈 모양인지, 안스카리우스가 빙그레 웃었다. 웃었어? 웃었다. 당연하지만 그는 안스를 꼭 닮았다.

"법황은 껍데기일 뿐이다."

"……."

"아무튼, 가족들은 내가 원체 몸이 약해 남쪽에 요양 갔다 돌아왔다는 이야기를 들먹이지만, 사람을 바보로 봐도 유분수지."

티티라는 언뜻언뜻 보이는 안스의 말투에 미칠 것만 같았다. 안스카리우스는 모든 사람의 성격이 일정 부분 서로를 닮은 것처럼, 딱 그 정도로 안스를 닮았다. 그러나 그녀는 자꾸만 그에게 넘어갔다. 이걸로 날 탓할 거야? 어쩔 수 없잖아.

"그러니, 너는 내가 여기서 무슨 일을 했었는지 요약해라."

티티라는 무례하다는 사실을 알면서도 그를 물끄러미 바라보았다.

안스카리우스는 처음부터 알고 있었다. 그녀가 찾는 사람이, '껍데기'가 자신이라는 사실을. 발설하면 죽이겠다는 말을 제하면 꽤나 담백하게 말했다. 그가 가족의 증언과 달리 실제로는 소조폴에 표류하여 십 년을 지냈다는 사실을 납득하는 투였다.

다만 그것은 그에게 아무 영향을 미치지 못했다.

티티라는 그가 앞서 일부러 자신이 착각하도록 두었다는 사실을 깨달았다.

"사제왕 위를 계승할 사람이 야만의 대륙에 머물렀다는 사실은…… 아주 좋지 않다. 가족들은 당연히 외부에 거짓말을 해야 했고, 나 역시 그것을 고맙게 여기는 편이다."

"……."

"다만 호기심은 가질 수 있지. 내가 무슨 일을 했나?"

"팔에 그 상처는 어떻습니까? 친족분들께선 팔에 왜 그런 상처가 생겼는지 설명해 주셨나요?"

"내 팔뚝의 상처는 아무도 모른다."

"아니, 안 벗어요? 상완上腕이면 숨기기 쉬운 자리도 아닌데."

그녀는 다시 입을 다물었다. 너, 그러다가 죽는다. 입조심해.

안스카리우스는 다시 희미하게 웃었다.

"너는 교국에 와 본 적이 없지."

"……넉 달이 넘게 걸립니다. 그리고 교국에서 만든 배가 아니면 넘어갈 수도 없잖아요."

"소조폴의 겨울이 내 고향에서는 가장 따뜻한 날에 속한다."

"……."

"그리고 너 같은 야만인이 아닌 이상 사제왕에게 옷을 벗어 보라고 하는 이는 없지."

티티라는 고개를 푹 숙였다.

"내일 아침에 일정이 있어 들어가야 한다. 빨리 대답해라. 만족스럽게 답하면 오늘 밤은 네 상관商官<sup>6)</sup>에서 자게 해 주지."

그는 품속에서 시계를 꺼내 툭툭 건드렸다.

"어서."

그녀의 짧은 머리칼이 귀를 넘어 떨어졌다. 그녀는 부스스한 장막 사이사이로 화려한 바닥을 바라보았다. 총독께서 바라시는 바가 있다면, 해 드려야지.

"안스는 제 친구입니다. 저는 소조폴에 사환으로 오게 된 292년에, 역시 사환으로 일하던 안스를 처음 만났습니다."

그녀는 일부러 우스페히라는 이름을 무시했다. 안스카리우스도 교국의 초반 숙청에 대해선 별로 할 말이 없을 것이다. 그녀 역시 그 이름을 꺼내 해묵은 혐오를 되새기고 싶지 않았다.

"안스는 290년에 브즐롬 군도에서 구조됐습니다. 작은 쪽배 속 몸만 덩그러니 놓인 채 바위섬 사이에 끼어 있었다고 하더군요. 폭풍이 지나간 뒤 난파선은 없는지 순찰 나갔던 배가, 구해 왔습니다. 그는 어린 나이에 사환으로 팔렸어요. 그래도 괜찮은 주인이었죠. 덕분에 저희는 십 년 정도 같은 곳에서 같은 일을 하며 자랐습니다. 그리고 302년에 헤어졌습니다."

'전쟁 통에', '숙청 통에'라는 말은 생략했다.

"제 이야기는 궁금하지 않으시겠지만, 저는 세 해 동안 남부를 돌아다니며 소조폴 출신 사람들을 모았고."

'소조폴에서 도망간 사람들을.'

"막일을 해 가며 남부인들의 신뢰를 쌓았습니다."

물론 남부는 그때 소조폴 출신이라면 자기네 안방 침대도 내주던

---

6) 상단의 주 업무를 집행하는 공간. 상주가 거주함.

상황이었다.

소조폴. 교국의 침략에 가장 큰 피해를 입은 남부 굴지의 도시.

남부 사람들은 소조폴의 시계탑이 무너졌다는 소리에 하늘이 무너졌다는 소리를 들은 표정이 되곤 했다. 물론 소조폴을 사랑했다기보단 모든 남부 상단이 그곳을 거점으로 삼고 있었으므로 돈줄이 한꺼번에 날아갔기 때문이지만. 더불어 삼백 년 만에 전쟁이 닥친다는 불안감까지. 그들은 편하던 시절을 무너뜨린 교국을 증오했다.

"덕분에 좋은 올리브유와 설탕의 유통로를 잡았습니다. 상단의 재정을 탄탄하게 하고 안정된 소조폴로 돌아왔는데, 그것이 305년입니다."

"'305년부터 광신자 놈들 발바닥을 핥으며 잘살고 있다'라."

그녀는 사색이 되었다. 일부러 기억에서 지웠는데.

"저, 죄송합니다. 잊어 주세요. 무지한 놈들끼리 격 없이 떠드는 소리였습니다."

"계속 말해."

"친구를 삼 년 만에 만나기로 했기 때문에 제가 소조폴로 돌아온 것도 있었습니다. 저는 소조폴에서 안스…… 에 대해 수소문을 했습니다. 안스는 제가 떠난 뒤 곧장 도이도흐로 갔다고 했습니다."

살아남은 상단 사람들은, 안스가 밤중 몰래 작은 배를 타고 아직 방어 중인 북부의 도이도흐로 갔다고 말했다.

"저는 더 수소문하지 않고 10월 1일까지 기다렸습니다. 친구를 믿었던 것이지요. 그러나 아시듯 안스는 오지 않았습니다. 그래서 도이도흐로 사람을 보냈습니다. 그들은 그가 가장 큰 배를 얻어 타고 동부로 갔다고 하더군요."

"시노드 신녈의 배로는 절대 교국에 다다를 수 없다."

"아마 교국으로 가려던 것은 아니었을 거예요. 중간에 마주두가 있잖습니까. 보통 여기서 동부로 간다는 건 마주두 제일섬으로 간다는 뜻입니다. 말씀하셨듯, 교국에는 다다를 수 없으니까요."

그녀는 제 가시 돋친 말을 걱정했지만, 이미 '광신자들'이라고 비난한 몸이었기에 포기하기로 했다.

"그 뒤로는 죽었거나, 본인이 인연을 끊어 연락하지 않는다고 생각해 왔습니다. 그런데 오늘 총독님을 뵌 거죠."

스스로 입 밖에 내뱉으니 더 이상한 기분이 들었다.

"잘 들었다. 상단은 어디지?"

"예?"

"내가 있었다던."

티티라는 잠깐 침묵했다. 한 손을 들어 눈꺼풀을 짚었다. 남부인들의 애도 표시였는데, 그가 몰랐으면 했다. 그리고 말했다.

"우스페히입니다."

"……."

그녀는 '옛날 일이죠.'라고 덧붙이지도, 부연 설명을 하지도 않았다. 그것이 자신이 터르노보 우스페히에게 취할 수 있는 최대한의 예의였다.

"우스페히에서 그를 알았던 사람들은 이제 소조폴에 없습니다. 다들 떠났거든요."

죽었거나.

"그러니 궁금한 점이 있다면 제게 하문하시는 쪽이 가장 편하실 겁니다."

"아니. 충분하다."

안스카리우스가 일어섰다. 그에게는 망토가 없었고, 이곳은 방 안이었다. 실내 그림자와 윤곽 덕에 그는 노을 질 녘 언덕에서 보았던 것보다 훨씬 크게 느껴졌다.

아니다. 정말 컸다. 자신이 아는 안스는 키가 훤칠해서 멀리 보고 뻗을 수 있고, 배의 마스트[7]처럼 균형 잡힌 근육으로 수영하던 소년이었다. 뱃사람들이 입에 침이 마르도록 칭찬하던 바닷가 측백나무 같은 젊음이었다.

그러나 지금의 그는…… 쇠 같았다. 소조폴의 골목을 사이에 둔 건물 하나 제대로 뛰어넘지 못할 것 같았다. 묵직하고 컸다.

문득 예식용인지, 실제 사용하는 것인지 모를 칼이 눈에 밟혔다. 많이들 화약총을 쓰는 시대에 칼을 들고 다니는 놈들은 항상 이유가 있었다. 이유가 없는 놈들은 총에 맞아 다 죽었거든.

다시 본다면 소년은 아니겠지, 생각했다. 하지만 적어도 나무로 남아 있길 기대했다.

"가도 좋아."

한순간 그것은 안스처럼 느껴졌다. 안스처럼 보이고 안스처럼 말했다.

그녀는 꾸벅 인사하고 그를 스쳐 지나갔다.


"오뱀, 시노드 신넬 원년부터 오늘까지 교국에서 온 사람들을 다 정리해 줘. 여기엔 어떻게 왔고, 어떤 일을 했는지."

---

7) 돛을 달기 위하여 배 바닥에 세운 기둥.

찻잔 그릇이 깨지는 듯한 소리가 났다.

티티라는 멀뚱멀뚱 오블레드를 돌아보았다.

"왜?"

"삼백 년 동안의 기록을 들추라고?"

"문제 있나? 찻잔 깨졌으면 급여에서 제할 거야."

"게다가 교국 놈이라?"

"입을 조심하게나, 오뱀 상비."

"너도 손이 있을 텐데 네 손가락으로 세면 안 돼? 다티부스 립시미스, 표류해 와서 칼질을 잘하는 바람에 힐랴디의 제일검사가 됨. 라오디케아 델로메에, 역시 표류해 와서 교국에 대해 길이 남을 거짓말 소설을 썼고 엄청 잘나가는 작가가 됨. 시나델폰 아노이그마, 또 파도 타고 반 죽어서 왔다가—"

"그만그만. 걔네는 유명하잖아. 다 알아. 안 유명한 놈들은 어떻게 온 거야?"

"어떻게 왔긴. 다 똑같지. 바다에서 왔잖아. 이 미개한 시노드 신넬 것들은 못 넘어가는 바다 말이야."

"잘 찾아봐. 돌아간 놈은 없는지도 알려 줘."

오블레드는 긴 머리칼을 묶으며 자리에서 일어섰다.

"상주께서 하라면 해야지 어쩌겠냐. 이유는 안 묻겠어."

"좋은 태도야."

"어제 늦게 들어와서 애들 결재선 속을 태우더니 별짓을 다 시키네."

"오뱀, 사랑해."

"지금 말도 안 되는 상주 명령을 들으려고 또 도서관에서 벌거벗고 검문을 당할 거라 이거야, 이 몸이."

티티라는 미안하다는 표정을 지었다.

교국이 '신대륙'으로 오며 장악한 것은 크게 네 가지였는데, 그것은 바로 은, 설탕, 올리브유, 마지막으로 책이었다. 그렇기에 아무나 읽을 수 있도록 좀먹은 책만 널브러져 있던 시노드 신넬의 도서관들은 교국 치하에서 어마어마한 규모의 책을 수집하게 되었다. 물론 그에 맞춰 검문도 어마어마해졌고.

"그놈들 눈빛이 마음에 안 들어. 종교적이고 금욕적인 샌님처럼 굴면서 내 몸을 훑어보는 눈깔이 영 재수 없단 말이지."

"'종교적이고 금욕적이진' 않은 것 같더군."

티티라는 안스카리우스의 무례한 발언을 띠올리며 중얼거렸다.

"뭐? 아무튼 도서관 다녀온다. 사흘 동안 나 볼 생각은 하덜덜마. 죽으면 옛 시계탑 서쪽의 하수구에 던져 달라고 할 테니 거기서 찾으라고."

"말 좀 조심해."

오블레드는 손가락으로 욕하며 업무실을 떠났다.

티티라는 그녀의 키 큰 뒷모습을 바라보며 한숨을 쉬었다. 그녀를 몹시 좋아했지만, 그녀는 죽었다 깨어나도 남부 사람이었다. 남부는 지금에 이르러선, 소조폴 학살에 대한 이야기를 전설처럼 되뇌는 늙은 노인네처럼 되어 버렸다. 오블레드는 자신과 동갑이었지만, 어쨌든 그렇다는 이야기다.

그녀는 주섬주섬 밀린 서류 뭉치를 제 앞으로 가져왔다. 오블레드는 빈말을 하지 않았다. 지난 반나절 동안 밀린 서류가 한 뼘은 되었다.

아무 생각 없이 후루룩 넘기다, 사역관에 가는 서류를 발견했다.

그녀는 제일 아래에 있는 총독의 서명을 발견했다.

**드라수스 바를라암**

그 이름은 총독의 검은 밀랍과 함께 있었다.

갑자기 숨이 턱 막혔다. 그녀는 침착하게 호흡을 들이마셨다. 제 폐가 할 수 있는 것의 두 배 정도를 마셨다. 내쉬었다 여러 번 반복했다. 그리고 일어서서 오블레드가 두고 간 따뜻한 찻산을 감싸 쉬었다.

그렇게 한참을 있었다.

천천히, 숙였던 허리를 들고 자리로 돌아왔다.

**드라수스 바를라암**

이름은 여전히 그 자리에 있었다.

302년부터 311년까지, 소조폴의 총독은 총 네 명이었다. 오모스 탈란타우에, 에이나이 보에테산, 밀람 아파이테이아, 그리고 마지막, 드라수스 바를라암.

첫 번째 총독인 탈란타우에는 끔찍한 인간이었다. 자신이 아무리 소조폴에 돌아오겠다고 마음먹었어도, 그가 물러나지 않았더라면 감히 용기를 내지 못했을 것이다.

그는 이천 명을 죽였다. 물론 누군가는 십만 명이 사는 도시에서 이천 명이 죽었다면 백 명 중 두 명꼴이라는 점을 지적할 것이다. 패배한 것치고는 괜찮은 숫자라고.

아니, 소조폴은 전투 첫날에 패배했다. 이천 명은 그 뒤에 죽었다.

안스, 네게 무슨 일이 있었는지는 모른다. 하지만 너는 그래서는 안 되었다.

교국은 신속하게 권역 내 유력자들을 제압한 뒤 부드럽게 통치했다. 덕분에 탈란타우에 이후 소조폴의 시민들은 누구보다도 빠르게 학살을 잊었다.

생각해 보니 상단 놈들, 보호 귀족 놈들은 호국경護國卿에게 뇌물을 바치느라 안팎으로 썩어 있었지. 생각해 보니 소조폴 성벽을 보수한다고 했을 때 돼지처럼 인색해서 북벽을 세 번이나 다시 쌓게 만들었지. 생각해 보니 항구에서 시계탑까지 들어오는 수로에 배를 비치해 놓고 돈을 받았지. '생각해 보니'…….

그들은 같은 도시에 살면서도 같은 도시에 살지 않았다. 그러니 그래도 되었다. 소조폴 시민들은 소조폴 학살이란 단어보단 '사건'이라는 단어를 쓰기 좋아했다. 그리고 소문으로 참사를 들어 분기탱천하는 남부 사람들을 염세적으로 내려다보았다. 너희들이 뭘 몰라서 그래. 어쩌면 그녀도 평소에는 그런 소조폴 토박이들처럼 행동하고 있는지 몰랐다.

그러나 내가 그러면 안 되듯 안스, 너도 그러면 안 되지.

티티라는 서류를 덮었다.

그녀는 한동안 소조폴을 떠나 있어야겠다고 결심했다. 곧 올리브 수확 철이었다. 올해도 순 남부의 환상 속 소조폴 '난민'처럼 행세하며 총독의 '폭정'을 일러바칠 것이다. 어차피 그녀는 대농大農들과 오래 거래했던 소조폴 출신 몰락 상단의 일원이었으며, 이 무기는 누구도 이길 수 없었다. 왜냐하면 이름 있던 상단 사람들은 다 죽었으니까, 무덤에선 못 이기지.

그녀는 곧장 서랍을 뒤져 여행 허가서를 꺼냈다.

"교국민…… 티티라 돔니니가…… 10월…… 15일…… 소조폴에서…… 파즐리비주州로 이동할 수 있도록…… 총독께 허가를 요청드립니다……. 이동 목적은…… 올리브 수확 철 대농들을 감시하여…… 품질 기만을 방지하고 생산량을 진작시켜 안정적인 유통로를 확보하기 위함입니다……."

오늘은 특별히 자세히 작성했다. 이는 요식상의 서류로, 신원이 확실한 사람은 보통 날짜와 이름만 기입하고도 허가를 받을 수 있었다.

티티라는 오블레드가 살펴 달라던 서류를 삼분의 일쯤 남기고 일어섰다. 다녀와서 할 거야, 진짜라고.

그녀는 킬킬거리며 업무실을 뛰쳐나갔다. 그리고 한달음에 사역관 서관西官에 도착하여 허가서를 내밀었다.

안경을 쓴 남자가 슬쩍 보더니 손짓했다. 앉아 있어.

그래, 너도 길 가다 똥이나 밟아라.

그녀는 교국인 한 명과 개 한 마리 사이에서 기다렸다. 그러니까, 저놈은 아무도 없는데 자신을 기다리게 하려는 것이었다.

"티티라 돔니니."

그녀는 거의 앉자마자 일어섰다. 투덜댔다. 의도한 거야. 남자에게 가까이 다가가기도 전에 손을 내밀었다. 빨리 끝내자고.

그런데.

"여행은 불허한다."

"뭐?"

"방금 뭐라고 했나?"

"다시 한번 말씀해 주시겠습니까?"

"여행은 불허한다고 했다."

"이유는요?"

"총독님의 명령이다."

"예?"

티티라는 귀를 의심했다.

"제 여행 허가서는 지금까지 한 번도 반려당한 적이 없습니다. 저는 한 번도 화물 기한을 놓치지 않은 교국민이라고요. 혹시 새로운 총독령이 나왔나요? 제가 소식이 늦었습니까?"

"소조폴 총독령은 일주일 전 496호가 마지막이다."

"그건 입항 관련 조문이었는데……. 저는 1호부터 496호까지 하나도 어기지 않았는데요?"

"총독님의 명령이라 했지, 총독령이라 하지 않았다. 너희 나라말도 못 하는군."

티티라는 블리조 씨에게 배운 비기가 아주 많았다. 그녀는 두 손가락으로 상대의 눈구멍을 콧대까지 후벼 파려다 주먹을 꽉 쥐었다.

"드라수스 바를라암 총독께서 특별히 명하셨다. 소조폴 상주 티티라 돔니느는 새로이 명할 때까지 소조폴에 머물러야 한다."

"……."

"사유가 기재되어 있지 않으니, 자주 와서 여행 금지령이 해제되었는지 확인하는 것이 좋겠다."

"……."

그녀는 부글부글 끓으며 입을 다물었다. 콧김만 씩씩거렸다. 남자는 그 명백한 분노를 신경 쓰지 않는 듯 턱짓했다. 그만 꺼져.

티티라는 고개를 숙였다가, 몸을 돌려 떠났다.

그러나 그녀는 상관으로 돌아가지 않았다.

옛 시계탑 자리, 사역관으로 향했다.

물론 씩씩대며 행진한들 총독이 파격적으로 그녀를 맞이해 주는 일은 없었다. 그녀는 입구에서부터 교국 군인에게 막혔다.

"문제가 있으면 공식 창구를 통해 시정 요청해라."

모두 교국의 복장을 해서 누가 누군지 제대로 알아보기 힘든 새끼 강아지 여덟 마리 같은 놈들이었다. 그들은 친절하고도 강압적인 태도로 그녀를 밀어냈다.

티티라는 실랑이 끝에 못 돌아간다며 문 앞에 주저앉았다. 결말을 알고 있었지만 그보다 화를 내는 것이 먼저였다. 자신은 교국에 이득이 되는 신민이었으므로 이 정도는 표할 수 있을 것이다. 그녀는 교국 군인의 신발 앞코를 보고 선언했다.

"정당한 사유를 알려 주시면 가겠습니다!"

그녀가 계속 시끄럽게 굴자, 한동안 안쪽이 소란하더니 군인 한 명이 또 나왔다.

"서류에 문제가 있다고 하더군. 다시 작성해."

"저는 같은 서류로 올해 스무 번도 더 넘게 여행 허가를 받았습니다."

서관, 남관, 북관, 해관, 사역관. 빙빙 돌려 내 시간을 낭비하려 하지? 남의 코 베어 갈 생각 마라, 돼지 같은 놈아.

군인은 한 번 더 들어갔다 나왔다.

"꺼져."

티티라는 이를 부득부득 갈며 사역관 앞에 주저앉았다. 사람들이 지나가며 오늘도 부유한 상인이 흉하게 투정을 부리고 있다는 표정을 지었다.

개자식들이, 우리가 바치는 화물이 아니면 너도 새벽까지 항구에서 노역해야 할 텐데. 그때가 되면 예전 호국경 시절보다 훨씬 나빠질 텐데, 후회하지나 마라. 혼자 욕지기를 내뱉으면서도 순전히 분풀이란 사실을 인정했다. 사람들은 상단이 고통받는 모습을 보면 언제나 싱글벙글 웃었다.

"계속 사역관 앞에서 업무를 방해하면 매질을 하겠다."

"소조폴 상단은 지난해 교국에 누구보다 많은 올리브유를 올렸습니다! 이는 교국이 길을 수호하여 안전하게 이윤을 남길 수 있었기에 일군 성과입니다만, 상단에서 야만적인 남부를 엄격히! 감독해서이기도 합니다! 금년도 더 높은 수확을 거두기 위해서는 지난번처럼 제가 직접 남부로 내려가 유통을 감시해야 합니다! 저를 소조폴에 묶어 두시면 남부 생산량이 십분의 일은 줄 겁니다! 대농들이 얼마나 야비한지 아십니까!"

그녀는 더 이상 앉아 있지 않았다. 땅바닥에 드러누웠다.

무생물 같던 군인 얼굴에 짜증스러운 기색이 비쳤다. 뭐라고 자기네 말로 중얼거렸다.

"아무래도 말귀를 못 알아듣는군."

그가 턱짓했다. 그녀는 반항하는 눈길로 노려보았다. 내가 네놈들한테 매 한 대 안 맞아 본 줄 알아? 하지만 오벰, 짬이 난 김에 이렇게 편지를 남긴다. 너보다 내가 먼저 옛 시계탑 서쪽 하수구에 던져질 수도 있겠어.

이내 누군가가 팔뚝을 잡아 들었다. 한 사람이 아니라 두 사람이었다. 예의상 버둥거렸지만 당연히 꿈쩍도 안 했다. 눈앞의 사역관은 멀리, 멀리, 멀리…….

"아……. 잠깐."

뚝.

군인이 무언가를 전해 들었는지, 다시 턱짓했다.

가까이, 가까이, 가까이…….

마침내 엉덩이로 사역관 문턱을 넘었다.

그녀는 뿌듯하게 일어서려 했으나 군인 두 명이 다시 난폭하게 이끌었다. 그녀는 고꾸라지고, 무릎을 찧고, 계단에 이마를 박았다. 벗어나려 뒤뚱거리자, 올라가는 계단에 더 심하게 부딪쳤다.

군인들은 분풀이를 하듯이 그녀를 내던졌다. 어디지? 그녀는 여기저기 부딪친 어깨를 만지며 고개를 들었다.

눈앞에 묵직한 문이 열려 있었다.

군인이 그녀를 뒤에서 밀었다. 그녀는 반사적으로 얼굴을 감싸 코가 깨지는 것을 막을 수 있었다.

이윽고 뒤에서 문이 닫혔다.

티티라는 벌떡 일어섰다.

"부당합니다!"

안스카리우스는 책장에 기대 서 있었다. 그는 무슨 비단 주머니 안쪽을 보고 있다가, 고개를 돌렸다.

"웬 소란이냐?"

"저는 남부에 가야 합니다. 그런데 총독께서 저에게 금족령禁足令[8]

---

8) 외출을 금하는 명령.

을 내리셨잖습니까?"

"당연하지. 너는 어제 교국을 모욕했다. 불만분자에게는 자유롭게 여행할 권리가 보장되지 않는다."

"아니……!"

그녀는 억울했지만 할 말이 없었다.

"남부? 그곳에 가서 불량한 사상이나 전파하겠지. 네가 진심으로 반성하는 모습을 보이면 여행을 허가하겠다."

교국에 있어 '진심으로 반성하는 모습'이란 더 많은 올리브유를 의미할 텐데, 그건 자신이 소조폴에서 나가야만 노력할 수 있는 부분이었다.

"그리고 한 번만 더 사역관 앞에서 난동을 피우면 태형 십 회다."

죽기에 충분한 횟수였다.

티티라는 분에 차서 내뱉었다.

"저는 어제 총독께 충분히 답해 드렸습니다. 뒤돌면 호국경도 흉을 본다는데, 친구에게 저지른 한순간 실수에 죄를 물으시다니 부당합니다."

안스카리우스는 주머니를 내려 두었다. 그가 움직이자, 절그럭하고 칼집이 부딪치는 소리가 났다.

"'답'? 그게 대단한 일이라도 되나?"

티티라는 주먹을 꽉 쥐었다.

"총독께는 아무 의미 없으셨을 수 있지만……."

잘못 말했다, 젠장, 젠장, 젠장.

그는 조금 다가왔다. 세 발자국 앞에서 고개를 기울였다.

빛이 등 뒤 큰 창에서 그의 머리칼로 흘러내렸다. 밤색 머리칼. 해를 받은 부두에 서 있으면 얇게 덧바른 금빛이 보이곤 했다. 그 모습 그대로였다. 그리고 눈. 하얗고 파랗다 노랗고 붉게 타들어 가는 눈. 새순이었다 낙엽이 되는 눈. 어떤 면에서 친구는 그대로였다.

사실 아직도 믿기지가 않아 눈가가 찡했다.

"그래서?"

손끝이 저렸다.

"어제는 이런 사람이 아니었는데. 돔니니, 혼자 있더니 생각이 많아졌나? 혹 그간 누구에게 고민을 털어놓았나?"

차라리 목소리에 냉기가 서려 있었으면 좋았을 거라고 생각했다. 안스카리우스는 아무 관계 없는 사람을 대하듯 했다. 그 자체가 무감정한 것이 아니었다. 그는 농담을 할 줄 알았고, 분명한 호오가 있었다. 이득을 계산할 줄 알았고 여유가 있었다. 그러니까, 그는 정말 사제왕이자 총독 같았다. 그 명칭이 이상하지 않았다.

전혀 모르는 사람 앞에서 차리는 무관심하고 냉정한 예의라면 그녀에게도 일가견이 있었다. 하지만 안스의 얼굴을 보며 그 태도를 견디기란 생각보다 너무 힘든 일이었다.

나는 저 얼굴을 무려 구 년 동안 기다렸다. 305년에 돌아와 조금이라도 더 일찍 너를 수소문하지 않은 것을, 네가 약속 자리에 없을 때 곧장 도이도흐로 사람을 보내 수색하지 않은 것을 후회했다. 그 이전에, 너와 헤어진 것을 후회했다. 우리가 헤어지는 이유를 네가 깨닫게 만든 것을 후회했다. 억지로 네 등을 떠민 것을 후회했다.

너는 나보다 강했다. 너는 나보다 정이 깊었다. 그러니 네가 내게로 와야 했다. 성공하는 것이 목표였다면 내가 이겼겠지. 하지만 살아남는 것만큼은 네가 이겼어야 했다.

그때, 정신 차리라는 듯 안락의자를 두드리는 소리가 났다.

그녀는 번쩍 고개를 들었다. 익숙한 안스의 얼굴이 보였다.

"티티라 돔니니, 누군가에게 말했느냐 물었다."

"아니요."

그녀는 꽉 쥐었던 주먹을 폈다. 다시 쥐었다. 여러 번 반복했다.

"아닙니다. 절대. 아닙니다."

안스카리우스는 태연하게 물었다.

"그러면, 내가 보고 싶어 왔나?"

티티라는 눈만 깜빡깜빡 떴다.

그는 여전히 같은 자리에 서 있었다. 조금도 움직이지 않았다. 그 목소리는, 심지어 능글거리지도 않았다.

'내가 너를 보고 싶어 왔느냐'고?

아니, 반대야. 그녀는 그의 얼굴이 지독하게 보기 싫었다. 안스카리우스가 자신의 과거를 궁금해했다면, 기억이 없는 시절을 아쉬워했다면 그녀는 끔뻑 넘어갔을 것이다. 어린 안스의 경험을 통해 기억을 되살리는 짓이 얼마나 허무한지 알면서도, 내 친구라며 총독저에 빌붙으려 애썼을 것이다.

그러나 안스카리우스는 소조폴에서의 시간에 관심이 없었다. 거짓말로 자신을 속이려 했던 가족들에게 동조하여, 옛 기억을 쓰레기장에 처박기나 했다.

그의 태도는 그와 함께했던 티티라를 모욕했다. 얼굴이라도 한 대 맞은 듯 화가 났다. 구 년 동안 보고 싶었던 만큼, 보기 싫었다. 그래서 남부로 떠나려 했던 것이다.

그런데 네가 막았잖아.

"아니요. 저는 총독께서 제게 금족령을 내리셔서 항의차 방문했습니다."

"나는 그 항의에 답했다. 소조폴에서 손꼽히는 상단의 주主로서 해로운 태도를 삼가라."

"……"

"다만 여기까지 왔으니 한 가지 선물을 주지. 삼십 일의 숙려 기간을 거쳐 여행을 허가하겠다. 남은 시간 정도면 충분히 수확을 감독할 수 있을 것이다."

벌도 주고, 품질 좋은 올리브유도 놓치지 않겠다는 심산이었다.

티티라는 숨소리를 내지 않으려 몹시 노력했다.

세상 속에 단지 총독과 자신뿐인 것만 같았다. 교국이 살해한 내 후견인, 몰살된 옛 기억들……. 친구의 얼굴을 하고 찾아온 악이 그녀를 목 졸랐다.

저놈을 죽이고 싶었다. 안스, 죽여도 돼?

안스는 대답하지 않았다.

그러나 티티라는 숨겨진 칼을 꽉 쥐었다.

안스카리우스의 시선이 낮아졌다.

"아서라."

그녀의 어깨가 크게, 숨 쉬듯 들떴다. 하지만 누가 봐도 단순히 호흡을 견디는 모습이 아니었다. 그녀는 얼굴 근육이 떨리는 것을 느꼈다.

옛 소조폴의 삶이 기지개를 폈다. 아, 나를 죽인 놈들이구나. 심지어 배신자의 낯이구나.

냉정이 뚝 떨어졌다.

"너를 벌주고 싶지 않다."

그 순간, 티티라는 빠르게 달려갔다. 조용히, 낮게, 땅 가까이에서. 손목이 제압당하지 않도록 팔뚝은 허리에 붙인 채, 뻔하지 않은 방향으로.

그녀는 그의 품까지 갔다.

안스카리우스는 칼이 닿기 직전 힘으로 그녀를 제압했다.

악력이 부족한 티티라로서는 한번 실패하면 끝이었다. 그녀는 검지와 엄지 사이가 상대에게 감싸 쥐이는 아주 찰나의 순간에 한숨을 쉬었다. 방향이 밀리고, 꺾이고, 엎어졌다. 그는 난폭하게 그녀를 바닥으로 내던졌다. 그리고 한 손으로 목을 졸랐다.

티티라는 숨이 막혀 반사적으로 기침을 내뱉었다. 그러나 누가 자신을 때렸다고 충격받지는 않았다. 아, 끝났네. 생각하고 말았다. 자신의 숨골을 붙잡은 안스를 바라보았다. 보통 이렇게 드잡이를 하면 네 번에 한 번은 이겼는데.

안스카리우스는 그녀가 가만히 있는 모습을 확인한 뒤 칼을 빼앗았다. 저 멀리 던졌다. 목을 놓았다. 다만 일어서지 않은 채 언제라도 다시 누를 수 있도록 한쪽 무릎을 꿇곤 말했다.

"통념과 달리 교국인들이 고상하기 때문에 접견을 거절하는 것은 아니다, 돔니니."

"……."

"이런 일이 생기기 때문이지."

"……."

그녀는 듣는 둥 마는 둥 했다. 어차피 인생 끝난걸.

"너를 벌주고 싶지 않았는데 아쉽게 됐군."

티티라는 한숨을 쉬었다.

"나도 널 죽이고 싶었는데 아쉽게 됐다."

그는 순간적으로 당황한 낯빛을 보였다. 인생 끝난 김에 할 말은 해야지. 그러나 상황이 상황인지라 썩 재미있진 않네.

그녀는 유언처럼 말했다.

"아시겠지만 저 개인의 일탈이니 소조폴 상단은 폐하지 마세요. 소조폴 상단을 없애시면 남부는 절대 협조하지 않을 겁니다. 그 사람들은 저보다도 교국을 더 싫어하는 자들이거든요. 당신들이 소조폴에 근거지를 둔 상단들을 다 죽여서, 그네들 돈줄이 끊겼기 때문이죠. 정 필요하면 아래로 내려가서 직접 점령하시든가."

그는 기가 막힌다는 듯 웃었다.

"소조폴 상단은 절대 대체할 수 없습니다. 나는 당신들이 이 땅에 도착하자마자 말살한 우스페히에서 유일하게 살아남은 사람이니까요. 그건 나만 물려받은 상징이자 유산이에요. 대체할 수 있는 인물은 없어요."

그의 목소리는 낮았다.

"그래서, 살려 달라고?"

그녀는 그를 똑바로 바라보았다.

"나는 아니야. 네가 그렇게 사는 것이야말로 수치를 모르는 짓이지, 안스."

보다 확실하게 자살 선언을 했다.

"너는 사환으로 안 팔렸으면 브즐롬에 수장당했을 거야. 너는 십이 년 동안 우스페히에서 숙식했어. 터르노보 우스페히는 우리에게 상단을 물려주려 했다. 교국에 가장 먼저 목매달릴 만큼, 가장 큰…… 가장…… 첫 번째로…… 죽을 만한…… 상단이었는데…….”

안 돼. 하필 반드시 말을 마쳐야 하는 상황에 이게 닥치다니.

티티라는 평소처럼 침착하게, 스스로 가능한 한계보다 두 배는 넘치게 숨을 들이마시려 했다. 후욱. 후욱. 질식감, 과호흡, 어지러움, 심장 소리.

그러나 조금 늦었다. 짐승을 초장에 짓누르지 못했다. 그녀는 안 일했던 대가를 치러야 했다. 귀에서 이명이 들리며 천장이 가까워졌다가, 멀어졌다가, 우글거렸다. 삼십 초 안에 죽을 것 같았는데, 그 삼십 초가 영원히 끝날 것 같지 않기도 했다.

그녀는 벼랑으로 천천히 끌려 올라갔다. 그 끝이 어떨지 정확히 몰랐지만, 너무너무 공포스러웠다. 떨어지기 전에 머리를 잘라 내고 싶었다. 미친 듯이 손을 뻗어 주변의 칼을 잡으려 했다. 누군가를 해치려는 것이 아니라, 당장 나를 구해야 했다.

“……니.”

하지만 손안에 양탄자 실만 한 움큼 쥘 수 있었다. 저 꼭대기에서 떨어지면 안 되는데, 칼, 칼, 칼. 아니야. 농담이야. 죽겠다는 건 아니고. 아무튼 칼이 필요해.

“티티라.”

갑자기 시야가 돌아왔다. 천장이 정상적인 높이로 쑥 멀어졌다.

안스였다.

“티티라 돔니니.”

아니, 안스가 아니었다.

그녀의 어깨가 천천히 가라앉았다.

아.

음.

제 입가를 감싼 큰 화병을 발견했다. 풀 냄새가 났다.

안스카리우스는 그제야 화병을 떼 내어 바닥에 세워 두었다.

"병이 있군."

"……."

"일어나."

말로 그치지 않았다. 그는 그녀의 팔뚝을 잡아당겨 일으켰다.

티티라는 언제 헐떡였느냐는 듯이 벌씽하게 섰나. ᅴ를 올려나보았다. 발작이 지나가자 더 이상 안스를 보는 체하며 막말할 기분이 들지 않았다. 의미가 없었다.

그녀는 사과했다.

"죄송합니다."

그는 별말 없이 뺨을 문지르고 있었다. 수염 한 자락 허용하지 않는 교국 놈들이었기에, 더욱더 예전 안스와 닮아 보였다.

그녀는 마지막으로 덧붙였다.

"소조폴은 죽이지 마세요."

그는 침묵했다. 그녀는 그 침묵이 걱정되었다. 자신은 냉정을 잃은 죄로 벌을 받으면 그뿐인데, 소조폴이 걱정되었다.

미련이 남아 말문을 떼려는 순간, 어디선가 그림자처럼 군인들이 나타났다. 티티라는 순순히 팔을 뒤로 내밀었다.

"이즈고랄 씨, 문어는 밥을 어떻게 먹어요? 먹물 나오는 덴 똥꼬 아니에요?

"서른 문제 다 풀면 알려 주마."

"에이, 모르시는 거죠?"

"난 알아."

"입 닥쳐, 안스."

"티티라 돔니니! 선생님 앞에서 입조심해라!"

"하지만 쟤가 먼저 아는 척했어요."

"너 먼저 입조심해."

"우스페히 씨한텐 잘해요."

"글쎄, 나는 안 보이나 보구나."

티티라는 까르르 웃으며 손을 내밀었다. 이즈고랄은 헛웃음을 터
뜨리며 그녀의 손을 마주 잡고 흔들었다.

이것은 아홉 살이 된 올해 오트카저트 씨에게 배운 것이었다. 오
트카저트 씨는 맨날 돌아다녀서 얼굴 보기가 힘들었는데, 지난달
에 대뜸 돌아오더니 '북부에선 악수라는 인사를 하더라.'며 손을 잡
고 흔들어 주었다. 티티라는 손이 맞닿는 느낌이 좋았기 때문에 그
뒤 조금만 친한 사람이면 계속해서 '악수'를 시도했다.

"그거 좀 그만해. 지겨워."

"자."

그녀는 안스에게도 강요했다. 물론 안스랑은 벌써 천 번쯤 '악수'
를 했지만, 앞으로도 계속할 예정이었다.

안스는 짜증을 내며 손을 잡아 주었지만 흔드는 대신 책상 위로
밀어냈다.

"아, 이즈고랄 씨! 우리 따로 공부하면 안 돼요?"

"굳이 그래야겠니? 너는 계약에 강하고, 티티라는 계산에 능하니 좋은 수업 동료가 될 수 있어. 좀 더 나이를 먹으면 물류나 회계에 대해 배워야 할 텐데 그건 둘 다 잘 알아야 써먹을 수 있지."

"그럼 그때 같이 듣게 해 줘요!"

"싫어."

"왜요?"

"두 번 수업하기 귀찮다."

"저는 수업이 귀찮아요!"

안스는 일어나서 도망가려다 이즈고랄에게 잡혔다.

"오늘은 그냥 나가면 안 돼요?"

"지금 나와 있잖니."

그는 사방을 둘러싼 건물 회랑 위로 뻥 뚫린 하늘을 가리켰다. 안스는 가짜로 우는 시늉을 했다.

"이건…… 아니에요……. 전 진짜 나가고 싶어요……."

"서른 문제 풀면 나가게 해 주마."

안스는 쾅 하고 다시 의자에 앉았다.

물론 그들을 지켜보던 티티라가 종이에 코를 박는 게 먼저였다. 그녀는 안스가 조금 늦었다는 것을 알고 신나서 외쳤다.

"먼저 푸는 한 사람만 나가게 해 줘요!"

"야, 웃기지 마!"

"문어도 알려 주셔야 해요!"

그들은 서로에게 비슷한 수준의 문제를 받았고, 덕분에 티티라가 먼저 일어섰다.

"내가 이겼다!"

그녀는 달려갔다. 이즈고랄 씨가 뭐라고 소리를 쳤지만, 안스가 의자를 내팽개치는 소리가 더 컸다. 그는 안스를 붙잡느라 티티라를 따라오지 못했다.

티티라는 웃음을 터뜨리며 회랑을 지나 시계탑으로 달려갔다. 올라가야지! 아, 문어를 까먹었네. 하지만 순식간에 지워 버렸다. 시계탑에 올라가는 것이 더 중요했다.

"오트카저트 씨!"

그녀는 달려가며 인사했다. 오트카저트는 한 손으론 빵을 먹으며, 그녀가 달려가는 자리에 살짝 손을 대 머리를 헝클어 주었다. 티티라는 그를 보는 둥 마는 둥 하며 시계탑으로 뛰었다.

시계탑은 목요일 정오부터 자정까지만 보통 사람들에게 열려, 목요일엔 항상 바글바글했다. 물론 어른들은 하나도 없고 다 그녀 또래의 애들뿐이었지만.

티티라는 콧대를 세우며 줄의 맨 끝에 섰다. 나는 우스페히에서 성도 받았으니 조용히 있어야지. 다들 궁금하게.

물론 그녀가 거부하지 않았더라도 그녀에게 말을 거는 아이들은 별로 없었을 것이다. 아이들은 이미 다들 끼리끼리 친했으니까. 하지만 티티라는 저 애들이 자신을 어려워해서 말을 걸지 못한다고 생각하길 좋아했다.

왁자지껄한 가운데 티티라는 꼿꼿하게 앞만 보고 섰다. 내가 잘나서 그래. 나는 우스페히에서 성도 받았어.

"티티라!"

그녀는 홱 몸을 돌렸다.

"일부러 널 먼저 보낸 거야. 자리 맡으라고."

안스였다. 얼마나 빨리 뛰어왔는지 짙은 갈색 머리가 엉망이었다. 그녀는 깔깔 웃으며 자기 앞으로 안스를 끼워 주었다.

그들은 다른 애들처럼 목요일마다 시계탑을 오르곤 했다. 티티라는 시계탑에 오를 때마다 궁금했다. 안스는 내가 오기 전엔 이곳을 혼자 올랐을까? 그렇게 죽 혼자여서, 나를 위해 따뜻한 목욕물을 받아 놓고 일주일에 한 번 먹으면 다행인 고기를 달라고 한 걸까?

그러나 티티라는 똑똑했기 때문에, 그 말을 하면 저 애도 내가 자기 없인 혼자라는 사실을 알게 될 거라고 생각했다. 그래서 마음속에만 간직하고 절대 물어보지 않았다.

다만 시계탑에 올라왔을 때 질문했다. 딱 하나.

"나 말고 다른 애들은 어땠어?"

"뭐?"

"우스페히에 있던 다른 애들. 드…… 드라킬?"

"드라스키? 걔도 너처럼 우스페히 씨가 사 왔지. 배로 다녀오셨는데…… 아마 도이도흐 출신일 거야."

"왜 쫓겨난 거야? 바보라서?"

"그럴지도……. 산수를 잘 못했어."

"나는 잘해서 다행이다."

"넌 내가 만난 애 중에 산수는 제일 잘해."

티티라는 뿌듯하게 웃었다.

"맞아. 너보다 잘해."

"그치만 나는 너보다 더 잘 외워."

"난 너보다 훨씬 빨리 셀 수 있어."

"반칙이다. 그것도 산수잖아. 난 너보다 빨리 달려."

"아냐. 내가 더 빨리 달려. 지난번에 내가 이겼어."

"한 번뿐이잖아. 내가 너보다 키 커."

"넌 나보다 세 살 많잖아. 그리고 어제 팔씨름도 내가 이겼어."

"나이 먹으면 앞으론 내가 이길 거야. 그게 마지막이야."

티티라는 더 이상 반박할 말이 없어 씩씩거렸다. 그녀도 오트카저트 씨와 투크 바하 씨를 보고 남자와 여자가 어떻게 변하는지 대충 알고 있었다.

우스페히의 육로 담당 용병대 대장이었던 오트카저트 씨는 그들이 처음 만났을 때 자기가 스무 살이었다고 했다—티티라는 그가 생각보다 어려서 깜짝 놀랐다—. 투크 바하 씨는 우스페히에서 모든 질문의 입구와 출구 역할을 하는 분이었는데, 그분도 스무 살이라고 했다.

그런데 그들은 너무 달랐다. 오트카저트 씨는 긴 여행 끝에 소조 폴에 다다라 씻고, 수염을 깎고, 엄청 잘생겨질 때마저도 너무 컸다. 투크 바하 씨는 마르진 않았지만 덩치가 크지도 않았다. 그녀가 물품 몇 가지에 끙끙대면 오트카저트 씨가 바람처럼 나타나 들어 주곤 했다.

우리도 그렇게 될까?

"야! 자리 났다!"

안스는 그녀를 끌고 아치형 빈 공간으로 얼굴을 들이밀었다. 티티라는 그를 냅다 밀치고 자기가 들어갔다. 이 자리는 항구가 바로 보여, 제일 좋은 장소 중 하나였다.

"안스, 황금 돛이 돌아온다!"

안스는 힘으로 그녀를 밀려 했지만 이기지 못했다. 결국 그녀 아래로 들어가 바깥을 구경했다.

"멋있다. 좋겠다. 배 타고 싶다."

"안스, 우스페히 씨가 배는 위험하대. 너도 배를 탔다가 이렇게 됐잖아, 바보야!"

"아냐. 난 불법 노예상에서 탈출한 거지, 배랑은 상관없어! 그러니까 꼭 다시 탈 거야."

"이즈고랄 씨가 너한테 어울리는 말이 있대."

"뭔데?"

"'망아지는 죽어야 그만둔다.'"

"무슨 뜻인데?"

"뭐든 간에 죽기 전에 그만두래."

"뭐? 무슨 뜻인지 모르겠는데. 야! 우스페히다!"

그들은 신나서 큰 배가 들어오는 모습을 지켜보았다. 배에 붉은 기가 없는 것을 보니 우스페히 씨는 아직 도이도흐에서 돌아오지 않은 모양이었다. 하지만 그가 없더라도 우스페히의 배를 보는 것은 언제나 짜릿한 일이었다.

"지난번에 블리조 씨가 술 마시고 말씀하셨는데, 우스페히 씨는 재산이 만 금金이라더라."

"우와!"

"그런데 결혼도 안 하고 자식도 없어서 걱정이래."

"걱정? 왜?"

"우스페히 씨가 돌아가시면 이 상단을 누가 물려받냐고 하시더라고. 그건 문제가 있나 봐. 욕심 많은 사람들이 있대. 그 사람들이 오면 우리도 잘린대. 원래 사환은 상관 바닥에서 빵을 주고 재우는

데, 우리는 특별한 경우인 것 같다고. 돈이 아까우면 이렇게······."

안스는 손으로 목을 베는 시늉을 해 보였다. 티티라는 입술을 삐죽이며 대답했다.

"바보야, 걱정하지 마. 우스페히 씨는 지금 서른여덟 살이셔. 그분이 돌아가실 때가 되면 우리도 서른 살은 더 됐을걸? 열다섯 살부터 혼자 못 살면 소조폴 앞바다에 빠져 죽어야 한다고 했어."

"누가 그러냐?"

"오트카저트 씨!"

"그럼 헛소리야. 그 사람, 난 싫어."

"왜?"

"너무 놀잖아. 투크 바하 씨가 두 시간 일하실 때 한 시간 일하는 것 같아. 티, 그런 사람은 게으른 거야. 친해지면 안 돼."

티티라는 대답하지 않았다.

안스는 얼마 전에 무리에 섞여 있던 사기꾼을 대화 몇 번 만에 알아보았다. 티티라는 감도 못 잡았는데 안스가 눈치챘고, 블리조 씨에게 고발해서 잔뜩 칭찬을 들었다. 그때뿐만 아니라 안스는 항상 사람을 잘 구별해 냈다.

마침내 그녀는 퉁명스레 반박했다.

"넌 몰라서 그래."


티티라는 열 살 때부터 다른 상단의 사환들을 만날 수 있도록 허락받았다. 그간 안스 혼자만 공용 공간에 다녔는데, 이제 그녀도 화물 보관소, 심부름꾼 대기소를 들락거릴 수 있었다.

상단 이야기를 피하느라 길게 대화를 나누지는 못했지만 그것만으로도 그녀는 충분했다. 그녀는 매일같이 새로운 사환들을 사귀었다. 하지만 안스가 '친구가 많다.'고 놀리면, 그 애들은 죽었다 깨어나도 친구가 아니라고 선언하곤 했다. 단지 시계탑에 같이 올라가는 무리가 커져서 좋았을 뿐이다. 삼 년 동안 그녀에게 또래 친구라곤 안스밖에 없었으니까.

물론 그 애들도 티티라는 안스와 가장 친하다는 사실을 알았다. 언젠가 그녀는 안스를 노예 자식이라고 부르는 남자애 하나를 묵사발 냈다. 안스는 마지막에 끼어들어서 티티라의 주먹을 들어 보였다. 봤냐? 얘한테 까불면 죽는다.


실제로 블리조 씨는 까불면 죽일 수 있는 방법을 알려 주었다. 알 수 없는 말을 웅얼거리면서.

"너도 열 살이니까. 세상엔 별놈들이 많거든."

"네?"

"이건 내 소관이 아니야. 투크 바하 씨에게 물어보거라."

넌 알아? 안스에게 물어보았지만 그도 어리둥절하며 고개를 저었다.

그들은 투크 바하 씨에게 함께 갔다. 그녀는 난처한 표정을 지었다. 정말 블리조 씨가 보냈다고? 그들은 입을 모아 대답했다. 네! 참도, 곤란한 일을 시키네.

그녀는 어깨를 으쓱이며 주변을 둘러보았다. 아무도 없었다.

잘 봐 봐. 아기는 여자와 남자가 잠자리를 가져서 태어나는 거란다. 그런데요? 잠자리가 뭐냐면 있지, 여자와 남자는 벌거벗으면 다리 사이에 다른 게 있어. 그건 맞추면 서로 맞아떨어지는 조각

같은 거야. 그렇게 남녀가 다른 걸 붙이면 여자가 임신하고, 열 달 뒤에는 아이가 태어난단다. 그런데 그 조각을 맞추는 건 서로 사랑해서일 때도 있고, 그냥 그 느낌이 좋아서일 때도 있고, 그리고 폭력적으로, 강제로일 때도 있어. 주로 여자애들이 당하지. 왜냐하면 남자 것은 튀어나와 있고, 여자 것은 들어가 있거든. 튀어나온 걸로 들어간 걸 공격하긴 쉬워도, 그 반대는 어렵겠지? 태생적으로 좀 불공평한 거야. 게다가 나이가 더 차면 힘 차이도 커지고. 그러니 블리조 씨가 티티라에게 그런 걸 가르쳐 주신 거란다. 혹시 티티라가 나쁜 사람에게 당할까 봐. 티티라는 아직 임신하기 어렵지만, 그것과 상관없는 사람들도 있거든.

갑자기 안스가 사색이 되었다. 그는 흙빛에 가까운 얼굴로 주춤주춤 옆으로 물러나더니 헛구역질을 하기 시작했다.

투크 바하 씨는 픽 웃으며 안스의 등을 두드려 주었다.

"안스 너, 봤지?"

안스는 계속 토하려 했다. 티티라는 똑같이 설명을 들었지만, 그건 마치 벌집이 어떻게 생겼는지 배웠던 때와 마찬가지였다. 이해는 했지만 솔직히 잘 몰랐다. 보면 알아볼 자신이 없었다.

"뭐야? 어떤데? 봤어? 어떤 거야?"

그 애는 빈속에 처량하게 토하기만 했다. 투크 바하 씨가 난 이제 모른다며 떠나고 나서도 계속 힘들어했다. 티티라는 너무너무 궁금했지만, 자신이 캐물을 때마다 상대가 기절하려 들어서, 마지막엔 조용히 앉아 등을 두드려 주기만 했다.

안스는 거의 한 시간쯤 지났을 때, 정말 마지막에, 기어들어 가는 목소리로 말했다.

"봤어."

"어디서? 누가?"

"누군진 몰라. 상단 빈 마구간에서, 봤어. 난 도와 달라는 비명 소리가 나서 누가 죽는 줄 알았다고. 그래서 마구간으로 달려갔는데 욕먹고 쫓겨났어."

"누구한테 말하긴 했어?"

"그냥, 지나가던 시글리스 씨한테. 누가 어떤 여자를 마구간에서 죽이고 있다고 했어. 아저씨는 잠깐 다녀오더니 웃으며 그냥 두라더라. 별일 아니랬어."

티티라는 주저앉은 채 턱을 괬다.

"그게 투크 바하 씨가 말씀하셨던 '강제로 당하는' 건가 봐."

"……."

"많이 아파 보였어?"

"나는 그 소리가 별일 아니란 게 이상해서 근처에서 기다렸어. 낯선 남자 혼자 나오면 다시 시글리스 씨한테 가서 살인자라고 하려 했지."

"그래서?"

"그 사람 혼자 나왔어. 그래서 살인자! 크게 소리를 질렀어. 그랬더니 그 사람은 자기가 무슨 살인자냐고, 저기 멀쩡히 살아 있다고 했어. 못 믿겠으면 확인해 보라고 해서 갔는데, 정말 살아 있더라. 그 사람은 건초로 덮여 있었는데 나보고 그냥 가라고 했어."

"……."

"나는 그 일이 너무 이상해서 나중에 우스페히 씨한테 말했어. 우스페히 씨가 알겠다고 하시더니 얼마 뒤에 시글리스 씨가 '질서

를 못 지켰다고' 해고되더라. 그리고 마구간에서 봤던 남자는 손목
이 잘려서 만 하루 동안 상단 앞에서 수갑에 매여 있었어."

"아, 그게 그거였구나."

안스는 웅크린 채 가만히 있었다. 티티라는 자신이 왜 그래야 하
는지 몰랐지만, 토하지도 않는 안스의 등을 계속 두드려 주었다.

"블리조 씨가 알려 주셨으니까, 앞으로 그런 걸 보면 눈을 파 버
리자."

"······."

"안스, 너 정말 아파?"

"······."

"약해 빠졌어."

"······."


티티라는 열한 살이 되었다.

이제 정말로 안스를 완력으로 이기지 못했다. 그래도 블리조 씨
에게 배운 기술을 쓰면 어떻게 어떻게 엎어뜨릴 수는 있었지만, 더
이상 그 애를 시계탑 가장 좋은 자리에서 밀어낼 수 없다는 사실은
그녀를 슬프게 했다. 이제 죽을 때까지 안스 아래에 껴서 바깥을
내다봐야 하겠지.

그러나 이상하게도 열넷이 된 안스는 시계탑에 가는 것을 예전처
럼 즐거워하지 않는 듯 보였다. 자신이 가자고 재촉해도 두 번에 한
번은 꼭 빠졌다. 그땐 다른 애들과 같이 갈 수밖에 없었는데, 기분
이 별로였다. 결국 그가 안 가는 날에는 그녀도 가지 않게 되었다.

그러던 어느 날, 그 애에게 여자 친구가 생겼다는 이야길 들었

다. 티티라는 어이가 없어서 블리조 씨에게 일렀다. 쟤, 요새 바깥
나들이나 해요. 블리조 씨가 눈에 불을 켜고 일어섰다.

"어디 지금까지 키워 준 은혜를 모르고!"

알 수 없는 소리를 하며 쾅쾅 달려갔다. 그러나 블리조 씨가 안
스를 붙잡았을 때, 그는 무슨 소리를 하냐며 외려 벌컥 화를 냈다.
티티라는 블리조 씨 뒤에 숨어서, 밀리아르다라는 애랑 사귄다고
들었다면서 약 올렸다.

안스는 산뜩 짜증을 내며 개가 소문을 낸 게 분명하다고 했다.
자기는 이야기를 몇 번 들어 준 게 다라고.

블리조 씨가 네놈, 상단 일에 소홀하기만 해 보라고 으름장을 놓
고 떠났을 때에는 티티라도 도망치려 했다. 아니, 도망쳤다. 그런
데 안스와 달리기를 해서 졌다.

"네가 나보다 십 센티나 크잖아! 불공평해!"

"너는 한 번만 더 말을 옮기기만 해 봐."

티티라는 눈만 깜빡깜빡 떴다. 안스의 시선을 피하진 않았다.

"그럼 여자 친구가 생겼단 게 진짜였어? 블리조 씨에게 거짓말을
했어?"

"아니야. 그래도 듣는 대로 상단에 이르지 마."

그녀는 솔직하게 불평했다.

"예전만큼 같이 안 있잖아! 수업할 때나, 식사 때나 자리에 있고,
같이 안 놀잖아! 그동안 뭘 하는 거야? 비밀이 있어?"

"아…… 그냥……. 됐다. 같이 가자."

"어딜?"

안스는 몸을 돌렸다. 티티라는 졸래졸래 따라갔다.

그들은 항구에서 한참 멀고, 검은 바위가 많은 해안가에 도착했다. 멀리서부터 애들 소리가 들렸다. 그제야 티티라는 그가 비는 시간 동안 무엇을 해 왔는지 알게 되었다.

안스는 큰 바위 위에 쭈그리고 앉아 윗옷을 벗었다. 그의 등 쪽 어깨에 독특한 모양으로 새겨진 '안스카리우스'란 글자가 보였다. 몇 년 동안 계절을 가리지 않고 아주 많이 본 몸이지만 오늘 처음으로 궁금해졌다.

"커져도 똑같네."

"어?"

"몸이 커져도, 어깨 문신은 똑같아. 색도, 크기도."

"그래? 난 안 보여서. 애들도 별말 없던데."

"걔들은 널 잘 모르잖아."

안스는 고개를 돌려 자기 어깨를 보려고 무진장 애를 썼다. 티티라는 그 우스꽝스러운 몰골에 깔깔 웃었다. 그는 마침내 포기하곤 바위 위에 걸터앉았다.

"나한테 죽어도 안 가르쳐 주잖아. 수영이든, 배 기술이든. 아무리 나중에 선원을 안 한다고 해도, 난 지금 기초도 모른다고. 소조 폴에 그런 애들이 어디 있어? 쪽팔려서……."

"너 이거 들키면 우스페히 씨나 블리조 씨한테 진짜 죽을걸."

"당연하지……."

"그런데 그분들이 왜 못 배우게 하는지 나도 모르겠어. 이해가 안 돼."

"아마 바다에서 애들이 많이 죽어서일걸."

"아, 그런 거야?"

"언제 한 번은 우스페히 씨가 그랬거든. 성년이 되어 배우라고. 네가 목숨보다 비웃음을 당하는 걸 못 참겠으면, 그게 네 수준이라고. 그래서 열심히 생각했거든? 그런데 오히려 지금 조금이라도 배워 두는 게 나중에 더 잘 살 수 있을 것 같더라."

"네가 그렇게 생각한다면 말 안 할게."

안스는 웃었다. 너는 그래 줄 것 같았다고.

티티라는 건성으로 들으며 침으로 안스 어깨에 있는 문신을 문질러 보았다. 안 지워지네? 야, 더럽게 무슨 짓이야!

티티라는 열두 살 때 회계 공부에 푹 빠졌다. 안스는 자기한테 미쳤다고 했다. 의사한테 가 보라고, 정말 머리에 이상이 있는 게 분명하다고 했다.

그녀는 제 키보다 높은 서류들 사이에서 꼬질꼬질한 상단 장부를 뒤지느라 일주일 동안 나오지 않곤 했다. 블리조 씨가 억지로 빼내면 한참은 화가 나서 씩씩거렸다.

그때쯤 안스는 그녀보다 이십 센티는 더 커서, 더 이상 정면으로 상대하기 어려웠다. 그래서 어차피 나오면 혼자 달리고 구르고 허수아비를 상대로 걷어차기만 하는데 무슨 소용이냐고 짜증을 냈다.

블리조 씨는 이마를 짚었다.

"너, 혹시 안스랑 못 붙어서 그러냐?"

"무슨 말씀이세요?"

"지금은 잠깐 그런 거야. 넌 너무 어리고, 안스는 너보다 '네 살'이나 더 많잖아. 남자애고. 훌쩍 커졌다고."

블리조 씨는 아직도 우스페히 씨와 안스의 진짜 나이를 놓고 싸우고 있었다.

"티티라, 너도 클 거야. 많이는 아니지만. 그 시기를 지나면 각자의 몸에 맞게 연습할 수 있다. 그러니 지루해도 참아. 너 그렇게 앉아만 있다간 못 걸을 수도 있어."

안스는 옆에서 놀리지도 않았다. 정말 그런 거냐고 걱정하는 표정이었다. 하지만 그들은 완전히 잘못 짚었다. 티티라는 진심으로 회계가 재미있었다.

"안스, 너 정신 나갔어? 진짜 블리조 씨처럼 생각해?"

물론 그 두 사람은 다시 태어나도 숫자가 재밌을 수 있단 걸 모를 사람들이었다. 그녀는 거짓말쟁이들 사이에서 진실을 이야기하는 기분으로 항의했다. 그러나 안스는 자기가 봐줄 테니까 대련을 하자고 지껄이기나 했다. 티티라는 '너는 내가 봐줄 테니 회계 일이나 해라.'고 친절하게 말한 뒤 허수아비를 팼다.

결국 안스는 포기하고 골방에 들어와서 놀았다. 수영은 어쩌고 들어왔냐고 물으니, 이제 자기보다 잘하는 사람이 없다고 했다. 더불어 자기는 돛을 묶는 법, 밧줄을 거는 법, 풍향과 별을 보는 법까지 배웠으니 두 번 다시 표류하지는 않을 거라고 말했다. 티티라는, 그건 배를 타면 네가 정하는 게 아니고 신이 정하는 거라고 말해 주었지만, 안스는 들은 체도 하지 않으며 소조폴에서 질리게 불리는 뱃노래를 흥얼거렸다.

"바다가 얼었다는 소식을 들었네.

세상이 변했나 보오, 겨울 곁에.

우리가 헤엄쳤던 파도, 흔적이 없노라.

얼어붙은 수평선에서 벗이 돌아오면

오, 한 줌 남은 기쁨으로 나를 불태워
네게 파도를 돌려주고 잿더미가 될 텐데.
볕 드는 봄이 다시 오지 않아도 좋네.
네게 파도를 돌려주고 잿더미가 되면
일렁이는 파도에 네 웃음이 들리면
겨울 속에 익사해도 미풍 같은 죽음."
티티라는 조용히 하라며 책을 던졌다. 그는 머리를 공격당하곤
비명을 질렀다.

열세 살의 어느 날, 자다 깼는데 침대에 피 얼룩이 져 있었다. 티
티라는 몸이 이상한가 걱정하며 새벽에 이불과 옷을 끌고 상관 옆
좁은 운하로 갔다. 일곱 살 때부터 단 한 번도 이런 실수를 한 적이
없어 부끄러웠다.
그녀가 웅크려서 얼룩을 빼는데, 누군가 위에서 속삭였다.
"야, 뭐야?"
티티라는 화들짝 놀랐다.
"밤중에 뭐 하는데?"
"됐어. 잠이나 자."
"위험해. 들어와."
그녀는 무시했다. 그러자 위에서 창문이 닫히는 소리가 났다. 쿵
쿵쿵쿵. 이럴 거면 왜 속삭였는지 모르겠다. 뒷문에서 안스가 저벅
저벅 걸어 나왔다.
"야, 위험하다니까."
"뭐가 위험해? 이것만 지우고 들어갈 거야."

안스는 잠이 덜 깬 채, 인상을 찌푸리며 내려다보았다.

"뭔데······?"

"됐다고 말했잖아."

"너······."

"거의 다 했어."

"그거······. 날 밝으면 투크 바하 씨한테 가. 싫어하시겠지만······."

"내가 왜? 다 빨았어."

안스는 흐르는 물에 절인 이불을 들어 올렸다. 훌쩍 큰 그가 들자 달빛 아래 하나도 안 지워진 자국이 보였다.

"피잖아. 지우는 법은 내일 물어보고, 들어가."

"바지에도 묻었어—"

"어차피 못 지워. 이미 굳었는데."

그의 말이 옳았다. 벌써 한 시간은 된 것 같았다. 그녀는 고개를 주억거린 뒤, 다음 날 냄새나고 무거운 빨래와 함께 투크 바하 씨 앞에 섰다.

투크 바하 씨는 말했다.

"또 너야?"

"마린카 씨가 휴가로 안 계신단 말이에요······."

안스는 기어들어 가듯이 말했다. 티티라는 그가 왜 그러는지 몰랐다.

"티티라, 예전에 내가 잠자리 얘길 해 줬던 걸 기억하니?"

"기억해요."

"그때 티티라는 아직 아이를 가질 수 없다고 했었지?"

"네."

"이제 지금처럼 한 달에 한 번씩, 일주일 동안 아래에서 피가 나올 거야. 그건 이제 너도 아이를 가질 수 있단 뜻이야."

티티라는 역겹다는 표정을 지었다.

"으웩."

"빨래는 그리고 왜 들고 와? 네가 해야지."

"저, 퇴염退染[9] 약 좀 주세요. 물로 안 될 것 같아요."

"넌 그걸 왜 네가 얘기해?"

"맞아, 안스. 넌 가만히 좀 있어."

안스는 조용히 찌그러졌다.

그녀는 결국 투크 바하 씨에게 약을 받아 새벽과 같은 자리에서 빨래를 했다. 자신이 뭘 잘못한 게 아니란 사실을 배워서 전혀 부끄럽지 않았다.

그 와중에 안스는 누가 말을 걸면 고슴도치처럼 부풀 듯한 태도로, 제 뒤 벽에 붙은 의자에 앉아 있었다. 꺼지래도 꺼지지 않았다.

한창 빨래에서 핏물을 빼던 도중 누군가 그녀를 불렀다.

"티티라?"

석 달 만에 소조폴로 돌아온 오트카저트 씨였다. 그녀는 반가워 벌떡 일어났는데, 일어서자마자 핏물이 뚝뚝 흘렀다.

"오트카저트 씨, 안녕하세요."

"아…… . 알겠다, 알겠어. 나중에 보자."

그녀는 어리둥절하니 다시 앉았다. 인사할 때 저렇게 빨리 떠난 적이 없는데.

"난 저 새끼 싫어."

---

9) 물건의 빛깔을 도로 빨아냄.

안스가 대뜸 말했다. 그녀는 그가 뒤에 있다는 걸 까먹고 있었기 때문에 놀라서 펄쩍 뛸 뻔했다. 그래서 조금 뒤에야 그 속의 내용을 파악할 수 있었다.

"너, 그것도 병이래."

"그것도 오트카저트가 이야기한 거지? 순 저 새끼 말버릇이네."

"말 제대로 안 하면 우스페히 씨한테 얘기한다."

안스는 무시했다. 의자 다리를 툭툭 치면서 오트카저트 씨가 사라진 자리를 끝까지 노려보았다.

티티라는 그가 그러거나 말거나 끝까지 제 할 일을 했다. 마지막에 그거 진짜 진짜 병이라고 덧붙여 주는 것도 잊지 않았다.

티티라는 열네 살 때 첫 고백을 받았다. 상대는 폴지라는 열여덟 살짜리 남자애였다. 걔는 자신이 거절하자 용감하게도 가슴을 만지고 입을 맞추려 했다. 티티라는 블리조 씨에게 배운 것들을 써먹어 그를 삼 층 아래로 떨어뜨렸다. 폴지는 그 후유증으로 한쪽 다리를 절다가, 밥벌이를 잘 못 해 소조폴의 거지 구역으로 쫓겨났다.

그녀는 뿌듯하게 자랑했다. 봤어? 나한테 까불면 죽어. 안스는 박수를 쳤다. 무리들은 앞에서는 그녀가 그럴 수밖에 없었다고 인정하면서도, 뒤에서는 욕을 했다. 그녀에게 붙은 새로운 별명은 다음과 같았다.

사마귀.

"사마귀는 내가 걔랑 잔 다음에 죽여야 하는 거 아니야? 난 걔랑 자지도 않았고, 죽이지도 않았는데."

티티라는 기술적인 문제를 지적했다.

애들은 또 그녀 앞에서는 그렇다고 이구동성으로 말하고, 뒤에서는 쟤가 쟤랑 잔 다음에 죽였다고 떠들었다.

티티라는 제 평판을 신경 쓰지 않았지만, 그 별명이 너무 많은 사람들의 입을 타자 우스페히 씨 앞에 설 때마다 마음에 걸렸다.

그래서 결국 우스페히 씨가 호박석 이야기를 하고 있는 와중에 대뜸 말했다.

"우스페히 씨, 저에 대해 이상한 소문이 돌고 있어요. 제가 누구랑 잔 다음에 상대를 죽였다는 소문인데, 사실이 아니에요. 예전에 블리조 씨는 안스에게 여자 친구가 생겼다는 것만으로도 항구까지 쫓아오셨잖아요. 혹시 오해하고 탓하실까 봐요."

누군가를 죽였다는 것보단 잤다는 소문이 좀 더 걱정이었다.

우스페히 씨는 안경을 올리며 말했다.

"알겠다."

그뿐이었다.

업무실을 나와 안스에게 토로했다. 뭔가 잘못됐어. 모르시는 것 같지 않아? 티, 잤다는 건 좀 그런데, 죽였다는 건 강해 보여. 좋잖아.

그런데 그 별명이 돈 뒤에도 그녀를 향한 고백은 멈추지 않았다. 아니, 사마귀란 단어가 오히려 도전 의식을 부추긴 것 같았다.

한 달 안에 네 명. 도고보, 찬터르, 론노, 에레카르. 죄다 거의 스물은 된 애들이었다.

그녀는 네 명 다 자빠뜨리고 도망갔다. 그중 한 명은 허리를 다쳐 한 달 요양해야 했고, 두 명은 팔뚝 인대가 늘어났고, 나머지 한 사람은 발목을 삐고 온 다리에 멍이 들었다.

그리고 네 명 다 그녀가 죽였다는 소문이 퍼졌다. 그중 세 사람은 아직 소조폴에서 잘 지내고 있는데도 그랬다!

"이렇게 살 수는 없어."

티티라는 선언했다. 안스도 동의했다.


티티라는 자신이 아는 한 가장 강한 사람인 오트카저트에게 도움을 청하려 했다. 그러자 안스는 화를 냈다.

"뭐야? 너도 동의했잖아?"

"그걸 방법이라고 가져왔나?"

"응. 어차피 요샌 북부 지진 때문에 놀고 계신데 날 좀 도와주면 어때서?"

"오트카저트는 널 안 '도와'줄 거야."

"뭘 모르네. 도와줄 거야. 우리도 벌써 칠 년은 안 사이라고."

그녀는 안스를 무시한 채 오트카저트에게 갔다. 그는 한량처럼 남부 특유의 그물 침대에 누워 있었다. 얼굴에는 오로지 햇빛을 가리기 위해 덮어 둔 책이 있었다.

"오트카저트 씨, 저한테 자꾸 이상한 소문이 붙는데 절 좀 도와주세요."

그가 꿈틀거렸다. 단단한 손이 올라가 책을 잡더니, 흙바닥에 툭 내던졌다. 그는 이제 스물일곱이었다. 도시에 있을 때면 항상 그렇듯 멀끔하고 단단한 청년의 모습이었다.

소조폴에서 그의 위명은 자자했다. 열다섯에 북부 검투장에서 우승한 뒤 용병 시장에 나와 첫 계약, 그 뒤 매번 본인의 몸값을 갱신하며 돌아다니다 상단에 정착한 칼잡이이자 총잡이. 우스페히 씨가 육로로 다닐 일이 드문데도 그를 상시 고용하는 이유가 있다고

들 했다.

그는 졸음에 겨운 목소리로 말했다.

"뭘, 흐으아, 내가 어떻게 도와줘? 귀찮으면 안 한다. 보다시피 너무 바빠서."

"저랑 사귀어 주세요."

그는 급하게 일어나느라 그물 침대에서 몇 바퀴 돌았다. 그리고 바닥에 떨어졌다.

"뭐?"

"자꾸만 제가 남자랑 잔 다음에 죽인다잖아요. 그런데 오트카저트 씨한텐 그 소리 못 하겠지."

"음……."

"다들 절 도전 석상처럼 취급하고 있는데, 더 이상 귀찮게 못 하도록 만들면 몇 달 지나고 다 까먹겠죠. 우스페히 씨도 더 이상 의심하지 않으실 거고요."

"좋아."

"감사합니다."

그는 오늘은 잘 거니까 건드리지 말고, 내일부터 놀아 준다고 했다. 티티라는 계획이 성공했다는 사실에 신이 나서 안스에게 갔다. 그가 방문을 잠그고 있어서, 기어이 마린카 씨에게 열쇠를 뜯어 와 열기까지 했다.

그는 방 안으로 들어오는 티티라에게 돼지비계로 만든 공을 던졌다. 그녀는 공을 잡아 다시 던진 뒤, 등으로 문을 닫았다.

"도와주신대!"

안스는 대답하지 않았다. 공을 천장에 던졌다가, 받았다가, 던졌다가, 받았다가······.

"오트카저트 씨가 내 부탁을 들어주셨어. 내일부터래."

"그 새끼가 퍽이나 거절했겠다."

"진짜 병이라니까. 됐어, 더 말할 필요도 없어."

그녀는 그에게서 공을 빼앗았다.

그러자 안스가 그녀의 팔목을 잡아채 침대로 눌렀다. 티티라는
바닥에 앉은 채 팔을 빼려고 이리 비틀고 저리 비틀었지만 소용이
없었다. 그녀는 기분이 상해 가만히 앉아 있었다. 내가 놓아 달라
고 할 줄 알고?

안스가 화를 냈다.

"너는 지금 이것도 못 빼는데 오트카저트한텐 어쩌려고 그러냐?
걘 열다섯에 검투사 대회에서 이겼어."

"오트카저트 씨가 네 분풀이에 왜 나와?"

"그 사람이 갑자기 이러면 어쩌려고?"

"오트카저트 씨가 대체 왜?"

안스는 손을 확 떼 내었다. 그리고 굴러서 침대 구석으로 갔다.
벽에 붙어 웅웅대는 소리가 들렸다.

"네가 지금까지 이길 수 있었던 건 네가 열심히 했고 걔들은 게
을렀기 때문이야. 너는 여자애니까 기술 따위 하나 없이 힘만으로
충분히 누를 수 있을 거라고 생각했겠지."

"결론이 뭐야?"

"오트카저트는 어떤 상황에서도 널 제압할 수 있어."

"그러니까 오트카저트 씨가 왜 그러겠냐고요."

"걔는 그럴 거야."

또 근거 없는 의심뿐이네. 티티라는 한숨을 쉬었다.

"안스, 네가 계속 그러면 나랑 내기해야겠다."

안스가 갑자기 난폭하게 일어났다.

"'내기'?"

"그래."

"뭘 거는데? 내가 뭘 하면 이기는 거냐? 설마 오트카저트가 무슨 일을 저지르면 그게 내 승리란 거 아니지?"

티티라는 긴 머리를 긁적였다. 생각해 보니 그러네.

"티."

음…….

"네가 걔랑 자고 싶으면 아무 말 안 할게. 그건 괜찮아. 아니, 솔직히 안 괜찮아. 나이도 더럽게 처먹은 게, 훤히 다 보인다고. 그치만 괜찮아."

티티라는 상대를 단정 짓는 그의 태도가 마음에 들지 않았다. 자기보다 오트카저트 씨와 오래 있었으면서 그들이 제대로 된 대화 한 번 하는 꼴을 볼 수가 없었다. 안스는 해가 갈수록 그를 더 싫어했고, 그가 있는 자리는 일부러 피하기까지 했다.

"안스, 똑바로 말할게. 나는 오트카저트 씨와 자고 싶지 않아. 그건 오트카저트 씨도 마찬가지일 거야. 그가 나를 도와준다고 했다지만 그건 진짜 사귀는 것도 아냐. 그냥 내가 '선언'하고 마는 거야."

"너……."

"좀 냉정하게 생각해 봐."

안스는 인상을 찌푸렸다.

"좋아. 냉정해지지."

"오, 드디어!"

"난 오트카저트가 열 살짜리랑 같이 다니는 걸 봤어. 넌 이즈고 랄 씨가, 블리조 씨가 그러는 걸 봤냐? 정상적인 사람은 안 그래."

"오트카저트 씨는 나랑도 같이 다녔는데?"

"너한테도 이상하게 친절하지. 네가 처음 소조폴로 올 때도 가장 먼저 말을 걸었다면서? 그리고 널 볼 때마다 항상 만졌어. 머리를 헝클어뜨리고, 어깨를 두드리고, 등을 쓸고, 손을 잡았다고. '악수'? 지랄하네."

"그게 뭐?"

"난 구역질이 나. 난 열 살짜리한테 안 그런다."

"야, 그렇게 보는 네가 더 이상해……."

들을수록 오트카저트의 문제가 아니었다.

티티라는 침대에 팔을 디딘 채 상체를 확 기울였다. 안스의 바닷물고기 비늘 같은 눈이 보였다.

"안스, 너 설마 아직도 마구간 일을 기억하고 있는 거야?"

"……."

"그건 너한테 너무 안 좋은 영향을 미쳤어. 넌 정상적으로 생각하는 법을 배워야 해……."

"난 정상이야."

"아니야."

"그땐 열세 살이었지. 지금은 열일곱이고. 그간 내가 길바닥에서 본 그 짓들만 백 번은 넘을 거다. 한 번은 손목을 잘릴 만한 짓을 하기에 걷어차서 내쫓았어. 속 시원하더라. 이 정도면 대답이 돼?"

"……."

티티라는 일어섰다.

"아무튼 충고 고마워."

"안 들었지."

"그치만 우스페히 씨가 '그런 헛소문 돌게 하지 말라'는 얼굴이셨어."

"'사마귀'가 뭐 어때서? 세고 멋지잖아."

"근데 남들이랑 자면 우스페히 씨가 싫어하시잖아. '그간의 은혜를 모르고 정신 팔고 싸돌아다니다니!'"

"……."

그녀는 안스의 어깨를 쳤다.

갑자기 그를 놀리고 싶어졌다.

"어깨, 쳤어."

안스가 인상을 찡그렸다.

"뭐?"

그녀는 그의 짙은 갈색 머리칼을 헝클어뜨리고, 등 위쪽을 살짝 쓸었다.

"머리 헝클고, 등도 만졌어."

마지막으로 팔짱을 끼고 있던 그의 손을 억지로 빼내 맞잡고 흔들었다.

"이렇게 악수도 한 거야."

"……."

"너는 내가 이상해?"

"……."

그는 찡그린 표정 그대로였다.

티티라는 말싸움에서 이겼다는 생각에 웃으며 손을 빼냈다. 그의 손에 잠깐 힘이 들어갔지만, 정말 잠깐이었다.

그녀는 그의 방을 나섰다.


티티라는 그래도 안스의 조언을 받아들였다. 오트카저트 씨를 의심한단 사실이 조금 미안했지만, 안스가 화내는 모습을 더는 견딜 수 없었다.

그래서 블리조 씨에게 무조건 상대 멱을 딸 수 있는 방법을 알려 달라고 했다. 한 번 실패하더라도 두 번째를 노릴 수 있는 방법. 세 번째까진 바라지도 않아요. 딱 두 번째까지만! 진짜 죽일 수 있게 해 줘요!

"얘가 무슨 바람이 들어서……."

그러면서도 블리조 씨는 신나서 알려 주려 했다. 옆에 선 안스는 아주 무표정했는데, 그녀는 이 이상 그가 기분이 상해 있다면 그건 본인 문제라고 생각했다. 때문에 그를 무시한 채 열심히 키를 어림해 보았다. 안스가 오트카저트 씨랑 키는 비슷하려나? 연습 상대로 충분할 것 같았다.

블리조 씨가 여전히 흥에 겨워 자기가 보여 주겠다고 자리에 섰지만, 그녀는 거절했다.

"'쟤'로 해 주세요."

"아니지. 처음은 가르쳐 주는 나랑 해야지."

"아니요. 안스랑 할래요. 쟤 키가 더 비슷해요."

블리조 씨는 엄격한 표정을 지었다.

"설마 누구를 정말 죽이려고 하는 건 아니지?"

"지금까지 알려 주신 건 죽이라고 알려 주신 게 아녜요?"

"누군지 말하지 않으면 안 알려 준다. 살인은 시끄러운 문제야. 거참, 얌전한 고양이가 부뚜막에 먼저 올라간다더니, 안스보다 네가 더 빠르군."

"대비하는 거예요. 혹시 절 공격하면 어떡해요?"

"그러니까 누군데 그러니?"

안스가 말했다.

"오트카저트 서스."

블라조 씨는 얼굴을 잔뜩 찌푸렸다.

"안스 너, 이상한 힘담은 그만하라고 했다."

"쟤가 서스랑 사귄대요."

"아니에요! 남들 물리치려고, 잠깐만이에요."

"안스랑 서 봐."

그 말에 그녀는 안스 곁에 섰다. 그는 여전히 그녀보다 이십 센티가 더 컸다.

"알겠다. 티티라. 네가 벽에 등을 기댔을 땐 이렇게 해라."

그는 성큼 다가가 순식간에 안스의 중심을 무너뜨렸다. 그러나 옛날처럼 마지막에 팔을 꺾거나 낭심을 차지 않았다. 대신 나무칼을 가져와선 안스의 등 한쪽을 짚었다.

"여길 있는 힘껏 찔러라. 죽을 때까지, 여러 번."

그녀는 열심히 따라 했다. 더 나아가 안스를 엎어뜨렸다. 블리조 씨는 엎어진 김에 안스에게 그녀의 목을 조르라고 말했다. 안스는 진심으로 힘을 주었다. 티티라는 얼굴이 시뻘게져선 그의 팔뚝을 툭툭 두드렸다.

블리조는 이게 진짜라며 옆에서 '티티라, 네 팔을 모아 눌러!'라고 외쳤다. 그녀는 제 목을 붙잡은 두 팔의 접히는 부분을, 팔짱 끼는 자세로 확 내려쳤다. 그가 중심을 잃고 앞으로 고꾸라질 때 다리를 건 채 체중을 실어 옆으로 넘겼다. 그리고 칼로 목을 찔렀다.

티티라는 벌떡 일어났다. 우레와 같은 갈채를 받는 시늉을 하며 여기저기 인사를 했다.

그런 그녀에게 다시 안스가 달려들었다. 그녀는 투덜대며 더 강한 힘에 반항했고, 다시 물리치자 더 악착같이 누르는 안스를 제압해야 했다. 그녀는 그가 진심이란 사실을 깨달았다.

그들은 그날 하루 종일 서로에게 매달렸다.

티티라는 마침내 회랑 한가운데서 드러누웠다. 블리조 씨는 호통을 치며 업어 주었다. 안스는 아무 말도 하지 않았다.


그러나 그렇게 각오했던 것과 달리 오트카저트 씨는 평소와 똑같았다. 그는 빈둥빈둥 잘생긴 얼굴로 티티라 옆 의자에 누워 있기나 했다.

애들은 기가 질린 얼굴로 새로운 관심사를 찾아 나섰다. 불편한 소문은 무너진 개미집처럼 사라졌다. 사마귀라고 부르는 사람도 전혀 없었다. 티티라는 성공했다!

그녀는 행복하게 바깥에 앉아 상단 거래 물품을 살펴보았다.

그러다가 무릎 위로 묵직하게 얹히는 무게를 느끼고 내려다보았다. 오트카저트가 잠깐만 잔다며 길게 누워 있었다. 티티라는 무언가 이상하단 느낌을 받았지만, 곰곰이 생각해 보니 또 엄청 이상한 건 아니었다. 그녀는 굳이 누운 사람을 밀치고 싶지 않아 자기 일에 집중했다.

무릎 위가 계속 신경 쓰였다. 무시했다.

그녀는 그날 반쯤은 의심하고, 반쯤은 언짢은 기분으로 돌아왔다. 그리고 푹 잘 잤다.

그 후 며칠간은 비슷한 일이 없었다.

일주일 뒤, 그가 뭐가 붙었다며 제 머리카락을 만졌다. 예전이라면 전혀 이상하게 생각하지 않았겠지만, 오늘따라 이상했다.

티티라는 스스로 가진 수많은 어휘가 사라진 채 '이상하다.'는 표현만 남자 당황했다. 왜 이상한지는 몰랐다. 문제라고 느껴지지 않았고, 어떻게 설명해야 할지도 몰랐다. 뭐가 이상한데? 오트카저트 씨가 머리에 붙은 송충이를 떼어 주셔서. 이 이유는 바보같이 느껴졌다.

티티라는 결론이 나면 미련 없이 덮는 성격이었다. 그래서 별일 아니라는 결재 도장과 함께 종이를 밀어 두었다.

그다음 이상했던 날은 월요일이었다. 그날 점심, 티티라는 주방에서 마린카 씨와 떠들며 남은 찐 계란을 몰래 주워 먹고 있었다. 소스 맛이 다 달라서 새로운 그릇에 찍어 먹다가 감탄하는 바람에, 들키고 머리를 한 대 쥐어박혔다.

자신이 본격적으로 마린카 씨에게 투정을 피울 때 오트카저트 씨가 주방에 들어왔다. 마린카 씨는 그를 반기며, 뒤돈 채 근교 수행을 위한 간단한 도시락을 싸기 시작했다.

오트카저트 씨는 티티라에게 인사하며 뒤에서 껴안았다. 품 안에서 바깥 냄새가 확 풍겼다. 음. 이건 남들이 보기에도 확실히 이상할 것 같았다. 그녀는 고개를 돌려 조심스레 빠져나오려 했다.

그 순간, 마린카 씨가 그들을 향해 몸을 돌렸다. 아, 이런 모습을 보면 뭐라고 하시겠지. 오트카저트 씨를 난처하게 할 생각은 별로 없었는데 안타깝—

마린카 씨는 그들을 마주 보며 활발히 대화를 이어 나가기 시작했다. 글쎄, 지난번까지 너희들에게 줬던 건량 있잖니. 그걸 가져온 창고에 갔는데 문을 열었더니 쥐들이 무슨 폭포처럼 쏟아지는 거야. 너희 꼴이 쥐 동무 같구나, 하하하! 아니, 마린카 씨. 저는 원래 쥐랑 같이 먹는데 말씀이 심하십니다? 뭐? 배낭에 한 마리 두고 살아요. 이름도 있죠, 오트. 저라고 생각하며 잘 먹이고 있습니다. 하하하!

그는 마린카 씨에게 건량을 받아 들고, 다시 인사하며 바깥으로 나갔다.

티티라는 의아한 채로 말했다.

"마린카 씨, 저 오트카저트 씨랑 '진짜' 사귀는 건 아니에요."

마린카 씨는 펄쩍 뛰었다. 너희 사귀니? 안 돼! 용납할 수 없다! 아무리 오트카저트 씨가 좋아도 나이 차이가 얼만데 별로 보기 안 좋단다. 아니, 가짜로 사귄다니까요. 애들이 자꾸 제가 폴지를 죽였다고 '사마귀'라고 부른단 말이에요. 오트카저트 씨는 어떻게 해도 못 죽이니까 가짜 애인 행세를 해 달라고 했어요. 아이고, 다행이다. 나는 혹시 했잖니. 절대 그러면 안 돼! 차라리 안스가 낫다!

티티라는 혼란스러워졌다. 이상하다는 듯이 바닥을 내려다보았다. 블리조 씨의 수업은 별로 쓸모가 없었다.

토요일에 티티라는 애들이 모여 있는 곳에 불쑥 나타났다. 그들은 오트카저트 씨가 죽기까지 얼마나 남았는지 내기를 하고 있었다.

야! 그녀가 소리 지르자 아이들이 왁자지껄하게 웃으며 도망갔다. 마지막으로 무성의하게 도망가던 남자애가 그랬다. 오트카저트 씨가 안 죽으면 다음번 내기에 걸 거야! 이번에는 돈이 없어서 못 들어온 애들이 좀 있거든.

가짜로 사귄 지 삼 주 뒤, 안스는 무슨 일이 없냐고 물었다. 그녀는 딱히 할 말이 없었다. 그런데, 이제 그만하려고. 오트카저트 씨가 안 죽으면 또 다음 사람 가지고 사마귀라고 부를 거래. 그럼 의미가 없잖아.

안스는 두 팔 벌려 환영했다. 오랜만에 웃기까지 했다.

다음 날, 티티라는 오트카저트 씨에게 이제 그만 도와주셔도 된다고 말했다. 그는 능청스럽게 힘들어 죽는 줄 알았다고 했다. 수고비라도 달라며, 아니, 농담이라며 등을 쳤다.

그녀는 손바닥보다 손가락 하나하나에 담긴 힘을 느꼈다. 바로 떨어져 나가지도 않고, 꿀을 훑어보듯, 잠깐 눌렀다가, 팠다가, 긁으며 떨어져 나갔다.

오트카저트 씨는 한 달 동안 상로로 떠났다.

티티라는 그가 없는 사이에 그것이 무엇이었는지 생각해 보기로 했다. 그러나 곱씹을수록 자신이 이상하다고 생각한 것을 누구도 이상하게 생각하지 않았단 점에 의욕을 잃었다.

모든 일은 바깥에서, 지나가는 꼬맹이도 쳐다볼 수 있는 자리에서 이루어졌다. 누구도 그녀가 모욕당했다고 화내거나 놀리지 않앉다. 그건 그냥 모두가 보는 가운데 그 자리에 있었다. 특별히 눈길을 돌리거나 둘 필요가 없는 평범한 광경이었다.

안스는 그녀가 멍하니 쉬고 있을 때 툭툭 치곤 했다. 요새 왜 그래? 오트카저트가 뭐 했어?

"아니."

안스는 맹렬하게 의심했다.

"정말 아무 일도 없었어?"

"정말 아무 일도 없었다니까."

심지어 안스는 그녀가 생각했던 '이상한 일' 중 무려 다섯 장면에 배경 인물로 끼어 있었다. 그 거짓말 같던 연극 무대에서 그 역시 행인이었다. 저렇게 오트카저트 씨를 싫어하는 안스도 전혀 반응하지 않았던 수많은 '이상한 일'들.

"안스, 이런 건 어떻게 생각해?"

"뭘?"

티티라는 오트카저트 씨가 자신을 살짝 꼬집었던 일을 떠올렸다. 성큼 다가가서 안스의 손등을 아프게 꼬집었다. 안스는 비명을 지르며 물러났다.

"왜 이래!"

"너무 세게 했나……. 그럼 이건?"

그녀는 한 번 더 살짝 꼬집었다. 안스는 거칠게 투덜대며 떠났다. 내가 널 안 꼬집는 걸 다행으로 알라며. 이조차 그에겐 아무 일이 아닌 모양이었다. 그는 대답한 줄 몰랐겠지만, 정말 잘 대답해 준 셈이었다.

오트카저트 씨가 돌아왔다. 오트카저트 씨는 그녀의 머리를 헝클며 목덜미까지 손가락을 뻗었다. 검지와 중지로 긴 머리칼 안쪽의 맨살을 쓰다듬었다.

고개를 들었으나 그는 다른 방향을 보고 있었다. 그는 시선을 눈치챈 듯 티티라를 내려다보곤 웃었다. 큰 손으로 목덜미 전체를 감싸 툭툭 쳤다. 떠났다.

언젠가 오트카저트 씨가 생쥐를 움켜쥔 모습을 본 적이 있다. 액체도, 고체도 아닌 유순한 것을 한 번에 부드럽게 잡고 있던 그 손. 한 손으로 쥐의 머리를 살살 긁어 주던 그 손. 잡는 듯하면서 만지는 손.

그는 그런 손으로 자신을 대했다.

엊그제는 제 목덜미 아래까지 찬 손이 들어왔다. 오트카저트 씨는 처음으로 안스가 시선을 돌리기 전, '몰래' 빠져나갔다.

티티라는 그 순간 오트카저트 씨도 '알고 있다'는 사실을 깨달았다.

그러나 그게 무슨 소용이지? 생각해 보면 오트카저트 씨는 항상 자기보다 빠르고 강했으며 훨씬 높은 발언권을 가지고 있었다. 그와 제 말이 다르면 자신을 믿어 줄 사람은 안스뿐이었다. 그러니 이번 딱 한 번만 말하지 않고 넘어가는 건 어떨까. 남들 눈을 피해서 몰래 하는 것은 정말 어려울 테니까.

그렇게 한 번 무시하자, 그는 확실히 잘못된 일들을 하기 시작했다.

그는 그녀와 어깨동무를 하며 몰래 팔뚝을 만졌다. 가끔은 가슴팍에 닿기도 했다. 몰래 긴 머리칼 속에 손을 넣었다. 몰래, 상의의 목뒤 부분을 고정하고 남는 동그란 구멍에 손가락을 넣었다.

어떤 날, 사람들이 잠깐 사라지는, 여러 만화경 중 단 하나의 각도에서, 그는 제 머리칼에 숨을 묻었다. 귓가의 머리칼을 빗처럼 넘기며 관자놀이에 입 맞추었다. 아주 자연스럽게 옷자락 아래로 손을 넣었다. 그녀는 그동안 꼿꼿하게 서 있었다.

그날, 티티라는 방에 돌아와 한참 동안 앉아 있었다. 어디서부터 잘못됐는지 생각해 보려 했다. 아니, 사실 그녀의 삶은 지금도 잘 되고 있었다. 그녀는 우스페히 씨의 칭찬을 독차지했다. 블리조 씨와 이즈고랄 씨에게도 멋진 성적을 보여 주고 있었다. 해가 뜨면 항구에서 공부하고, 비가 오면 마린카 씨의 주방에서 말린 돼지고기를 원 없이 뜯어 먹으며 책을 읽었다.

이 일은 아주 사소한 부분이었다. 그런데 가장 바닥에 있었다. 작은 돌부리. 그래서 그 위에 차곡차곡 쌓인 나머지 생활이 균형을 못 잡고 흔들렸다.

그때, 누군가가 벌컥 문을 열었다. 그녀는 고개를 들었다. 안스였다.

"너, 무슨 일 있지?"

이번에는 지난번과 달리 확신할 수 있었다. 무슨 일이 있기는 진짜 있었다. 하지만 항상 태연하던 제 태도가 발목을 잡았다. 전에 했던 말을 돌이킬 수도 없을뿐더러, 방금 전 겪은 일을 생각하면 자존심이 상했다. 상한다는 말로 표현되는 수준이 아니었다. 자존심이 으깨어졌다.

"안 그러면 화물 양하場荷[10] 축하연에서 이렇게 빨리 돌아갈 리가 없지. 당장 말해."

너도 그 자리에 있었어.

---

10) 배에서 짐을 내림.

그녀는 아무렇지도 않게 침대에 기댔다.

"쉬려고."

"그놈의 가짜 짓을 할 땐 아리까리했어. 그런데 벌써 반년째인데 나아지진 않고 더 이상해지기만 해. 무슨 일이야?"

"아니, 쉰다니까."

안스는 잔뜩 화가 난 사람처럼 문가에 서 있었다. 그는 이제 웬만한 사람들보다 키가 반 뼘은 더 컸다. 티티라는 그가 똑같은 자리에서 허리 성노까시 왔던 유년기를 떠올리며 십시에 川쾌한 기분이 되었다. 누가 밀가루 반죽을 죽 늘린 것 같네.

"티."

그는 성큼 들어와 침대에 앉았다.

티티라는 아주 조금, 몸을 반대편으로 기울였다.

"누구야?"

"뭐가?"

"오트카저트는 아니라고 했지? 누구야?"

그는 정말 화가 났을 때 욕을 하지 않는 버릇이 있었다.

"뭐가 누구냐는 거야?"

"난 말솜씨가 없어서 어떻게 표현해야 할지 모르겠다. 그러니 알아서 들어. 누가 건드렸어?"

"어이가 없네. 나 아직 열넷이야."

"그래서 하는 소리야."

"……"

"넌 내가 쓸데없이 과민 반응한다고 했지? 나는 내가 신경 쓰는 사람에게만 반응해. 그 소리를 하려면 나와 친해지질 말았어야지.

누가 건드렸어? 우스페히 씨에게 고발해서 손이 잘리게……."

"……."

"그게 싫으면 내가 칼을 줄게. 네 소매 안에 맞을 거야. 상황이 닥치면 그걸로 위협해. 너라면 충분히 할 수 있어. 네가 시끄럽지 않은 해결책을 바랄 수도 있으니—"

"안스, 헛소리하지 말고 화물 양하연에나 돌아가. 난 잘 거야."

그녀는 그를 발로 차곤 이불 속으로 들어갔다.

안스는 한참 동안이나 말없이 침대에 앉아 있었다.

사실, 그녀도 잠들지 않았다.


그날 이후 안스는 집요하게 자신을 쫓아다녔다. 정말 미친 사람처럼 쫓아다녔다. 제 일을 하기는 하는 건지, 그녀가 어딜 가든 있었다. 티티라는 그의 의심이 짜증스러우면서도 실제로 그가 노려보고 있을 때에는 오트카저트 씨가 아무 짓도 하지 못한다는 사실에 안심했다.

그러나 감시에도 기한은 있는 법. 안스가 농땡이를 부린다고 생각한 블리조 씨가 그를 질질 끌고 갔다. 그녀는 그가 사라지자마자 오트카저트 씨가 접근할까 봐 긴장했지만, 생각 외로 별다른 일은 일어나지 않았다.

혹시 안스가 눈에 불을 켜고 있던 지난 한 달 동안 오트카저트 씨가 흥미를 잃어버린 것일까? 다행이다. 그냥 이렇게 없었던 것처럼 사라졌으면 좋겠다.


그녀는 누구에게서도 자유롭던 일주일을 보내고 겨울 첫 휴일을 맞이했다.

회랑으로 들어서는 발걸음이 가벼웠다. 오늘은 아무 날도 아니었으나 무슨 날으로라도 만들면 멋질 것 같았다.

"티티라."

티티라는 우뚝 멈췄다.

"잠깐 이야기 좀 하자."

그녀는 몸을 돌렸다.

회랑에서 나가는 유일한 실에 오트카서트 씨가 서 있었다.

"혹시 안스에게 말했니? 태도가 이상하던데."

그는 그녀가 대화를 거절하리라는 생각은 하나도 하지 않는지 곧장 걸어왔다. 나는 허락한 적도 없는데, 마치 어떤 비밀이 우리 사이에 있던 것처럼 말을 하네.

티티라는 입을 꽉 다물었다. 오트카저트 씨는 그녀의 앞에 섰다. 그녀는 뒤로 물러났다.

"아무 짓 안 한다. 네가 안스에게 말했는지 궁금한 거지."

그녀는 한 발자국 더 물러났다.

그러다 회랑의 턱을 밟고, 뒤로 고꾸라졌다.

깜짝 놀란 오트카저트가 그녀에게 손을 뻗었다. 그는 티티라가 돌바닥에 머리를 부딪치기 직전에 겨우 받아 냈다. 안도의 한숨이 들렸다. 그는 뻣뻣한 티티라가 다치지 않도록 부드럽게 바닥에 눕혔다.

"발 조심해라."

그 손은 이미 그녀의 양어깨를 은근히 누르고 있었다. 손 사이 간격이 점차 좁혀 들었다. 티티라는 똑같은 모습으로 제 위에 올라탔던 안스를 떠올리며 다행이라고 생각했다.

그녀는 한순간, 그의 팔 안쪽을 온 힘을 다해 짓눌렀다.

그가 균형을 잃고 앞으로 몸을 숙였다.

그녀는 반동을 붙잡고 그의 위로 올라탔다.

하지만 그는 너무 무거웠다. 거기까지 하는 것만으로도 힘이 쭉 빠졌다. 그녀는 그의 배 위에 앉아 헐떡였다. 오트카저트가 어이가 없다는 듯 웃었다.

"티."

그녀는 힘이 빠진 사람처럼 쭉 미끄러져 그의 품에 엎드렸다. 그는 달래듯이 그녀의 등을 두드렸다.

"안스에게 말했어도 괜찮다. 네가 원하면 무슨 상관이겠어."

티티라는 몸을 숙인 상태에서도 숨 가쁘게 씨근거렸다. 그에게 안긴 어깨가 크게 들렸다, 내렸다, 다시 들렸다. 오트카저트는 그녀의 가슴팍, 옷을 묶고 있는 줄로 손을 뻗었다. 그는 한 손만으로도 줄을 쉽게 풀어 헤쳤다.

그러나 그뿐이었다. 그는 어두컴컴한 손아귀로 빙그레 웃었다.

"네가 아무리 원해도, 이건 아니지."

그녀는 계속 헐떡였다. 그는 다시 끈을 묶어 주려 했다.

"다른 사람한테 가서는 이러지 마라."

그녀는 바닥을 짚고 몸을 일으켰다. 오트카저트는 그것이 제가 끈을 쉽게 묶을 수 있도록 도움을 주는 것인 줄 알고, 집중하여 가슴팍을 졸랐다.

그사이 티티라는 바닥을 디딘 소매 속에서 잠금쇠를 풀었다.

칼이 풀려 나오는 서늘한 감각이 느껴졌다.

그녀는 한순간 몸을 일으켰다.

체중을 실어 오트카저트의 목에 칼을 내리꽂았다.

아주 짧은 순간, 오트카저트는 그녀의 손목을 쥐었다. 그러나. 가르침과 목표가, 아니, 체중과 반동이, 딱 한 번 승리했다.

그녀의 손목을 잡은 오트카저트의 힘이 풀렸다.

'커억' 하는 볼품없는 소리와 함께 피거품이 흘러나왔다.

티티라는 칼을 들었다가, 다시 체중을 실어 오트카저트의 목을 찔렀다. 습기 찬 살의 비명이 났다. 그녀는 다시 칼을 빼냈다. 시체는 경련하고 있었다. 그녀는 다시 온몸으로 칼을 박았다. 빠드득거리는 뼈 소리가 났다. 다시 빼내, 다시 내리찍었다. 이제는 사람이 아니라 돌바닥을 찍는 소리가 났다.

티티라는 일어섰다.

아직까지 손에 칼을 들고 있다는 사실을 깨닫곤, 던졌다. 피범벅이 된 단검이 돌바닥 위로 굴러갔다.

그녀는 몸을 돌려 회랑을 나갔다.


티티라는 길에 나가자마자 상단 경비에게 붙잡혔다. 그들은 티티라를 잘 아는 사람들이었기에 그녀를 구속한다기보단 경악하여 달래려는 축에 속했다. 얘야, 무슨 일이 있었던 거니?

그녀는 작은 칼을 숨겨 주어 고마웠던 겨울 외투를 벗었다.

"증거로 가져가세요."

그렇게 말하다가, 문득 아래를 내려다보았다. 외투만이 문제인 것은 아니었다. 온 상의가 피로 물들어 있었다. 입에서도 쇠 맛이 났다. 그녀는 손가락으로 자신의 뺨을 누른 뒤 앞으로 가져왔다.

새빨갰다. 이 정도면 자신을 절반으로 가른 위쪽은 샐비어 꽃에 담근 몰골일 것 같았다.

경비 한 사람이 제 앞에 서 있는 동안 주변엔 파도가 휘몰아쳤다.

"먼저 무슨 일인지 이야기해 주면 도움이 될 것 같구나. 곧 우스페히 씨가 오실 거다."

그녀는 처음으로 움찔했다.

곧 사람들이 몰려들었다. 웅성거렸다. 차라리 소란한 것이 나았다. 그녀는 눈에 눈물이 맺힐 때까지 아무것도 없는 자리를 노려보았다.

"티!"

티티라는 고개를 돌리지 않았다.

그러자 악쓰는 소리가 들렸다.

"티!"

그녀는 그제야 잠깐 시선을 옮겼다. 안스가 일그러진 얼굴로 다가오고 있었다. 그녀는 그의 그런 표정을 처음 보았다. 일곱 해 동안 그를 알았는데, 그 비슷한 표정조차 본 적이 없었다.

안스는 그녀와 시선이 마주치는 즉시 달려들었다. 그러다 경비 두 명에게 제지당했다. 이해는 하는데 잠시 기다리라고. 그는 화를 내는 건지, 우는 건지 모를 태도로 소리를 질렀다.

"말이 돼? 뭘 기다려!"

그러나 경비들이 더 달라붙었다.

"놔!"

그를 말로 달래려는 시도는 모조리 실패했다. 그는 버둥거리며 경비에게 주먹을 날리려 했다. 하지만 여러 사람에 의해 너무도 좁고 둥글게 눌린 자세에선 무엇도 할 수 없었다. 그는 마침내 새까맣게 몰려든 개미에 질식한 시체처럼 시야에서 사라졌다. 개미들이 들썩이고 꿈틀거리기만 할 뿐이었다.

티티라는 그런 안스를 멍하니 바라보았다. 아니, 더 이상 안스가 없는 자리를 멍하니 바라보았다.

"물러나."

획 고개를 돌렸다. 정반대편에서 우스페히 씨의 모습이 보였다. 그의 얼굴, 차림새, 목소리 모두 평소와 같았다. 아주 많은 것이 바뀐 세상에서 그 홀로 강 건너편에 남아 있었다.

그는 느릿느릿 말했다.

"안스를 놓아줘라. 티티라를 데리고 도망갈 것 같지는 않군."

안스는 경비 다섯 명에게서 풀려나자마자 달려와 그녀를 껴안았다.

그에게서는 알싸하게 짠 바다 향이 났다. 하루에도 수십 번씩 배와 항구와 상관을 오가는 아이들에게는 으레 바다 냄새가 배어들기 마련이지만, 그는 그보단 더 어두운 체취를 가지고 있었다. 그에게서는 바다를 움켜쥔 손아귀의 향이 났다. 바람에 날아온 연약하고 엉성한 바다가 아니었다. 미끄러지고 부딪치고 잡아당기는, 발버둥 치는 바다였다.

그녀는 그 속에서 순간적으로 정신을 차렸다.

"티, 무슨 일인데? 다쳤어?"

"안스, 조급해하지 마라. 도움이 안 될 테니."

그는 숨 막힐 정도로 강하게 그녀를 안고 놓지 않았다. 마침내 티티라가 그를 제지했다. 가슴팍을 살짝 밀쳤다. 힘이 풀렸다.

그녀는 좀 더 정확히 말했다.

"놔줘."

"……."

티티라는 혼자 섰다.

우스페히 씨는 불필요한 말을 하지 않았다.

"안내해."

"……."

"나머지는 따라오지 말고. 안스만 저 외투를 들고 와라. 티티라 물건이군."

그녀는 두 사람이 자신을 지켜보는 시선을 느꼈다. 아니, 두 사람이 아니라 주변을 둘러싼 수십 명이 호기심에 가득 차 자신을 바라보는 것을 느꼈다. 손꼽히는 상단의 일원이 피를 뒤집어쓴 채 나타난 것이다. 당장 누군가가 '살인이다!'라 외쳐도 이상하지 않았다. 살인에 대한 죄는 재판소까지 갈 필요도 없이 사형이므로 모두의 먹잇감이 되기에 딱 알맞았다.

티티라는 집중해서 걸었다. 아까 전 빠져나온 회랑 입구가 바다 동굴처럼 느껴졌다. 크고 검었다. 그러나 헤엄쳐 나온 동굴이라면, 또다시 들어가지 못할 이유는 없겠지.

그녀는 길게 안내하지 않았다. 그들이 회랑에 들어가는 순간 살인이 보였다.

오트카저트는 목이 찢긴 채로 돌바닥 위에 누워 있었다.

안스가 그녀의 손을 더듬어 잡았다. 시체를 보고 놀랄까 걱정했나 보다. 티티라는 맞잡은 손 너머에서 완전히 다른 생각을 했다.

'다행이다. 죽어 있어서.'

우스페히 씨는 시체에 훌쩍 가까이 다가갔다. 양손으로 허벅지를 짚은 채 허리를 숙였다. 물건의 질을 살펴보는 상인의 태도였다.

그는 돌아보았다.

"티티라, 설명해."

그녀는 그의 눈을 똑바로 마주 보았다. 긴장될 줄 알았으나 오히려 평소와 같이 침착해졌다. 자신은 아무 일 없이 그의 업무실에 있는 것이다.

"오트카저트는 저를 화나게 했어요."

젓마디는 식도를 타고 미끄러져 나왔다. 숨을 쉬는 자리가 아니라 구역질을 하는 자리에서 올라왔다. 그렇기에 말은 생선처럼, 대가리부터 꼬리까지 점액질과 함께 쑥 빠져나왔다.

"저를 괴롭혔지만, 그보단 화나게 했다는 말이 맞아요. 처음에는 오트카저트가 저와 자고 싶어 하는 줄 알았는데 아니었어요. 그럴 기회가 왔을 때 단호히 거절하더라고요. 저는 그제야 그가 단순히 저와의 잠자리가 아니라, 저를 지배하길 바랐다는 사실을 깨달았어요. 제가 본인 뜻대로 움직이는 꼭두각시가 되길 바란 거예요."

그녀는 말을 하는 스스로가 너무 태연해서 이상했다. 하지만 미친 것 같다고 생각하기에는 지나치게 정상이었다. 말씨는 억양이 없고 단정했다. 생각은 단 한 길이었다. 도저히 횡설수설할 방법이 없었다.

"오트카저트는 화물 양하연에서 제 옷 안에 손을 넣었죠. 그걸 한 시간 내내 아무도 몰랐어요. 그때는 수치스러웠지만 한편으론 이리 생각했어요. 그냥 방으로 끌고 가면 되는 거 아냐?"

마주 잡힌 안스의 손이 떨렸다.

"계속 고민했는데 오늘 여기서 답을 주더라고요. 그는 저를 충분히 제압한 상황에서도 딱 제가 불안할 때까지만 행동했어요. 그리고 다른 사람에게 가서 이런 짓은 하지 말라고 옷을 입혀 주기까지 했죠. 마치 내가 무엇을 먼저 바라기라도 했다는 양."

그녀는 말했다.

"그 순간 죽여야겠다고 생각했어요. 이건 내가 오트카저트와 자준다고 풀리는 일이 아니구나. 이 사람은 그냥 내가 빌빌대는 게 기쁜 거구나. 그럼 해결이 안 되지. 죽여야지."

마치 첫 생리를 했을 때와 비슷한 느낌이었다. 오밤중에 혈뇨를 봤다고 생각했을 땐 너무도 부끄러웠지만, 이유를 깨달은 뒤 이불을 빨면서는 하나도 부끄럽지 않았다.

그녀는 오트카저트를 죽여 이불을 빤 느낌이었다.

"……저는 오트카저트가 제게 바란 것이 잠자리뿐이었다면 그를 죽이지 않았을 거예요."

우스페히 씨는 놀랍도록 곧장 대답했다.

"이해했다."

"정말이요?"

티티라는 눈을 깜빡깜빡 떴다. 상대의 말이 믿기지 않을 때의 버릇이었다.

"그래. 사람 관리를 못 해 미안하다. 그가 너무 바깥으로 도는 탓에 소문이 많은 줄 알았어."

"……."

"제정신이라면 너를 건드리지 않을 거란 생각도 했었군."

"왜요?"

"너는 내가 키우는 자산이다. 상인이 금고를 건드리는 자를 용서

하기는 어렵지."

그녀는 우스페히를 바라보았다. 그는 밤보다 새까만 눈동자로 그녀를 응시하고 있었다. 그는 감정의 기복을 거의 내비치지 않는 사람이었다. 때문에 이렇게 차분한 태도로 네가 내 자산이라고 하는 것 역시, 아주 자연스러운 일로 생각되었다. 위로도, 훈계도, 비난도 아무것도……. 단지 이유를 말해 줄 뿐이다.

그녀는 마른침을 삼켰다.

"죄송해요. 이걸로 저 스스로가 우스페히 씨의 자산을 해친 거잖아요. 이제 사람들이 제가 살인자란 사실을 다 알게 되면 어떡하죠?"

"저 사람들이 뭘 안다고?"

"……."

"아무도 시체를 못 봤으니 일은 더 간단해질 거다. 저쪽 통로로 올라가서 씻고 깨끗한 옷으로 갈아입거라."

"……."

"잘했다. 수고했어."

티티라는 그제야 안스의 손을 뿌리치곤, 핏자국을 밟고 걸어갔다. 발돋움을 했다. 우스페히 씨의 뺨에 입을 맞추었다.

"일찍 말씀드릴 걸 그랬어요."

"네가 그랬더라면 더 좋았겠군."

"그리고…… 조금 쉬고 싶어요."

"상관에는 네가 원할 때 돌아와라. 안스, 너도."

그녀는 몸을 돌렸다. 안스가 성큼 다가왔다.

그들은 함께 회랑을 가로질렀다. 그녀는 주검을 지나며 뻥 뚫린 목울대를 주의 깊게 바라보았다. 여러 번 피를 밟았다. 자신이 시체 쪽으로 몸을 지나치게 기울였을 때, 안스가 확 잡아당기는 것이 느껴졌다. 그녀는 아래로 아래로 떨어졌던 진자가 다시 위로 위로 올라가듯 물러섰다. 진자는 계속 올라갔다.

그들은 살인 현장을 벗어나 상층 통로로 접어들었다.

안스는 그녀보다 훨씬 빠른 속도로 바깥쪽 건물을 향해 걸어갔다. 먼저 들어가 있으라며, 자기는 큰 홀로 내려가 불을 떼겠다고 했다. 티티라는 소조폴로 와 처음 몸을 담갔던 장소를 바라보았다.

"티."

그녀는 흠칫 놀라 뒤를 돌아보았다.

"다 씻으면 이걸로 갈아입어."

고개를 끄덕인 뒤, 상의의 끈을 쥐었다.

그 끈을 마지막으로 묶은 사람은 오트카저트였다.

티티라는 순간적으로 벽을 짚었다. 주춤거리며 겨우 균형을 잡은 뒤에야 스스로를 달랠 수 있었다. 이건 잠깐이야. 마지막이야. 난 이제 괜찮아. 그렇게 말로 헤매다 갑자기, 사람을 죽이는 느낌을 생각했다. 그러자 십 년 묵은 체증이 내려가는 것 같았다.

티티라는 몸을 바로 세웠다.

"괜찮아? 아니…… 괜찮을 리가 없지."

"괜찮아."

그녀는 상의의 끈을 풀었다. 그리고 무언가를 깜빡한 것처럼 안스를 향해 돌아섰다.

"안스, 나 부탁 하나만."

안스는 그녀와 거의 동시에 휙 뒤로 돌았다.

티티라는 옷깃을 여민 뒤 다시 그의 어깨를 흔들었다.

"그 칼, 가져다주라."

"……."

"그럴 수 있지?"

"……너도 하나만 대답해 주면."

"너한테 왜 말 안 했냐고 징징댈 거면 하지 마."

"아니야."

"그럼?"

그는 얼굴을 반쯤 감싸고 있었다.

"힘들었어?"

"응."

그녀는 그걸 질문이라고 하는 것인지 몰라 화가 났다. 나는 방금 사람을 하나 죽였는데, 지금 조금 태연하다고 힘들었냐는 질문을—

"너 혼자 어떻게……."

"무슨 일이 벌어지고 있는지 되게 오래 생각했어. 그걸 이해하는 데 시간을 많이 쏟았어……. 그리고 질문은 하나만 한댔잖아. 빨리 칼 찾아와—"

"나한테 실망했어?"

그녀는 잠시 침묵했다.

"나…… 양하연에서…… 난 진짜……. 내가 몇 번이나 네 곁을 지나갔는데……."

"안스, 네가 내 앞을 지나갈 때도 손이 들어와 있었어. 열다섯에 검투사가 되어 고작 그 짓을 하고 있더라."

안스의 어깨가 기울었다.

"……."

"제발, 네가 얼마나 불쌍한진 관심 없으니까 그만해. 너는 내가 오트카저트를 죽인 얘기만 해."

"……."

그녀는 날카롭게 내뱉고 나서 조금 미안해졌다. 여전히 내 말이 다 맞지만, 안스는 바보잖아.

"안스. 칼이랑, 그리고 블리조 씨랑 도와준 거 고마워. 그걸로 죽였어. 마지막에 그래도 검투사라고 손목을 잡는데, 난 정말 끝장난 줄 알았지. 진짜. 그 힘이 목을 죄는 것 같았어. 그래도…… 차라리 칼자루를 잡혀 그 힘에 거꾸로 내가 죽는대도 괜찮다는 생각으로 밀어 버렸어. 몸무게로…… 꽉."

그의 어깨를 툭 쳤다.

"일어나. 날 도와주고 싶으면 칼이나 가져와 줘. 그게 날 살렸으니까."

안스는 엉거주춤 몇 발자국을 뗐다. 울고 있는 자세였다.

그는 몇 걸음을 더 갔다. 더 빠르게 갔다. 달려갔다.

티티라는 그가 사라진 자리를 보곤 옷을 벗었다. 목욕통에 손을 넣자 물이 잔잔하니 따뜻한 것이 느껴졌다. 그녀는 안스를 생각하며 빙그레 웃었다.

그녀가 씻고 나왔을 때, 문 앞에는 깨끗한 칼이 있었다.

티티라는 옷자락 안에 칼을 넣었다.


그날 저녁, 티티라는 제 방바닥에 주저앉아 있었다. 아직도 온몸이 번개를 맞은 것처럼 짜릿했다. 물론 딱 그 정도였다. 살인이 충격적이긴 했지만 솔직히 언젠가는 저지를 거라고 당연히 각오해

왔던 것 같다. 단지 그 대상이 이렇게 가까운 사람이 될 줄 몰랐을
뿐이다. 물론, 이렇게 이를 줄도……

그녀는 안스가 가져다준 그의 칼을 만지작거렸다. 티티라는 상대
가 누구든 신세 지기가 정말 싫었다. 욕탕에서 안스를 내쫓았을 뿐
만 아니라, 저녁을 가져온 그 애에게 단 한마디도 하지 않았다.

우스페히 씨가 자신이 고생했단 사실을 아는 것은 괜찮았다. 그
는 이야기를 듣고서, 무려 제 나이의 세 배 가까이 되는 사람인데
도 자신을 동정하지 않았다. 그렇게 어린 나이에 못 볼 꼴을 겪었
다고 눈물을 흘리지 않았다. 대신, 그는 일을 수습하고 사과했다.
그녀는 그 이상으로 자신을 지지해 줄 수 있는 방법을 떠올리지 못
했다. 아마 우스페히 씨는 앞으로도 이전과 다름없이 자신을 대할
것이다. 영리하고 어리기에 항상 엄격한 감독하에 훈육해야 하는
사환. 그녀는 그게 참 좋았다.

그러나 안스는 아니었다. 그녀는 그가 아무것도 감추질 못하는
게 싫었다. 그는 끊임없이 울 것 같은 표정이었다. 그녀가 그런 일
을 당해서 가슴이 미어지는, 증오와 분노를 삭이지 못하는 눈이었
다. 혹여 자신이 안스에게 양하연에서 일어난 일을 고백했더라면
그는 바로 오트카저트에게 달려가 칼을 내밀었을 것이다. 정말이
지 그런 일이 일어나지 않아 천만다행이었다.

안스에겐 오늘 이전의 자신과 이후의 자신이 영원히 변해 있을
것처럼 느껴졌다. 그 불연속성이 티티라를 괴롭혔다. 그녀가 아무
리 심지가 굳어도, 가장 친한 친구에게 신경 쓰지 않기는 너무 어
려운 일이었다.

그는 제가 평정을 유지하는 데 하등 도움이 안 되었다. 아픈 주

인 앞에서 유난히 울고 맴도는 강아지 같았다. 뭐라도 해 줘야 할 텐데, 아직 일어나면 좀 아파. 이전과 달리 뭐라도 해 주지 못하는 내가 느껴져 더 비참하기도 하고.

티티라는 침대에 기댄 채 양다리를 쭉 뻗었다.

머리를 기울이자 검고 긴 머리칼이 흘러내렸다. 불빛이 드문 밤이라 더 구름처럼 쏟아졌다. 그녀는 거스러미를 만지듯 불편한 태도로 머리칼을 쓰다듬어 보았다. 오트카저트는 항상 이 긴 머리 사이로 숨어들어 왔다. 그를 가리는 장막 같았다.

어라. 그녀는 칼과 머리를 바라보다가 당황스러워졌다. 왜 여태껏 이 생각을 못 했지?

티티라는 벌떡 일어서 창문가로 다가갔다. 문을 열었다.

"안스, 이리 와 봐. 빨리."

우당탕하는 소리가 들렸다.

곧장 벌컥 문이 열렸다. 티티라는 창문을 단단히 닫은 뒤에야 뒤로 돌았다.

"바닥에 앉아."

안스는 이상한 주문에도 고분고분 따랐다. 티티라는 미끄러지듯 달려가 그의 앞에 주저앉았다.

"머리 잘라 줘."

안스가 눈썹을 찡그렸다. 그렇게 준비가 안 된 그에게 무작정 칼을 넘겼다. 그가 제게 준 칼이고, 살인을 저지른 칼이고, 이제 마무리를 지은 뒤 넘어갈 칼이기도 했다.

"티."

그녀는 무턱대고 그의 다리 사이로 엉덩이를 들이밀었다.

"잘라 봐."

"……."

"어서."

"……."

안스의 머뭇거림이 이어지자 티티라는 짜증이 났다.

"대체 뭐가 문제야, 넌? 지금이야말로 내가 도와 달라 하고 있잖아. 내가 너한테 실망했냐고? 응. 이렇게 바보같이 있는 모습에 실망 안 하게 생겼어?"

안스가 떠밀리듯 칼과 머리칼을 쥐었다.

그러나 그는, 그대로 고개를 숙였다. 티티라는 목덜미에 닿는 숨에 기절할 뻔했다. 아니! 안 기절할 뻔했어! 나는 아무것도 달라진 게 없으니까.

"화내지 마. 머리는 자를 테니까."

"너 정말 무슨 짓을—"

"내가 아무 일도 없었던 것처럼 굴길 바라는 거지?"

"응."

"내가 너를 챙기는 게 너를 힘들게 해서야?"

"아니, 하나도 안 힘든데. 그리고 챙기긴 뭘 챙겨."

"그러면 내가 도움이 될 방법은 전혀 없어?"

"응."

"나는 널 힘들게 하지도 않고 도움도 안 되고……. 난 네 친구야?"

티티라는 입을 다물었다.

"난 누구보다 너랑 천배는 많이 있었어. 칠 년 동안 친구라곤 너밖에 없었다고. 나는 누가 널 해치면 죽일 거야. 넌 정말 똑똑하고 빛이 나. 그걸 누가 고꾸라뜨리면 그게 아주 잠깐이라도 난 죽일 거야. 네가 그렇게 생각 안 해도 상관없어. 진짜야. 정말이야."

그녀는 앉은 채 꿈쩍도 안 했다.

"나도 우스페히 씨처럼 말해야 했나? 모르겠어……. 그 사람은 그 사람이잖아. 나도 당연히 널 이해해. 나도 네가 잘 죽었다고 생각해. 너 혼자 견딘 것 때문에 화가 났지만 결국 그게 너다워 좋았어. 하지만 나는 단지 그 정도의 말로 설명할 수가 없어. 그렇게 표현하는 것이야말로 거짓말이야. 너무 모자라도 거짓말이 된다고."

"……."

"내가 조급하게 구는 걸 알고 있어. 그러니까 대답은 안 해 줘도 돼. 나는 자꾸만 지난 반년을 더하려 하는 것 같아. 그동안 이상하다고 생각하며 네 주변을 빙빙 돌아다녔으니까……. 그래 봤자 아무것도 못 보긴 했지만……. 아무튼 정말 대답 안 해 줘도 돼."

"……."

"티, 솔직히, 옛날에…… 네가 오던 날, 하루 전부터 준비했어. 난 네가 너무 반가웠어."

티티라는 입술을 깨물었다. 그녀는 눈물이 없는 편이 아니었다. 하지만 굳이 울고 싶지 않은 순간은 누구에게나 있는 법이다. 그녀에게는 지금이 꼭 그랬다. 더 강해 보이고 싶다거나 태연해 보이기 위해서가 아니었다. 그녀는 단지 그의 고백을 정적 속에서 곱씹고 싶었다.

차가운 날이 조심스레 머리카락 사이로 배어들었다. 사각거리며 머리 끄트머리가 떨어져 나가는 소리가 들렸다. 제 어깨로, 그의 무릎으로, 바닥으로 와스스 떨어졌다. 점차 목덜미가 시원해졌다.

마침내 한순간 머리가 풀려남과 동시에, 그녀는 자유로워졌다.

티는 말했다.

"앞으로 머리는 네가 잘라 줘."

안스는 조용히 칼을 내려 두었다.

"좋아."

티티라는 썩은 건초 위에 팔다리를 벌린 채 누워 있었다. 생각이 많을 때엔 항상 오래된 단검을 던지며 놀곤 했는데, 이제 다 빼앗겨 아무것도 없었다. 심심했다.

안스카리우스는 그 칼을 몰랐다. 그녀가 처음이자 마지막으로 저지른 살인을 몰랐다. 머리칼이 어깨를 넘으면 당장 주저앉아 잘라 주던 손을 몰랐다. 당연히 그러리라 생각했지만, 그것을 실제로 확인하는 것은 언짢은 일이었다. 속이 쓰리거나 안타깝다기보단 기분이 극도로 나빠졌다. 누군가 안스를 죽이고 그의 껍질을 뒤집어 쓴 채 나타난 것 같았다.

안스카리우스를 죽이지 못한 것이 너무도 아쉬웠다. 조금만 더 각오를 다졌으면 심장에 닿을 수 있었을 텐데, 그가 여전히 안스의 얼굴을 하고 있어 저도 모르게 주저했던 것일지도 몰랐다……

갑자기 누군가의 발소리가 들렸다.

티티라는 반사적으로 벌떡 일어서 창살 사이로 얼굴을 들이밀었다.

"이보세요!"

그는 못 들었는지 계속 걸어갔다. 티티라는 목청이 터져라 악을 썼다.

"거기 밀짚색 머리에 갈색 조끼 입은 분! 여깁니다! 사람 살려!"

그제야 발걸음이 멈칫하더니 돌아왔다. 물론 방향을 잡지 못하고 두리번두리번할 뿐이다.

"여기! 아래!"

어리둥절한 남자 얼굴이 쑥 내려왔다.

"뭐…… 아, 이런! 사역관 감옥이잖아! 저리 꺼져!"

"그러지 말고, 아무거나 먹을 걸 주세요. 옥수수도 좋아요."

"뭔 일이 날 줄 알고 말이야!"

"이렇게 똥 쓰레기가 흘러가는 하수구 앞에 경비가 다니겠습니까? 부디 불쌍히 여겨 아무거나 주세요."

"대체 무슨 죄를 짓고 들어간 거지?"

"글쎄, 뭔지도 모르는 분을 어쩌다 뵙고 인사드렸는데 갑자기 총독님이라며 제가 해치려 했다지 뭐예요? 벌써 한 달째 정말 억울하게 갇혀 있습니다. 제가 정말 뭐라도 했으면 이미 항구에서 태형을 받았거나 목이 매달렸거나 했겠죠! 근데 얼마나 죄가 없으면 저분들도 잊으셨나 봐요! 억울합니다! 그러니 옥수수라도 주세요."

남자는 낄낄 웃더니 말린 사탕수수 다섯 마디를 쇠창살 사이로 밀어 넣어 주었다.

"그러게 잡스러운 소리 말고 엎드려 있어야지, 누가 인사하래? 알랑방귀 뀌는 놈들 꼴좋다."

"아, 나도 먹고는 살아야지."

"죽어서 나오지나 마라."

"사탕수수 고마워."

"말본새 하곤. 왜 거기 있는지 알겠군, 쯧쯔……."

남자는 혀를 차면서, 그러나 여전히 반쯤 낄낄대며 떠났다.

티티라는 다시 바닥에 나동그라졌다. 얼굴 위로 반달 같은 창가의 빛을 받으며, 사탕수수를 꽉 깨물었다. 달콤한 물을 쪽쪽 빨아먹었다. 오늘은 수확이 좋군.

그녀는 낯선 이에게 거짓말을 한 것이 아니었다. 정말 한 달째이 지하 감옥에 있었다. 나름대로 인간적인 감옥인지라 손바닥만한 창이 나 있었고, 덕분에 창살 사이로 사람들한테 구걸하는 것이 일상이 되었지만, 그래도 끔찍한 장소라는 점은 사라지지 않았다.

처음에는 아무 소식도 전하지 못한 채 갇히는 바람에 세상에 소리치려 했다. 나, 티티라 돔니니가 여기 갇혔다고! 오블레드가, 소조폴 상단이 제 위치를 알아야 한다고 생각했다. 그런데 생각보다 사람들이 펄쩍 놀라는 꼴이 재미있었고, 장난을 반복하다 보니 나름의 계획도 생겼고, 마지막으로 자주 맛있는 것을 얻어먹을 수 있어 꾸준한 일상이 된 것이다—물론 감옥에서도 개밥 같은 먹이와 물은 제공되었지만 티티라는 그보단 호화롭게 살 작정이었다—.

그 와중 사흘 만에 소식을 듣고 찾아온 오블레드는 펑펑 울었다.


"상주 불쌍해서 어떡해……. 아니…… 대체 왜 그랬냐? 미쳤냐? 정신 나갔냐? 소조폴을 못 나가게 하면 '그런가 보다.' 생각하고 방구석에 있어야지, 총독에게 가? 그리고 총독을 죽이려 해? 당신 미쳤어, 진짜! 어어흐윽……."

그녀는 말하다가 분에 복받쳐 더 울었다.

"오벰, 내가 죽을죄를 졌어. 총독은 얼마나 깜짝 놀랐겠어. 근신령을 내렸다고 칼 들고 찾아오다니, 미친 여자지."

"아니, 네가 죽는다니까! 남의 일이야?"

"근데 바로 안 죽었잖아. 살 수도 있어. 그리고 죽어도 내 잘못이니 억울하진 않고. 일단 중요한 건, 내가 결재를 못 하고 온 게 있거든. 이즈버르 건 말이야."

"……."

"내가 보기엔 안 될 것 같아. 이즈버르가 지금은 시노드 신넬 산하의 도시라 해도 난 불안해. 교국의 도시들과 지나치게 가까워."

"티티라, 교국 놈들은 구 년째 소조폴과 도이도흐만 점령하고 있어. 이유는 모르겠지만 벌써 구 년째라고. 이즈버르는 문제없을 거야. 그 친구들이 설탕을 얼마나 목숨 걸고 지키는 줄 알아?"

"그래 봤자 교국산 철포鐵砲 하나면 종잇장이야. 난 안 믿어. 특히 아직 점령되지 않은 걸 무슨 우위로 생각한다면, 참 웃기지 말라는 소리밖에. 그러니 그 제안은 거절해. 그리고 나는 딱히 비밀 재산이나 서류는 없으니까, 최대한 빨리 상단 승계 서류를 준비해서 이 자리로 와. 서명할게."

"……."

"알겠지? 설명 끝났으니까 어서 가 봐."

그렇게 비장하게 오블레드를 보냈는데 벌써 한 달째 살아 있었다. 오블레드는 가끔 얼굴이나 보러 왔지, 죽어도 승계 서류를 내밀지 않았으며, 티티라가 살아 있는 시간이 길어질수록 점점 더 자신감을 얻는 것 같기도 했다―심지어 그렇게 열심히 설명해 준 이즈버르 건도 직접 결재해야 한다고 고집을 피웠다―.

"총독이 네가 여기 갇혀 있단 걸 까먹은 거 아냐?"

티티라는 어깨를 으쓱였다. 오블레드는 상주 냄새가 지독하다며 떠났다. 더 이상 애틋해하지도 않는 모양이었다. 그녀는 그것이 조금―

발소리!

티티라는 벌떡 일어섰다. 또다시 약탈할 시간이었다. 창살에 얼굴을 바짝 붙이고―

"나와."

그녀는 홱 뒤돌았다. 너무 늦게 눈치챘지만, 잘 먹고 있던 사탕수수는 뒤로 숨겼다.

군인은 눈살을 찌푸리더니 턱짓했다.

"총독님께서 부르신다. 음, 먼저 씻고……."

한 달을 시궁창에 박아 놓으면 너희 총독도 더러워질걸.

티티라는 으르렁대는 태도로 군인을 쫓았다. 군인이 감시하는 것도 아랑곳하지 않은 채 풍덩 통에 빠졌고, 물을 뚝뚝 흘리며 새 옷을 받아 입었다. 통 속이 따뜻하기는커녕 늦가을처럼 추웠기에 이가 딱딱 부딪쳤다. 와들와들 떨며 하인들이 지나다니는 계단을 올라갔다.

마침내 큰 문 앞에서 무슨 말을 하려나 의심쩍은 눈으로 섰다.

"들어와."

그녀는 아직도 추워서 벌벌 떨리는 잇새와 주먹에 꽉 힘을 주었다. 꼴사납지 않게, 꼴사납지 않게.

문이 열렸다.

그러나 그녀는 그때에도 부들부들 떨고 있었다. 이놈들이 노린 게 분명하다. 등을 떠미는 손에 두 걸음 정도 앞으로 걸어갔고, 문이 닫히는 바람에 다시 떨었다.

"물에 빠진 생쥐 꼴이군."

그래, 그럴 줄 알았다. 티티라는 고개 숙인 채 상대를 쳐다보지도 않았다. 물론 그도 그 한마디 외에는 제 모습을 철저히 무시했다.

"돔니니, 내가 왜 너를 불렀는지 짐작되는 바가 있나?"

"아니요. 이제 처형하시려나 했는데 저를 빡빡 닦는 것이 참 이상했네요."

"사역관 본관에는 원래 감옥이 없다."

그녀는 그제야 시선을 들었다.

"제정신이면 감옥에 창을 뚫어 놓지는 않지. 그곳은 군대의 개를 재우는 곳이다."

"아, 어쩐지. 앞에서 나는 하수구 냄새인가 했는데 개똥 냄새였군요."

"난 네가 목숨이 아까우면 잠자코 있을 거라 착각했다. 그 조막만 한 창으로, 총독을 죽이려 한 자가 있다고 온 소조폴에 소문을 내는 것이 아니라."

티티라는 입을 다물었다.

"너 스스로 내가 죽일 구실을 만들어 주더군."

"……."

그녀는 살기 위해 소문을 냈다. 이미 총독이 자신을 죽이겠다고 공식 기록에 새겼을 시점에서, 나는 억울하다고 고래고래 소리를 질러야 했다.

그녀는 다시 고개를 숙였다. 꽉 쥔 손을 내려다보았다.

"벌은 달게 받겠습니다. 더 이상 꾀를 쓰지도 않겠습니다. 다만 총독께서 자비롭게 소원 하나를 들어주신다면, 제 상단만큼은—"

"그만. 네가 처형당하면 네 상단도 말살된다. 필요한 조치다."

개 같은 새끼.

"총독님, 제가 한순간 정신이 나갔습니다……. 저를 보셨잖습니까. 병이 있습니다. 가끔 그런 순간이 닥칠 땐 저 스스로가 아니게 되는 것 같습니다. 부디 한 번만 용서해 주시면 총독님의 은혜에 감복하여 이번 해에는 이 할 이상의 추가 수확량을 안겨 드리겠습니다."

"그 몇 푼이 그리 급하지는 않다."

"저를 이 자리까지 부르셨잖습니까……. 반드시 제게 하명하실 내용이 있으실 것이라 믿습니다."

저놈은 내가 이렇게 비는 모습이 좋은 모양이다. 이제 확신할 수 있었다. 그는 일전에 자신이 찾는 '안스'가 본인이라는 사실을 뻔히 알면서도, 애타는 친구를 절망과 희망 속에 빠뜨렸다. 지금도 마찬가지였다. 곧바로 목을 효수하지 않고 불렀다면 분명 용건이 있는 것인데 저렇게 실없는 말로 질질 끌기나 했다.

티티라는 안스카리우스가 끔찍하게도 싫었다.

그녀는 엎드렸다.

"제발…… 이렇게 바랍니다. 제게 원하시는 바가 있다면 그것이 무엇이든 성심성의껏 달성하겠습니다. 상단은 유지해 주십시오. 일을 마치고 제게 벌을 내리셔도 좋습니다. 그러나 상단만큼은 해가 없도록 간절히 바랍니다."

"나는 소조폴을 잠시 비울 생각이다."

그녀는 공처럼 웅크린 채 꿈쩍도 하지 않았다.

"그 여행길에 함께하길 권하고 싶군."

"……."

한순간 온몸의 털이 바짝 곤두섰다.

교국의 총독은 단 한 번 소조폴을 떠났다. 도이도흐 침공 시.

그녀는 느릿느릿, 끊어질 듯 물었다.

"어디로……."

"이즈버르."

티티라는 입술을 꽉 깨물었다. 양탄자에서 먼지 냄새가 났다.

"돕니니, 내가 요구하길 바란다면서."

"……."

"그만할까?"

그녀는 바닥을 긁으며 몸을 일으켰다.

"이유를 알려 주실 수 있습니까?"

"아니."

안스카리우스의 얼굴을 바라보려 했다. 원체 키가 크던 녀석이라 이 바닥에선 정말 까마득했다. 언젠가는 단순히 수영을 잘하겠다고 생각했던 몸이지만, 이제는 빗장 지른 문 같았다.

그녀는 벌떡 일어섰다.

"이즈버르가 교국에 함락되나요?"

"알 수 없지."

그는 정말로 아무것도 알려 주지 않는 사람의 얼굴을 하고 있었다.

"제가 무엇을 하면 되나요?"

"우선 입단속."

"그리고요?"

"내일 오후에 떠난다. 그동안 너는 사역관에 머무르고 면회는 불허한다."

"……."

티티라는 손을 폈다가, 다시 꽉 쥐었다. 온몸이 저렸다. 그녀는 너무도 혼란스러웠다. 수십 번을 봐도 그는 안스의 얼굴을 하고 있었다. 자신이 자꾸만 부정하고 선언해도 달라지지 않는 사실이었다.

그런데 어떻게 저런 말을 하지? 이즈버르를 불태우러 갈 때 동행하자고? 이유는 알 필요 없으니 입 닥치고 방구석에 처박혀 있다가 배에 타라고?

"나가면 병사가 안내해 줄 거다. 너를 다시 개집에 가두진 않을 테니 안심하도록."

그녀는 아무 말도 할 수 없었다. 시노드 신넬의 열세 개 대항구. 교국은 그중 두 곳을 함락했다. 남쪽에서 북쪽으로 올라가며, 소조폴, 그다음 도이도흐. 이번이 세 번째였다. 이즈버르.

얼마 전 소조폴 상단에 이즈버르의 대상大商 세 명이 서명한 제안이 도착했다. '남부 사탕수수 농장의 장기 임대권을 제공해라. 대가로 너희가 이즈버르라는 꿀단지에서 사업을 할 수 있도록 돕겠다.' 중부권에서 설탕을 독점하겠다는 의지가 아주 강력해 보였으니,

모르긴 몰라도 그녀 말고도 많은 상주들이 편지를 받았을 것이다.

소조폴과 도이도흐 함락 이후 구 년이 지난 시점이었다. 교국이 한 자리에 눌러앉은 듯하니 슬슬 무언가 일을 벌여 볼 생각이었겠지.

그러나 티티라는 이즈버르가 안전하지 않음을 알고 있었다. 또한 교국이 암묵적으로 허용한 그림자 바깥으로 소조폴 상단이 나섰다가는 어떤 일이 벌어질지 모른다고도 생각했다. 그래서 도저히 제안을 긍정적으로 검토할 수 없었다.

그 예상대로 이제 교국이 일어서지 않았겠어. 교국은 점령지의 유력자를 남겨 두지 않는다. 말 그대로 씨를 말린다. 곳간이 있는 상주와 보호 귀족, 그리고 그들에게 기대어 즐겁게 살던 모든 고용인들은 교국이 항구에 들어오자마자 살해된다. 신이 기적을 일으킨대도 옛날의 돈과 권력을 복구하지 못하도록.

그녀는 항상 거대한 적을 마주한 사마귀처럼 긴장해 있었다. 그래서 거절했다. 행운인가? 그보단 생존이겠지.

그녀는 오랜 별명을 생각하고 갑자기 웃었다.

그리고 병에 걸린 사람처럼 우뚝 멈췄다.

아직 안스카리우스가 앞에 있었다.

그는 그녀를 바라보았지만 별달리 반응하지 않았다. 아마 관심이 없어서 그렇겠지. 물론 그가 제게 '관심이 없다.'고 생각하는 것마저도 너무나 자신만의 고민이었다. 그녀는 정말이지 사람을 다시 알아 가는 연습을 해야 했다.

그는 턱짓했다. 나가.

그녀는 증오한 뒤 물러났다.

티티라는 지난번 옛 친구를 기다리던 방에 있었다. 예전과 같이 잠금쇠는커녕 감시도 없는 방.

물론 이제는 친구를 기다리지 않았다. 그저 창가에 턱을 괸 채 옛날과 같은 달을 바라볼 뿐이었다. 사역관은 시계탑의 시체 위에서 돋아난 건물이었다. 그러니 보는 달의 모양도 그때와 꼭 같았다.

그때, 누군가가 문을 두드렸다. 군인인가? 답지 않게 예의 바르기도 하시지. 그녀는 들어오라고 말했다.

문이 열리는 순간, 눈을 가늘게 떴다. 바다를 넘어온 남자들뿐인 이 사역관에 웬 어린 여자애가 서 있었다.

여자애……. 이곳에 여자애가 있을 이유라곤 단 한 가지밖에 없었다. 깨닫는 순간 그녀의 얼굴이 일그러졌다.

"뭐야?"

열대여섯 정도 되었을까 싶은 아이가 얼굴을 붉혔다.

"처음 보는 사이에 무례해요."

"나는 네 존재가 무례해."

"무슨—"

"아니야, 아니야. 오해하지 마. 너한테 유감은 없어. 그냥, 내 눈앞에 안 보이면 안 돼? 나가. 당장!"

티티라는 말하면서 서서히 일어나 걸음을 뗐다. 걸음처럼 목소리가 높아졌다, 낮아졌다. 얼굴에 핏기가 가시는 것이 느껴졌다. 소녀에게 가까이 가기도 전에 팔이 먼저 뻗어 나갔다. 저 아이에게 해를 입힐 생각은 없었다. 단지 제 눈앞에서 치워 버리겠다는 의지가 너무도 강했다.

그녀는 십 대 소녀의 팔을 잡아서 문밖으로 밀어냈다. 웬만한 남자 같은 힘에 소녀가 비명을 질렀다.

"사람 살려!"

"아냐, 아냐……. 그냥 나가. 미안해."

티티라는 소녀의 눈앞에서 문을 쾅 닫았다.

그제야 안도하여 창가로 돌아갔다.

그녀는 이 시커먼 남자들만 가득한 사역관에서 시노드 신넬 여자아이를 보기가 소름 끼치게 싫었다. 그녀가 무엇을 하든 하게 되었든 그것은 그녀의 일이되, 자신만큼은 교국인을 경멸하는 마음에 피부가 찢어지는 고통에 시달렸다. 개자식들은 너무 늙었고, 아이는 너무 어려 그 앳된 얼굴이 그녀를 슬프게 했다.

다시금 누군가가 문을 벌컥 열었다.

여자아이와…… 총독.

티티라는 경악해서 창틀을 쥐었다.

"너……."

'너'가 누구를 가리키는지는 확실하지 않았다.

"너, 너……."

그러나 곧 확실해졌다. 그 상대를 깨달은 여자아이의 얼굴이 먼저 하얗게 질렸다.

"돔니니, 여급에게 문제가 있나?"

"징그러운……."

그가 한숨을 쉬었다. 소녀에게 무어라 말을 하더니 내보냈다. 그녀는 마지막 의리로, 그가 문을 닫은 뒤에야 아주 작게 속삭였다.

"개 같은 새끼."

절박한 욕설이었다.

"익사할 놈."

너무 화가 나서 그에게 모욕적으로 들릴 단어가 더 이상 생각나지 않았다. 교국식으로 끔찍한 욕을 하고 싶었지만 지식이 짧았다. 그렇기에 부들부들 떨며 뱉은 욕이라곤 제 말버릇 같은 둘이었다. 개 같은 새끼. 익사할 놈.

"네가 어떻게 그래, 네가……."

그녀는 매번 배우는 것이 없었다. 안스든, 안스카리우스든. 자포자기했다. 하지만 '네'가 어떻게 그래. 진심으로, 네가 어떻게 그래?

"어떻게, 어떻게, 애들하곤 손잡는 것도 싫어하다가, 이게, 이게 뭐야……. 기억을 못 한대도 인간은 돼야지……."

"무슨 소리야?"

그는 처음으로 짜증 난 투였다. 지금껏 사무적인 태도로 제 말도 안 되는 무례를 무시하고 넘어갔는데, 처음이었다.

"어떻게, 열대여섯 먹은 애하고 붙어먹어, 네가……. 침대, 침대를 들출 마음이 들던?"

"라요나는 네 시중을 들 애다. 바다 위에 여자라곤 너밖에 없을 테니 하나보단 둘이 낫겠지."

"라요나, 라요나라고…… 이름을……."

"저 애는 성이 없어. 그만해라."

그녀는 마침내 날카로운 한마디를 완성했다.

"잤잖아."

"……."

"어떻게, 어떻게……."

"할 일이 있으니 내가 참겠다. 라요나를 다시 들여보내면 소란

피우지 마라. 부탁인데 일을 귀찮게 만들지 마. 오락가락하는 꼴을 보면 목숨이 아깝지 않은가 보군."

"아⋯⋯."

"그리고 이번이 마지막이다. 세 번째에는 널 죽이겠다. 널 견딘 게 옛 유대 때문이라고 생각하나 본데, 제정신이 아니군. 너를 죽여야 그 오해를 풀 수 있다면 그럴 수밖에 없겠지."

티티라는 아직도 소녀가 지른 비명에 총독이 직접 행차했다는 사실을 굳게 의심하고 있었다. 심지어 그는 짜증스러운 얼굴로 변명조차 하지 않았다.

저 둘은 잔 게 틀림없다. 그 추잡한 관계를 목격한 내가 엄하게 지적한 것이다. 교국의 개 밥그릇 같은 신은 다 크지 않은 애하고 자도 용서해 주는구나 비난하자, 총독이 양심의 가책을 느낀 것이다. 그래서 저렇게 딱딱거리며 물러나는 것이다. 신이 있다면 제일 먼저 벼락에 맞아 죽을 놈들이―

"저기요."

티티라는 갑자기 꽉 쥔 창틀을 느꼈다.

"미쳤어요?"

나무 거스러미에 손끝이 화끈거렸다.

"소조폴 상단의 주가 미쳤다는 이야기는 못 들었는데요. 개집에 너무 오래 갇혀 있었던 거 아니에요?"

"⋯⋯."

"저기, 우리는 내일 떠나니까 필요한 게 있으면 말씀하세요. 병이 있는 것 같은데 필요한 약이 있으면 단골 의사 이름을 부르고요."

"⋯⋯넌 누구야?"

"총독님께 말씀 못 들으셨어요? 저, 라요나예요."

"누군데 총독이랑 그렇게 살가워."

"사역관 사환들 몰라요?"

"⋯⋯."

"제가 소리 지르자마자 총독님께서 바로 무섭게 복도로 나오셔서 정말 깜짝 놀랐는데요. 왜 그러셨는지 알겠더라고요. 당신이 너무너무 무례해서⋯⋯ 미쳐서 남들 앞에서 어떤 짓을 저지를지 모르니까죠."

'사역관 사환'은 교국 놈들이 상단을 잡아 죽인 뒤 그에 충성했던 사환들을 흥미롭게 여긴 결과였다. 이미 있던 제도를 죄다 죽여 놓고 괜찮아 보인다며 가져간 것은 정말이지 구역질이 났다.

"너는 몇 살 때 주워 왔는데."

"여덟 살인가 그래요. 지금은 열일곱."

"⋯⋯."

"이제 진정했어요? 대체 뭐 때문에 그렇게 귀신 보듯 했는지도 모르겠네."

"⋯⋯."

"총독님 괴롭히지 말아요. 오신 지 한 해도 안 되셨는데 얼마나 힘드시겠어요."

"⋯⋯."

티티라는 교국에 협력하는 사람들에게 아무 감정이 없었다. 제 몫의 증오는 스스로 맡아야 하니까. 그러나 어린 여자아이가 '총독님, 총독님.' 하는 꼴을 보자니 배알이 뒤틀렸다.

"너는 그 '총독님'이 무슨 일을 하시는진 알아?"

"소조폴과 도이도흐를 다스리셔요. 시노드 신넬 남부 최대의 도시 둘을 관리하시니 온 남부가 총독님의 권위 아래 있다고 할 수 있죠."

"그 얘기를 남부 사람들 앞에 가서 해 봐. 꼭이다."

"제가 왜요? 그 사람들도 교국 군인들 앞에선 아무 말도 못 할 텐데요."

"……."

"필요한 거나 말씀하세요. 내일 정오까지 구해 오려면 급해요."

"어디 출신이야?"

"아이, 귀찮게 자꾸. 소조폴 출신이에요."

"부모는?"

"있겠어요?"

"교국 군인들이 힘들게 굴진 않아?"

"저기, 당신이 그런 말씀하실 처지가 아니에요. 지금 당장 필요한 걸 말씀하지 않으셨다간 배에 탄 뒤 옷 한 벌에 건초로 생리 날을 지나야 할 수도 있어요. 저도 처음 타는데 당신까지 어떻게 챙겨요? 답답하게 굴지 말고 말씀해 주세요."

"배를 처음 탄다고?"

라요나는 떨떠름한 표정을 지었다.

"네."

"배를 처음 타는 애한테 남의 시중까지 맡겨? 말종 새끼."

"어떻게 그런 말을……!"

"상하의 얇은 걸로 여섯 벌, 두툼한 모직 코트 하나, 여우 털 목도리 하나, 네 말마따나 생리 천도 세 개 내놔. 그리고 휴대용 지지

대와 초, 찻주전자, 찻잔, 귀마개, 눈가리개, 원예 책 여섯 권, 그리고 상관에서 서류 밀린 것들이랑 내 이불 받아서 들고 와."

"책…… 서류…… 이…… 불. 다 썼다. 약은요?"

"내가 아파 보여?"

"엄청요!"

"저거 다 주면 안 아플 거야. 기대해도 좋아."

라요나는 의심스러운 눈으로 그녀를 바라보았다.

"너는 그리고, 배에 처음 타면 멀미하지 않게나 조심해라. 누가 누구 시중을 들지 지금은 모르겠군. 무신경하게 여자라고 여자를 붙여 준 너희 총독을 탓해야지, 어쩌겠어."

"정말, 정말, 약 필요 없으세요?"

소녀는 이제는 조금쯤 공포에 질린 듯한 눈이었다. 보통 소조폴 사람 정도로 무례할 거라 생각해서 양껏 '당신 미쳤느니' 떠들었는데, 그 이상일 줄은 상상도 못 했나 보다.

한 번만 더 그러면 죽는다는 경고를 들은 티티라는 말했다.

"못 하겠다 싶으면 내 시중은 너희 총독한테 맡기든가. 그 인간 멀미는 안 하겠더라."

라요나는 도망쳤다.


해가 화창한 날이었다. 티티라는 아직까지도 자신이 총독에게 붙잡혀 이즈버르로 가야 한다는 사실이 믿기지 않았다. 항구로 수로를 타고 가면서도 정말 비현실적이란 생각뿐이었다.

그나마 다행인지 안스카리우스는 새벽 일찍 배로 나갔다. 같은 수로에 있었으면 등을 밀쳐 저 똥물에 담갔을 텐데, 그런 스스로를 자제할 필요가 없어서 참 다행이었다.

덕분에 수로의 작은 배 위에는 노잡이, 라요나, 그리고 자신뿐이었다. 어젯밤과 오늘 꾸준히 짐을 받아 배에 실은 라요나는 점차 말을 잃어 갔다.

티티라는 소녀가 툭툭대던 때에도 참 어리다고 생각했지만, 배를 탄다는 사실에 초조해하는 얼굴을 보자 더더욱 그 생각이 강해졌다. 그런 애를 자신의 시중으로 붙인 안스카리우스의 머리통을 뜯어보고 싶었다. 차라리 혼자 두지. 선원들, 군인들에게서 열일곱 살짜리를 어떻게 지켜야 할지 걱정이 태산이었다.

"자, 내리시죠, 아가씨들."

티티라는 노잡이를 노려보았다. 라요나는 희미하게 웃으며 노잡이의 손을 잡고 내렸다.

'내가 진짜로 쟤를 돌봐야 하는군.'

티티라는 혼자 힘으로 배에서 내린 뒤, 일부러 배를 걷어차 땅에서 멀리 떨어뜨리며 생각했다. 뒤에서 노잡이가 욕설을 내뱉었다. 그녀는 그를 손가락으로 모욕하며 좁고도 넓은 항구를 가로질러 갔다.

벌써부터 입 안이 짭짤했다. 습기 찬 바닷바람이 훅훅 불어닥쳤다. 그녀는 제 귓바퀴가 돛처럼 버텨 만드는 바닷소리를 귀 기울여 들었다. 후루룩. 후룩, 후루룩.

라요나가 그녀의 뒤에서 처음으로 물었다.

"저기, 배는 많이 타 보셨어요?"

티티라는 바다를 바라보며 걷느라 소녀가 자신을 따라오고 있다는 사실을 깜빡했다. 흠칫 놀라 뒤를 돌아보았다.

"나는 소조폴에서 이십 년을 살았어. 당연하지."

"할머니 같은 말씀을 하시네요."

"배에 올라서도 그렇게 말할 수 있는지 보자고."

"흠……. 앗, 거기 아니에요! 여기예요!"

"이쪽으로 가면 더 빨라. 교국 배가 정박할 수 있는 장소는 뻔하지."

소녀는 명명백백하게 방향이 쓰인 지침 돌을 손가락질하다가 얼굴이 붉어졌다. 유명한 이 지름길도 몰랐다니, 그녀가 그간 얼마나 항구와 동떨어진 삶을 살았을지 짐작이 되었다. 티티라가 어렸을 땐 상상도 못 하던 일이었지만 교국 치하에서 항구 경비가 삼엄해졌으니 그럴 만도 했다.

라요나는 괜히 투덜댔다.

"늦으면 안 돼요……. 혼난다고요. 총독님께서, 군인도 두지 않고 제게 맡기신 일인데, 놓치면 큰일 나요."

"일단 첫째로 내가 도망갈 사람이면 '총독님'도 너한테 안 맡겼고, 둘째로 앞으론 네 의도를 그렇게 뻔하게 말하지 마. 남들은 안 봐준다."

소녀는 또다시 입을 삐죽이며 구시렁댔다.

티티라는 잘 아는 길을 돌아 십수 척 범선 아래 섰다. 물론 항구에 정박한 것만 그 정도고, 점령군의 배는 수평선에도 점점이 늘어서 있었다. 시노드 신넬의 것보다 두 배는 튼튼하고 큰 배. 바다를 넘어온 배. 사실 티티라도 교국의 배를 타 보는 것은 처음이었다. 아무렇지 않은 척했지만 사실 경멸하면서, 기대하면서, 또 그런 스스로를 혐오하고 있었다.

"아! 저기, 저 깃발이에요! 검은 거요!"

티티라는 손으로 차양을 만들어 교국이 출항하기 전에 올리는 검은 깃발을 찾아냈다. 해적에나 어울리는 검은 깃이지만 그 위로 천박한 무늬가 없다면 이야기가 달라진다. 공단의 빛부터가 달랐다. 저 작고 간소한 깃발 그 자체가 교국이었고, 교국에 점령당한 땅의 상징이었다.

그녀는 모욕당한 기분으로 빠르게 걸어갔다.

배 앞을 지키는 군인이 칼을 들자, 매섭게 노려보았다. 뭐야? 꺼져. 죽이든가. 라요나가 뒤에서 웃으면서 제지하는 것이 들렸다.

"저, 총독님이 명하신 분이세요. 죄송해요. 말씀을 잘 못 하세요."

티티라는 뚜벅뚜벅 걸어 갑판 위로 올랐다. 정갈하게 정리된 수많은 밧줄들, 군인들이 운반하는 화약 그릇과 총신이 긴 총들. 이러고도 이즈버르가 교국에 함락될지 '알 수 없다'고?

그녀는 아찔했다.

"돔니니."

고개를 홱 돌렸다.

"라요나, 이쪽으로."

라요나는 꾸벅 인사한 뒤 빠르게 안스카리우스를 따라갔다. 티티라는 바닥에 쩍쩍 눌어붙은 걸음으로 그들을 쫓았다.

"저기, 빨리 오세요. 곧 출발한대요. 혹시 뱃멀미를 하세요?"

잔뜩 곤두서 있다가 이제야 젠체하는 라요나의 말투에 갑작스레 웃음이 났다. 걸음이 의욕을 얻곤 조금 빨라졌다.

이윽고 높은 갑판 아래로 들어섰다. 양옆에 늘어선 수많은 포탄과 그물 침대에 기가 질렸다. 모조리 기가 막히게 깨끗해서 잘 관리되고 있다는 증거처럼 보였다. 소조폴 배의 경우, 선장의 잠자리도 이렇게 깔끔하진 않았다. 이 그물 침대에서 자도 나름대로 호화롭겠군, 생각하는 찰나—

그들은 다시 한번 계단을 내려갔다. 무시무시하게 섬세한 문양을 새긴 문이 열렸다.

"……."

"위가 선장실이니 참고하도록."

티티라는 배 안에 이토록 호화로운 공간이 두 개 층이나 된다는 사실이 믿기지 않았다. 이곳은 층고가 일반 건물처럼 높고 가구도 묵직했다. 침상에는 자신이 요구한 이불이, 긴 책상에는 원예 책과 서류 한 무더기가, 탁자 위로는 쓸 만한 찻주전자와 가열기가 놓여 있었다. 굳게 닫힌 저 장롱 속에도 그녀에게 맞춘 선원복이 있을 것이 분명했다.

티티라는 만족스럽다는 표정을 내비치지 않기 위해 몹시도 노력했다. 그러다 흘끗 라요나를 보았는데, 그녀는 고개를 숙이고 있었다. 그제야 번뜩 깨달았다. 이곳에는 나무 침대가 하나였다.

"총독님, 사람은 둘인데 침대는 하나입니다."

그는 희한한 것을 보듯이 티티라를 돌아보았다.

"그래서?"

"……그물 침대 하나만 옮겨 와도 될까요?"

"왜?"

"절 시중들라고 부르신 저 친구는 잘 곳이 없잖습니까. 제가 무슨 보호 귀족도 아니고, 애 세워 놓고 자기 민망합니다."

"바깥에 그물 침대가 있다."

"저 혼자 여자일까 봐 부르셨다면서요. 저 애는 그럼 혼자여도 괜찮은 겁니까?"

"별걸 다 신경 쓰는군. 네 마음대로 해."

안스카리우스는 문을 연 채로 떠났다.

라요나가 슬쩍 고개를 들었다.

"그런다고 제가 뭐 달라질 줄 알아요?"

"뽀로통해서 고개 숙이고 있었으면서 말이 많아."

"안 그랬어요……."

"그물 침대 풀러 가자. 그물 침대에서 자는 사람이 이불을 쓰는 거야. 그래야 공평하지."

"……."

티티라는 바깥 통로로 나가 그물 침대가 있는, 포탄과 나무통이 쌓인 단 위로 올라갔다. 어찌나 잘 고정했는지 발밑이 탄탄했다. 먼저 거침없이 한쪽 밧줄을 풀고…….

"안 올라와?"

라요나가 후다닥 올라왔다.


티티라는 라요나가 식사를 가지러 자리를 비운 사이, 책상을 훑었다.

원예 책은 모두 새것이었다. 책장을 한 장, 한 장 넘기다가 싫증이 나 옆으로 밀었다. 그리고 습관처럼 서류를 들추다 인상을 찌푸렸다. 두툼한 묶음을 한 번에 쥐고 급하게 훑어보았다. 그녀는 종이 뭉치를 쾅 내려놓았다.

전부 이즈버르 문서였다.

이즈버르 대상이 제게 직접 쓴 편지부터, 그들이 별첨한 보상,

줄줄이 이어받은 계약서까지. 이즈버르가 애타게 원하는, 소조폴 상단과 관계를 맺은 사탕수수 농장들, 생산량, 예상 매출 추이까지. 모조리 이즈버르와 관련된 것뿐이었다. 물론 자신이 미처 결재하지 못한 문서가 이즈버르 건뿐이니 그럴 수도 있지만······.

무언가 이상하다는 생각이 들었다. 그러나 문제를 정확히 포착하기 어려웠다. 아직 배가 움직이기까진 한참이나 남았으니 어떤 위험이 있는지 생각해 보아야겠다.

티티라는 찜찜한 기분이 되어 의자에 주저앉았다.

그런데 그녀가 털썩 앉는 순간, 무언가 툭 하고 떨어졌다. 서류 사이에 끼어 있던 다소 얇은 종이였다. 서류 뭉치가 두껍고 커서 미처 발견하지 못했던 것이다.

[티티라.]

오블레드였다.

[네가 요구했던 걸 조사했어. 시노드 신넬 원년부터 오늘까지 교국에서 온 사람들. 사실 양이 엄청 많은데 몰래 보내야 하니 어쩔 수 없이 두 장으로 줄인다.

우선 교국을 요약하자면 첫째, 그들의 언어와 문자는 우리 것과 비슷해. 그래서 익히기 쉬운 모양이야. 시노드 신넬 삼백 년이 뭐야, 교국의 역사 동안 바다를 못 넘어왔는데 이게 대체 무슨 소리냐 하면······ 교국인들의 견해로는 그들의 예언자가 서쪽에서 왔단다. 예언자가 쓴 경전에서 언어가 파생되었대. 헛소리 같지만, 정말로 우리 언어가 비슷한데 믿어야지 어떡하냐.

둘째, 저들은 정말 진지하게 그 예언자가 기적을 일으켰다고 생각한다. 때문에 예언자를 계승한 법황을 경외하고 지금의 법황 또한 기적을 일으킬 수 있다고 믿지.]

아니던데. 티티라는 법황이 껍데기라고 말하던 안스카리우스를 떠올렸다.

[셋째, 사제왕이라는 직책은 익히 알려져 있지만, 그들이 단 스물두 명에 불과하고, 법황과의 계약에 얽매인 충실한 종복이라는 사실은 잘 모르는 것 같다. 그들은 계약의 증거로 몸에 문신을 지니고 있대. 그놈도 벗겨 봐, 있을 거야.]

없다던데. 티티라는 급기야 미심쩍은 얼굴로 편지를 대강 읽기 시작했다.

[사제왕은 '왕'이라는 그 이름보다 무시무시하다. 교국이란 나라는 하난데, 성을 가진 가문은 스물두 개밖에 안 되거든. 자세히는 모르지만 교국이 그들 주도로 바다에 나왔다고도 한다. 넉 달 동안의 항해를 거쳐야 하는데도 수없이 서부로 군사를 보내는 걸 보면 웬만한 부와 욕심이 아니야. '사제'는 무슨, 그냥 돼지 귀족 놈들이라고 보면 될 것 같다.

넷째, 사제왕을 제해도 교국인들은 사는 형편이 그다지 나쁘지 않은 모양이다. 굶는 사람이 없대. 우리보다 날씨도 험한데 어떤 요술을 부렸는지 궁금하네. 아무튼 덕분에 평민들의 법황을 향한 존경이 하늘을 찌를 듯하단다.

따라서 종합하자면 교국 놈들은 사계절이 뚜렷한 북부권의 날씨에서 우리보다 백 년은 앞선 기술을 보유하고 있다. 맛있는 걸 못 먹을 뿐이지, 생산에 차질이 있는 날씨는 아니라 이거지. 그놈들은 그렇게 메마르게 살아도 좋다고 법황을 공경하고 기적과 종교를 믿는다. 신을 위해 새로운 걸 만들고 서쪽 대륙으로 오는 거야.]

신을 위해서가 아니더라니까.

그녀는 다음 장으로 넘겼다.

[이제 표류해서 들어온 놈들에 대해 말해 주지. 보통 가장 동쪽 마주두 제일섬에서 잡힌 기록이 많지만, 소조폴에도 자주 나타났던 듯. 북쪽에서 온 기록은 없어. 흘러들어 오기 전에 얼어 죽나 봐.

소조폴 침공 전엔 삼사 년에 한 명쯤 표류해 왔었어. 흔하진 않지만 봤다고 놀라 자빠질 필요는 없는 정도지. 시노드 신넬에선 잡히면 이거저거 신고한 뒤 자유롭게 살라고 됐다더라. 그래서 다들 잘 적응해서 살았고. 하지만 단 한 명도 다시 교국에 돌아가진 못했어. 왜냐, 이 멍청한 나라엔 기술이 없거든.

아펭글로라는 인간은 물론 들어 봤겠지. 그는 자신이 아는 기술로 시노드 신넬의 범선을 개조해서 동쪽으로 떠났다. 소식? 그걸 내가 알겠냐? 그 스스로도 단순 선원일 뿐이었으니 배 건조에 있어선 이해 못 하는 짓을 하곤 했지. 예를 들어 선폭[11]을 좀 더 좁게 해야 한다, 선미[12]는 각지게 만들어야 한다, 그건 알겠는데 설명을 해 달라면 전혀 몰랐다고. 그래도 꿈을 품고 출자해 준 모든 멍청이 상주들께 감사를. 그게 나중에 우리가 마주두까지 안전하게 가는 데엔 도움을 주었잖아.

아펭글로를 제외하면 동부로 돌아가겠다고 설치는 인간은 한 명도 없었어. 그냥 자기 운명이려니 받아들이고 살았지. 애초에 우리와 생김새가 별로 다르지 않으니 녹아들기 어렵지 않았다고. 굳이 힘든 길을 사서 갈 필욘 없잖냐.

그렇게 삼백 년— 아니, 시노드 신넬 이전에도 수백 년 동안 표류해 왔지. 첫 언급은 투르아그로 61년이니 꽤 되었네. 그때 증언되길, 바다 너머 몇십 년 전에 갓 세워진 기적적인 나라가 있다고 했으니 교국력은 육백 년쯤 되었을 거다. 표류자는 기록에만 181명, 약 3.3년에 한 명.]

티티라는 집어삼키듯 읽다가 짧게 한숨을 쉬었다. 저 기록에 안스도 있을까?

[그리고 웃긴 거 하나를 찾았다. 지금 불법 선상 노예로 팔리고 있는 놈들에겐 문신이 있잖아. 그거 시작이 교국인들이라더라.

불법 노예상이 마주두를 근거지로 삼는데, 교국인이 가장 많이 떨어지는 곳이 그곳이잖냐. 시노드 신넬 190년에 교국인을 하나 주웠더니 몸에 문신이 있었다더라 이거야. 이거 참 추적하기에 좋겠다 해서 이름과 가격을 찍기 시작한 거지.]

---

11) 배에서 가장 넓은 부분을 잰 폭.
12) 배의 뒷부분.

안스에게 '가격'은 없었다. 그래서 다들 팔리기 전에 도망 나온 것이라 추측했다.

그런데 그게 정말 교국의 문신이었다고?

티티라는 사실 안스카리우스의 이야기를 들으면서도 좀처럼 이해하기가 어려웠다. 자신이 아는 안스는 노예상에서 도망친 애였으니까. 그런 애가 바를라암의 사제왕 성을 달고 총독 일을 하고 있다는 사실이 이상했다.

한데 노예들의 문신이 실제로 교국에서 유래했다면 이야기는 달라진다. 안스카리우스의 말처럼, 사제왕 후계자들에게 문신이 새겨져 있다면 그중의 한 명이 표류하지 못할 이유가 없는 것이다. 그것을 노예상들이 따라 했고.

[노예는 반항한 끝에 죽었는데, 증언에 따르면 그 문신은 사제왕 후계자의 것이래. 법황과의 약속을 상징한 거여서 절대, 절대 지워지면 안 된대. 결국 사제왕은 법황에게서 권력을 대여받은 인간들이잖아. 그러니 계약의 징표를 지우면 정말 끔찍한 결과가 나타난다고. 농담 아니라 걔들은 사지가 타들어 갈 수도 있다고 믿고 있어.]

하지만 안스카리우스는 '사제왕들이 승계할 때 문신을 지운다'고 했다. 그리고 그의 사지도 멀쩡했다.

그러나 이번에는 오블레드를 불신하지 않았다. 티티라는 곰곰이 생각해 봤다. 옛날 사람들은 문신이 사제왕의 증표라고 했다. 그걸 지우면 큰일이 난다고 했다. 그런데 실제 사제왕인 안스카리우스는 문신을 지웠다. 그리고 그것이 통상적이라는 듯 이야기했다.

문신을 가진 교국인이 처음 표류되어 온 지 백 년이 지났다. 백 년 사이에 무슨 일이 일어난 걸까? 그렇게 생각하는 편이 합리적이다.

고개를 끄덕이는 사이, 누군가가 문을 두드렸다.

티티라는 흠칫 놀라서 얇은 종이를 찢었다.

"잠깐만! 나 벗고 있어!"

그녀는 한 조각, 한 조각 급하게 삼키기 시작했다. 먹고, 먹고, 또 먹었다. 그녀는 다소 고통스러워하며 흔적 없이 치웠다.

"들어와도, 콜록, 콜록! 좋아!"

라요나가 조심스럽게 문을 밀고 들어왔다. 그녀는 한 아름 쟁반을 들고 있었다. 얼굴이나 나이에 비해 키가 큰 아이라 불안정한 느낌이 들었다. 티티라는 도우러 갔다가, 그녀가 오히려 방해가 된다며 인상을 찌푸리자 물러났다.

"땅에서의 마지막 식사래요."

티티라는 앉기도 전에 따뜻한 수프를 떠먹으며 말했다.

"주방 구경을 해야 하는데 말이지. 여기도 다리 부러진 노선원이 음식을 하려나?"

"왜 다리 부러진 노선원이 음식을 해요?"

"그거라도 못 하면 죽어야 하거든."

"……."

"그 절박함이 음식에 보여서 맛있긴 해."

"그냥 군인이었어요."

"그렇잖아도 말하려 했다. 너 군인 조심해라."

그녀는 마침내 앉아서 숟가락질로 라요나를 가리켰다.

"뭘요?"

"쓸데없이 군인들이 접근하게 두지 마."

"그건 이미 익숙해요. 잘 넘기면—"

"뭘 '잘' 넘겨? 여긴 완전 갇힌 곳이야. 도와줄 사람 없어."

"저한테 그럴 사람도 없어요. 총독님이 큰 벌을 내리실 거예요."

"하지만 너와 실력 좋은 군인이면 누굴 선택할까?"

"총독님은 그런 분 아니세요."

"그 잡놈이 뭘 안—"

"말씀 조심하세요!"

티티라는 투덜댔다. 개인 공간에서도 총독 욕을 못 하게 생겼군. 이거야말로 진짜 감옥이야.

라요나는 씩씩거리며 그녀와 마주 보는 자리에 앉았다.

"총독님께 다 말씀드릴 거예요!"

"꼭 말해 줘."

"……."

"식사하자."

"……."


라요나는 배가 삐걱거리며 움직이기 시작할 때부터 무척 불안해했다. 티티라는 차라리 갑판으로 나가자고 제안했다. 창이 아니라 큰 하늘을 보는 것이 차라리 덜 어지러울 거라며.

라요나는 총독의 허락이 없었다는 사실이 마음에 걸리는지 잠시 지체했다. 티티라는 그렇다고 방 안에 박혀 있으란 소리는 없지 않았느냐며 라요나의 목깃을 잡았다. 그녀는 버둥댔지만 티티라의 힘이 훨씬 셌다. 결국 소녀는 반항하는 듯하다가 포기했다.

문을 열자 햇살이 찬란했다.

배는 항구에서 살짝 떨어져, 점차 부유했다. 군인들이 부두에서 풀어낸 밧줄을 정비하고 있었다. 그들은 갑판으로 올라온 두 여자를 흘끗 바라보았다가…… 영원히 바라보았다.

라요나가 불편해하는 기색이 느껴졌다. 티티라는 무시한 채 뱃전을 잡았다.

"저쪽이 북쪽이야."

"……."

"이즈버르."

소녀가 놀란 눈으로 돌아보았다.

"저희가 이즈버르로 가는군요?"

"응. 땅 위에서 말했다간 총독님이 나를 용서하지 않았을 테니 지금 말하는 거야."

"이즈버르로…… 왜…… 그걸 용서를……?"

두려움보단, 호기심에 가득 찬 어조였다.

"왜겠어?"

티티라는 웃지 못했다. 대신 흉한 것을 보듯 주변을 손가락질했다. 군인들과 눈이 마주쳤다. 어쩌라고. 죽든가.

"……."

"내가 왜 조심하라 했는지 알겠지. 단순한 경비가 아냐."

"……."

배가 부드럽게 흘러갔다. 너무도 평화로워서, 도저히 도시에 불을 지르러 가는 군대처럼 보이지 않았다.

라요나는 주변을 두리번두리번 둘러보는 듯했다. 선미에 자리 잡은 갑판장[13]부터, 타륜[14]을 꽉 붙든 군인들, 돛 줄을 잡고 능숙하게 옆으로 넘어가는 선원을 보았다. 그러나 그녀의 눈이 갑작스레 공포로 어두워지는 일은 없었다. 갑판 위 멋진 장식물처럼 고정되어 있는 대포가 불을 뿜으리라고는 상상도 못 하는 모양이었다.

티티라는 쓴웃음을 지었다.

소녀에게서 고개를 돌리자 높다란 마스트가 보였다. 미스트는 아주 크고도 균형 잡힌 모양새라, 그 보호 아래 있으면서도 현실감이 없었다. 멀리 떨어진 한 폭의 그림 같았다.

티티라는 상황을 잊은 채 뱃전에 턱을 괴었다.

부서지는 남부의 빛. 미끄러졌다가 출렁이는 빛. 바다가 아닌 빛 위에서 헤엄치는 배. 군인들이 뱃사람처럼 암호 섞인 고함을 질렀다. 그들의 소음마저도 갈매기, 파도와 섞여 한 폭의 기묘한 곡처럼 느껴졌다.

코끝이 찡했다.

티티라는 안스를 향해 손을 흔들었다. 바다 멀리에서도 그를 알아볼 수 있었다.

작은 머리통이 잠시 주춤하는가 싶더니 곧 유선형으로 헤엄쳐 들어왔다. 오후의 햇살이 반지르르하게 떨어졌다. 파도와 함께, 머리

---

13) 일등 항해사의 지시에 따라 갑판원을 지휘하여 갑판 작업을 책임지는 직위. 또는 그 직위에 있는 사람.
14) 손잡이가 달린 바퀴 모양의 장치. 배의 키를 움직이는 데 쓴다.

에서, 몸으로, 다리로, 다시 파도 위로 흘렀다.

안스가 검은 바위를 짚고 올라왔다. 열여덟. 단단한 몸. 맨 어깨의 문신. 물이 젊음에 끌려 올라온다. 바다 냄새가 났다.

티티라는 물이 튈까 봐 뒤로 피했다.

"안스, 너 더 놀면 블리조 씨에게 들킬 거야."

"논 거 아닌데. 등대 근처의 쓰레기를 치우고 온 거야. 지난주 폭풍 때문에."

"돈 준대?"

"응."

"그렇다면야."

"여긴 왜 왔어?"

티티라는 '짠' 소리를 내며 종이를 펼쳐 보였다. 그는 종이 위 새겨진 화려한 문양 속 글자를 읽었다.

"소조폴 최고의 회계사."

"알아 모시라고."

그는 볼멘소리로 툴툴거렸다.

"그딴 건 대체 누가 매기냐?"

"대회 했어. 내가 일등이야!"

"돈 주냐?"

"응."

"그럼 됐네."

"그리고! 명예도 있지."

"나도 최고의 수영꾼은 될 수 있어."

"멍청아. 뭐 먹으러 가자."

안스는 검은 바위에서 일어섰다. 티티라는 멀찍이 손을 내밀었다.

"물 튀기지 마. 조심해."

안스가 그녀의 손을 꽉 잡았다. 티티라가 힘 있게 지탱하는 한순간, 그가 밋밋한 돌바닥으로 건너와 그녀를 껴안았다.

"너 미쳤어?"

그는 곧장 떨어져 나갔다. 그리고 축축하게 젖은 그녀의 상장과 옷 앞자락을 보며 낄낄거렸다.

"야!"

"중심을 잃은 거야."

"죽여 버린다! 난 경험자야, 무섭지도 않아?"

"그게 내 사망 사유가 되면 좋겠네. '티를 무서워하지 않음.'"

티티라는 먼저 걸어가는 안스의 등을 세게 때렸다. 그가 한순간 '헉' 소리를 내며 굽히는 모습이 보였다. 그녀는 그를 한 대 더 갈기곤, 종이를 바닷바람에 펼쳐 말렸다.

"네가 이렇게 해도 내 명예는 빼앗을 수 없지. 너보다 천배는 똑똑하단 사실 말이야."

"난 그 대회에 참가 안 했잖아."

"했으면 나한테 이겼을 거라고?"

안스는 들은 체 만 체 머리 뒤로 손깍지를 꼈다. 티티라의 이마 위로 그림자가 졌다.

그녀는 문득 말했다.

"너, 올해 더 큰 것 같아."

"달라질 게 있나? 너보다 항상 이십 센티는 더 컸던 것 같은데."

"이젠…… 그 이상인 느낌……."

그녀는 자존심이 상해선 중얼거렸다.

"예전엔 네 턱에는 닿았다고."

안스는 고개를 기울이더니 그녀와의 차이를 가늠해 보았다. 티티라의 정수리는 그의 어깨에 아슬아슬하게 걸쳐 있었다.

"맞네. 너 더 작아졌네."

"죽는다."

"이러다가 땅으로 사라지면 어떡하냐. 겁나네."

"진짜 죽는다고."

"잘 먹고 있는 거 맞아?"

"내가 너보다 더 먹거든?"

그는 웃고 말았다.

"기다려 봐. 옷을 여기 어디 던져 놨거든."

"누가 훔쳐 갔으면 좋겠다."

"아, 여기 있다."

그는 소금기가 말라붙은 몸에 상의를 걸쳤다. 잔뜩 젖은 속바지는 그대로 둔 채, 긴 바지를 팔에 걸었다.

"뭐 먹을까."

"따뜻한 거. 국물 있는 거. 돼지고기. 갈치."

"하나만 해라, 좀."

"국물 있는 돼지 요리."

"아슈트롬네가 잘하지."

"좋아."

그들은 곧 먹을 음식에 대해, 우스페히상의 최근 상품에 대해, 오늘 날씨에 대해, 수로에서 목격한 괴생명체에 대해, 어제 입항한 무적無籍[15]의 배에 대해, 소조폴 성벽 앞 언덕에 자라고 있는 우산 소나무에 대해 이야기했다.

그들은 누군가 멈추지 않는다면 영원히 떠들 수 있었다. 티티라는 안스가 입 밖에 내지도 않은 주제를 알고 있었다. 안스는 티티라가 무척 좋아하는 답을 알고 있었다. 그녀가 거칠게 밀고 나아가고, 안스가 답하면 그녀는 그를 기쁘게 하고, 다시 빠르게 밀고 나아가고……. 그들은 파도처럼 급하게 대화했다. 그들 사이에 뒤는 하얀 포말이 보일 정도였다.

"야! 사마귀!"

티티라가 홱 고개를 돌렸다.

"아브구스트 씨가 맡겨 둔 회계 용지를 돌려 달라신다. 빨리 달려갔다 와."

"안 급하신 거 알아요. 이따 저녁에 가져다드릴게요."

"안스랑 붙어먹지 말고 최대한 빨리 가져다 놔. 너 그러다 안스도 죽일라."

그녀는 주먹을 꽉 쥐었다. 그러나 이미 웃으며 지나간 남자에게 아무 말도 하지 못했다. 안스가 어깨를 툭툭 두드리는 것이 느껴졌다. 그녀가 고개를 돌리자, 그가 몸을 숙였다.

"저 새끼들이, 나도 사람을 죽이면 사마귀라고 부를까?"

티티라는 작게 코웃음을 쳤다. 아직 기분이 모두 풀리지는 않은 듯한 소리였다. 그러나 걸음이 가벼워졌다. 안스가 눈치 빠르게 알아차리곤 자세를 바로 하는 것이 느껴졌다. 공기가 들떴다.

"난 기분 안 상했어."

---

15) 소속이 없음.

티티라는 뻔히 보이는 거짓말을 했다.

"걸음이 화나 있는데."

"네 마음이 그래서 그렇게 보이는 거야."

"어쩔 수 없지. 네가 화나면 나도 화나잖아."

티티라는 타당하다고 생각했다.

안스는 '그 일'이 일어난 이튿날, 그녀를 일컬어 사마귀라고 부르던 사람을 반 죽였다. 지나가는 그를 붙들고 '사마귀한테 부탁한 일이 있는데.' 소리를 해서 곧장 이를 부러뜨린 것이다. 그렇게 한주먹에 쓰러진 사람을 완전히 작살냈다고 한다.

상대는 사환 따위가 아니라 황금 돛 상단의 1조장이었는데, 그때문에 난리가 났다. 결국 우스페히 씨가 피해를 보상하고 안스의 비행을 직접 감독하는 대신 더 이상 문제 삼지 않기로 하는 데까지 갔다. 그 뒤로 안스는 무조건 참았고, 다들 그 앞에서 약 올리는 것이 일상화되었다.

"그러니까 안스, 네 잘못인 거야."

"어?"

네가 처음에 과하게 반응하지 않았으면 다들 지나갈 때 꼭 한마디씩 하려 들진 않았을 거라고.

"……."

하지만 안스의 새파랗고 노란 눈을 보면서 그 이야기를 할 수는 없었다.

"난 사마귀 소리 듣는 거 괜찮아."

"뭐?"

"너도 강해 보이고 멋진 별명이라 했잖아."

"헛소리하지 마. 그때랑 다르잖아, 상황이."

"그렇다고 굳이 입도 벙긋 못 하게 막을 필요 있어? 그게 저 사람들을 더 신나게 할걸."

안스가 입을 꾹 다무는 모습이 보였다. 그는 분통이 터지는 얼굴을 잘 감추지 못했다. 티티라는 그 광경이 웃기면서도 살짝 미안했다.

"안스, 그렇지만 네가 화내는 건 좋아."

"……."

"내가 화내면 꼴이 우습고 그럴 필요도 못 느끼지만, 너는 너니까. 게다가 이미 평판은 망했잖아. 우스페히상의 사환 하나는 같은 상단 사람을 죽였고, 하나는 미쳤다네."

"맞아. 잃을 거 없지."

그는 진지하게 말했다.

"안스, 그리고 이건 길어야 몇 년 안에 끝나. 우리가 사환으로 남아 있는 딱 그때까지. 너는 스무 살이 되면 우스페히의 1조장이 될 거야. 몇 년 더 지나면 너는 상비로, 나는 1조장으로, 또 상비로. 정말 길어야 십 년 안에 아무도 너나 내 앞에서 반말을 못 하게 될 거야."

"맞아."

"우리는 우스페히를 물려받을 거야."

안스는 잠시 침묵했다가, 대답했다.

"당연하지."


안스는 자꾸만 수신호를 만들어야 한다고 고집을 피웠다. 우리는 어쨌든 다른 사람들이 언짢으면 한 번씩 쥐어박고 가도 괜찮은 동네 허수아비가 되었으니까, 서로가 위험할 때 주고받을 수 있는 신호가 필요하다고.

티티라는 우스꽝스러운 몸짓을 해 보았다. 높이 뛰어서 한 바퀴를 돌아보았다.

"이런 몸짓은 어때?"

안스가 열 받은 기색이자 웃으면서 하늘을 향해 탑을 쌓는 몸짓을 했다.

"그럼 이건 어때?"

안스가 인상을 찌푸리며 뒤돌았다.

"야, 미안해. 이건?"

그녀는 가슴 앞으로, 팔을 교차해 들었다.

"아니라는 표시잖아. 문제가 있단 거지."

"……."

"바다 건너에서도 볼 수 있겠다, 그치?"

안스가 그녀를 따라 했다. 티티라는 자기가 제안해 놓고도 멀대 같은 녀석이 그러는 꼴을 보자 웃겨서 뒤집어졌다. 그녀는 소파를 쾅쾅 두드리며 눈물을 쏙 뺐다.

"야! 더 해 봐!"

그녀가 웃음을 터뜨리며 말했다.

안스가 무뚝뚝하게 따라 했다.

그녀는 한참을 더 웃었다. 그러자 안스가 장난스럽게, 높이 뛰어 한 바퀴를 돌고 떨어졌다.

"이것보단 낫지."

"아학, 흐윽, 아, 나무가 뛰는 것 같아!"

"이것보다도 낫고."

그가 탑을 쌓는 행동을 하자 티티라는 꺽꺽 울었다.

"아, 알겠어! 알겠어……. 마지막 걸로 하자!"

"좋아. 그건 편지에 쓸 수도 있겠다. 문 앞에 새길 수도 있고."

"굳이 뭐, 우리가 떨어질 일이 있겠어?"

"그냥 하는 말이야."

"진짜 위험할 때 써야 해. 진짜 죽기 전에 써야 해."

안스는 어깨를 으쓱였다.

"그냥 한 대 맞았을 때 쓰면 안 되나?"

"안 돼! 네가 저번에 팼던 황금 돛만큼 다쳐도 안 돼. 정말 위태로울 때 써야 해. 우리가 무슨 몰려다니는 쥐 떼도 아니고, 시도 때도 없이 도와 달라 그러는 건 용납 못 해."

"얼마나 죽을 뻔해야 해?"

"널 죽이겠다고 위협하는 사람이 실제로 해쳤을 때."

"그럼 이미 죽은 거 아냐?"

"그러니까 유언처럼 남기라는 거지. 난 그렇게 쓸 거야."

그는 그렇게 되지 않도록 서로 도와주자는 건데 의미가 없다고 투덜댔다. 하지만 안스, 네가 나약한 건 너 혼자 감당해야지. 안스는 더 크게 투덜대더니 일을 하러 떠났다.


그러나 예상과 달리, 가위표는 티티라가 먼저 사용했다.

그녀는 바쁜 하루를 마치고 멀뚱멀뚱 침대 천장을 바라보고 있었다. 내일 아침 일찍 일어나야 할 텐데. 이렇게 못 자면 안 되는데.

그러다 갑자기 머리맡에 둔 칼을 만졌다. 힘이 풀렸다. '그 일'이 일어난 지 벌써 한 해가 지났다. 오늘처럼 따뜻한 겨울날, 휴일의 첫날. 그녀는 자신이 그날을 잊었다고 생각했다. 그런데 당장에 부르르 떨며 칼을 쥐는 모습이 스스로도 불안했다. 칼을 쥐고, 곧장 날짜를 기억하고, 그날이 어땠는지를 기억하다니.

티티라는 여전히 살인을 추호도 후회하지 않았다. 그녀는 제 인생을 부리려던 사람을 죽였다. 앞길 막은 불한당을 없애 버렸다. 굶던 시절로 돌아가지 않도록 노력했듯이, 이번에도 발버둥 쳐서 방해물을 치운 것이다.

그녀는 심지어 오트카저트가 왜 하필 자신에게 그랬는지에 대해서도 깊이 생각하지 않았다. 안스가 말했듯 그에겐 여러 사냥감이 있었고 자신이 그 속에 재수 없게 들어간 것뿐이라고 믿었다. 그 정도로, 물만 먹은 위장처럼 깔끔한 정신머리였다.

그러나 '후회하지 않는 것'과 지금의 감각은 무언가 달랐다. 이것은 좀 더 육체적인 것이었다.

그녀는 어둠 속을 노려보았다.

이상했다. 평소와 달랐다. 숨이 잘 안 쉬어졌다. 속이 불편하니 한숨이 깊어졌다. 답답해서 계속 뒤척거렸다. 머리에 열이 오르고 화하는 느낌에 기운이 쭉 빠졌다. 그와 함께 피가 돌아 심장이 쾅. 쾅. 쾅.

잠깐.

어떻게 숨을 쉬어야 하지?

티티라는 숨 쉬는 법을 잊어버렸다.

그녀는 이불을 쥐어뜯다가 옆으로 굴러떨어졌다. 몸이 우당탕탕 바닥에 부딪치는데도 숨이 트이지 않았다. 기절할 것 같았다. 그런데 기절하면 이 자리에서 죽을 것 같아서 기절할 수도 없었다.

이도 저도 할 수 없어 문까지 기어갔다. 목소리가 나오지 않았다. 숨을 못 쉬어 얼굴이 시뻘건 채로 문을 열어젖혔다. 소리가, 안 나왔다.

호흡을 해 보자. 조금씩 숨을 쉬어 보자. 바람이 들어오는 방식이었던 것 같다. 내 입으로 바람을 삼켜 보자. 하지만 모든 게 불가능했다.

그녀는 손에 쥔 칼로 바닥을 찍었다. 몇 걸음 기어갔다. 일끼 떨어지지 않은 안스의 방 앞까지. 그녀는 거의 일 분째 숨을 못 쉬고 있었다. 온 힘을 짜내 칼로 그의 방문을 긁었다. 그러나 쥐가 갉아먹는 소리밖에 안 되겠지. 그녀도 알았다.

티티라는 이를 악문 채 체중을 실어 문에 칼을 박았다. 사선으로 내리그었다. 마치 오트카저트를 죽였을 때처럼. 그리고 반대편에서도 다시 한번 칼을 박아 몸무게로—

문이 쾅 열렸다.

안스의 시선이 허공을 헤매다 순식간에 아래로 내려왔다.

그가 고함을 질러 사람들을 깨우려 했다. 그러나 티티라가 칼로 그의 발 앞을 찍었다. 안 돼, 하지 마. 그는 입 밖에 내지 않아도 제 말을 알아듣는 귀신같은 재주가 있었다. 큰 몸이 확 줄어들더니 그녀를 뒤집어 주었다.

"숨? 숨이야?"

"……."

"미안해."

그는 주먹을 들어 그녀의 배를 때렸다. 끔찍하게 아팠지만, 숨이 트였다. 순식간에 어떻게 공기를 들이켰는지 익혔다.

"커어흑! 콜록, 콜록, 캑, 콜록!"

"괜찮아? 왜 이래? 체했어?"

"커흑, 히이흑, 히이흑."

그녀는 한동안 유리를 긁는 듯한 소리만 냈다.

티티라는 처음 겪는 상황에 당황했다. '체'? 그 말마따나 급체를 했으면 뭐라도 거하게 먹어야 했을 텐데, 오늘은 일이 바빠 저녁으로 빵 한 쪽을 들었을 뿐이다. 게다가 그녀는 어렸을 적 하도 많은 것을 주워 먹어 정상적인 인간의 음식으론 거의 체하지 않았다.

그보단 자신이 '그날'을 떠올리자마자 닥친 고통을 의심했다.

안스는 티티라가 진정될 때까지 손을 쥐고 있다가, 잠깐 고개를 들어 그녀가 칼집을 낸 문을 바라보았다. 가위 모양이 선명하게 새겨져 있었다.

"티."

"아, 흐으······. 가위표를 결국······ 나 때문에 썼네."

그는 이해하지 못한 얼굴로 그녀를 끌어 올려 주었다.

"뭐?"

"남들이 나를 해치지는 못했네. 그냥 내가······."

"지금 체한 것 때문에 그래? 그런데 뭘 먹어서 이렇게 심하게 걸린 거야? 조심 좀 해."

"아, 죽을 뻔했네······."

"놀랐잖아, 죽는다."

"미안."

그녀는 양손으로 바닥을 디뎌 일어났다. 흔들리지 않았다. 정말이지 방금 전 동요가 없었다고 생각될 만큼 멀쩡했다.

"체가…… 아닌 것 같기도 하고…….”

"그러면?”

"아…….”

자신이 생각하는 이유를 그에게 말하기가 싫었다. 그렇게 멀쩡한 척을 해 놓고 갑자기 가만히 있다가 숨을 못 쉰다고 할 수 없었다.

'사마귀라는 별명으로 불려도 상관없다.' 진짜였다. '사실 살인이 끔찍하지도 않다.' 정말이다. '내가 무엇을 잘못했다는 생각도 없다.' 진심이었다. 그녀는 과거에서 억지로 참혹한 부분을 캐 보려 해도 도통 불가능했다.

그런데 이건 뭐지? 왜 몸이 반응을 하는지 몰랐다. 그것도 일이 발생한 지 한 해 만에 처음으로.

티티라는 멍하니 생각하며 다시 제 방으로 들어가려 했다. 그러다 안스에게 잡혔다. 인상을 찌푸린 듯하면서도 크게 뜨인 눈이었다. 그는 아무 말도 하지 않았지만, 티티라는 알고 있었다.

"내일 우스페히 씨한테 여쭤볼게. 의사 불러 달라고.”

그녀는 맨발로 복도에 선 안스에게 고개를 끄덕였다. 그리고 그 길고 어두운 길을 탈출했다.


우스페히 씨가 불안정하게 턱을 괴었다.

"증상을 더 정확히 설명해 봐라.”

"정말 아무것도 안 했는데 호흡에 문제가 생겼어요. 처음에는 제대로 숨 쉬지 않으면 죽을 것 같아서 열심히 신경 쓰면서 쉬었는데, 좀 지나니까 아예 어떻게 숨을 쉬어야 하는지 모르겠더라고요. 참, 그리고 심장도 쿵쿵 뛰었어요.”

"계기는 없고?"

그의 단어 사용이 좀 꺼림칙했다. '계기'라니?

"이상한 음식을 먹진 않았어요."

"너도 내가 그걸 물어본 게 아니란 걸 알 거다."

"……."

그녀는 곧장 말할까 했지만 예전 기억이 거슬렸다. 그녀는 안스에게는 숨기고, 우스페히 씨에게는 말하는 무언가를 또 만들고 싶지 않았다.

"……."

"티티라, 의사를 부를 문제는 아닌 것 같은데."

"……."

"긴급 처방은 알려 주지. 이거 들어 봐라."

티티라는 어리둥절한 채 그와 똑같이 유리병을 잡았다.

"입에 붙여. 빈틈없이."

그녀는 그를 따라 하다가 웅웅거리며 웃음을 터뜨렸다. 그러나 우스페히 씨는 입가가 일그러져 커진 모양으로도 진지했다.

"이렇게 꽉 막히게 두고 숨을 쉬어. 그럼 짧은 시간 안에 나아질 거다."

"어떤 원리예요?"

"네가 숨을 마시질 못하잖아. 급하니 계속 내뱉기만 하는 거지. 유리병 안에 공기를 가둬 두면 어떻게든 숨이 덜 빠져나가게 될 거다."

"네."

"상황이 오면 최대한 내쉬는 걸 느리게 해. 가능한 숨이 빠져나가지 않도록 해야 한다."

"……."

"그리고 단단한 생각을 해라."

티티라는 잘 이해하지 못했다.

"단단한 생각이요?"

"네가 가장 안정을 찾을 수 있는 생각."

"숫자? 회계? 그런 거요?"

"그것도 좋고. 아무튼 네가 궁리해 봐아지."

"네. 의사는 정말 필요 없을까요?"

"필요 없는 게 아니라 해 줄 수 있는 게 없을 거다. 네가 해야지."

티티라는 우스페히가 어떻게 제 증상에 대한 답을 알고 있는지 궁금했다. 그러나 그녀는 항상 그를 신뢰해 왔으므로, 얌전히 그 말을 따르기로 했다.

우스페히는 그녀를 내려다보다 불쑥 물었다.

"일은 잘되고 있고?"

"올리브유 부족분 건은 깨끗하게 마무리 지었어요. 대농들이 또 사기를 쳤어요."

"그래. 네가 잘하리라 믿는다."

그는 얼마 전부터 확고하게 그녀를 지지했다. 어쩌면 오트카저트 이후였던 것 같기도 하다. 입 밖으로, 완전하게 그녀를 아꼈다.

그들은 사생활을 말하지 않기에 서로를 더 존중할 수 있는 사이였다. 적어도 자신이 오트카저트를 죽이기 전까진 그랬다.

그러나 그가 제 살인을 알고 감싸 준 이후로 모든 것을 공적으로 유지하기가 낯간지러워졌다. 물론 그녀는 그에게 무언가 개인적인 것을 물어볼 용기는 없었지만…….

"우스페히 씨."

그녀는 갑작스레 용기를 냈다.

"어."

"왜 상단을 자식에게 물려주지 않으세요?"

"나는 아내가 없잖아."

그는 예상외로 쉽게 대답했다.

"그렇지만 아내와 자식은 상관없잖아요."

"그런 관계에서 만들어진 자식에게까지 의미를 두자고?"

우스페히는 순수하게 궁금해하는 태도로 말했다. 그녀는 그의 속
뜻을 재깍 이해했다. 혼외 자식이 문제라는 것이 아니라, 그 지경
으로 혈연에 집착하는 이유를 모르겠다는 투였다.

"저랑 안스가 우스페히 씨가 피땀 흘려 만든 상단을 망칠 수도
있는데요."

그녀는 그것이 불가능하다고 생각했기에 당당했다.

"너랑 안스는 좋은 짝이야."

"네?"

티티라는 인상을 찌푸렸다.

"서로 모자란 구석을 영리하게 채워 줄 수 있지. 그러니 너희가
상단을 망칠 일은 없을 거다. 내가 열심히 골랐거든."

"'골라'요?"

"그럼."

우스페히는 당연한 것을 말하듯 했다.

"티티라, 너는 내가 평생을 키운 상단을 아무에게나 물려줄 거라
생각했어? 나는 철저히 검증했다."

"……."

"너희는 내 자산이다. 나는 영리한 애들을 꽤 많이 모아 가르쳤지만 너희가 제일이었지. 다만 마음에 걸리는 건……."

그는 처음으로 얼굴에 감정을 담았다. 티티라는 그의 표정에서 걱정을 느낄 수 있어서 신기했다. 무슨 걱정일까? 우리가 상단을 운영하는 데 있어서 특별히 약한 부분이 있다고 생각하시는 걸까?

"네가 안스를 배신할 것 같다."

티티라는 눈을 깜빡깜빡 떴다.

"네?"

"내가 너를 처음 봤을 때부터 그랬지. 너는 부모랑 헤어지는데도 눈물 한 방울 흘리지 않았다."

"우스페히 씨, 그분들도 저를 파셨잖아요."

"그래도 넌 일곱 살이었어."

"우스페히 씨는 제가 눈물을 안 흘려서 좋아하신 거잖아요."

그녀의 목소리에서 억울함이 묻어났다. 그녀는 억울했다. 자신에게 감정이 없다고 말한 사람은 단 한 명도 없었다. 그녀는 정말 감정적인 사람이었다. 하지만 살아남기 위해서는 가끔 누름쇠 아래 넣어 두어야 하는 부분이 있는 법이다. 예를 들어, 천지에 큰 부자 상인이 자신을 굶지 않게 해 준다고 말할 때.

"우스페히 씨, 우스페히 씨는 단 한 번도…… 제가 오트카저트를 죽이기 전까진 한 번도, 저를 인정하지 않으셨어요. 기껏해야 '이 자료를 잘 봤다.', '저 건은 잘했다.' 정도였죠. 그런데 제가 우스페히 씨 눈에 차도록 노력한 게 잘못된 일이에요?"

"넌 지금도 열다섯이야. 내 눈에 차겠어?"

그녀는 울컥했다.

"전 최선을 다하고 있어요!"

우스페히 씨는 책상을 툭툭 쳤다.

"그게 문제란 거다. 넌 너무 잘하려고 해. 누구든 뛰어넘으려 한다고. 나는 올해로 마흔넷이다. 너는 열다섯이지. 내 기준에 열다섯짜리가 충분히 만족스러우면, 내가 너보다 더 산 서른 해가 무색해질 거다. 너는 경험이 없고 부족해. 하지만 가능성이 있고 노력하지. 그게 중요한 건데 너는 무엇이든 최고가 안 되면 스스로에게 벌을 준다."

"그러면 지금은 왜 그러셨어요? '네가 잘하리라 믿는다.'? 그냥 오늘도 '그래, 이만 가라.' 하시지."

가시 돋친 말이었다. 그녀는 내뱉고 나서도 스스로가 그의 말을 증명한 듯해서 무안해졌다.

우스페히는 새까만 딱정벌레 같은 눈으로 그녀를 바라보았다.

"내가 그런 사람이라 네가 그때 말을 안 했던 게 아닐까? 그런 생각이 있지."

"……"

"오트카저트 일을 좀 더 일찍 알 수 있지 않았을까?"

우스페히의 목소리는 평소보다 조금 더 낮았다.

티티라는 급하게 반박했다. 그의 목소리에서 자신에게 신경 쓰는 듯한 느낌을 받는 것이 너무 싫었다.

"우스페히 씨, 아니에요. 우스페히 씨가 그런 사람이어서가 아니라, 제가 '그런' 사람이라 이야기를 안 한 거예요. 우스페히 씨가 제 허파에 바람 들 만큼 칭찬하셨어도 전 오트카저트에 대해 이야기

안 했어요."

"그럴 수도 있겠지. 아무튼 나는 노력해 보려 했다."

"……."

"그리고 네가 정말 그렇게 냉정한 사람이라면, 바로 그렇기 때문에 안스가 걱정되지."

티티라는 당황스러워 내뱉었다.

"제가 안스를 죽이기라도 할까 봐요?"

"아니……."

그는 잠깐 뜸을 들였다.

"굳이 그 애를 죽일 필요도 없지, 너는."

"무슨 말씀이세요?"

"안스는 차라리 너한테 죽는 게 나은 순간이 올 텐데."

"무슨 말씀이시냐고요. 이해를 못 했어요."

"넌 안스와 너 중에 한 사람만 상주를 맡아야 한다면 어떻겠어?"

티티라는 신발 속에서 발가락을 움츠렸다. 그는 계속 뜬구름 잡는 이야기를 했지만, 방금 말은 차가울 정도로 현실적이었다. 사실 상주가 둘이라는 것은 꽤나 희귀한 경우였으므로, 그녀는 우스페히 씨에게 복안이 있겠거니 했다.

"전……."

그런데 정말 우스페히 씨가 끝의 끝까지 우리를 경쟁시키려 하셨던 거라면? 불길한 상상이 들었다. 안스와 나는 한 몸이라고 생각했는데.

그러나 결정은 빨랐다.

"전, 제가 할 거예요."

"그러면 안스는?"

"안스에게는 상단의 일부를 쪼개 줄 거예요."

"그러니까 이런 거."

"네?"

"너는 절대 안스에게 양보하지 않고 혼자 살아남을 기회를 찾겠지."

그녀는 주먹을 꽉 쥐었다. 소리를 높였다.

"우스페히 씨, 그건 당연한 거예요! 저는 열심히 노력했어요! 저는 성취하고 싶어요! 경쟁자인 안스를 제거하겠단 것도 아니고, 베풀어서 다른 상단주로서 동등하게 가자는 건데 문제가 있나요?"

"그게 안스를 죽이는 거야."

"네?"

"그만하자. 너는 아무튼 누군가에게 이야기를 좀 해야 해. 숨도 그때야 쉴 수 있을 거다."

그녀는 분통이 터진 표정이었지만, 반항하지 않았다. 자신은 뜬 구름 잡는 말을 하는 우스페히 씨도 존경했으니까. 화를 내는 대신 직접 확인해 보기로 했다.


"안스, 우스페히 씨한테 이야기를 들었는데 하나만 물어봐도 돼?"

"그러든가."

안스는 책상 위에서 서류를 고치느라 정신이 없었다.

"만약에 한 사람만 우스페히상의 상주가 될 수 있으면 내가 하고 싶어."

"그래라."

티티라는 그의 옆에 의자를 끌어다 앉았다.

"왜 안 놀라?"

"그럴 거라고 생각했으니까."

그는 여전히 맹렬하게 단어를 수정하고 있었다. 깃펜이 쓱쓱 종이를 긁는 소리가 경쾌했다.

"그리고 너한텐 우리 상로 일부를 떼어 줄 거야. 독립했으면 좋겠어."

소리가 뚝 멈췄다. 그가 돌아보았다.

"티, 난 우스페히의 상비로 있을 수 있어."

"모양이 좀 이상해지잖아."

"모양이 어떻게 이상해지는데."

그는 그녀의 코앞에 있었다. 그의 푸릇한 눈이 타오르는 듯했다. 단단한 콧대와 뚜렷한 인상. 어두컴컴하다가도 불이 비치면 부스스하게 금으로 빛나는 갈색 머리칼. 그는 상아 조상彫像처럼 생긴 소년이었다. 그 얼굴에 감정이 깃드는 것을 보면 항상 신기했다.

그리고 그 조각상은 지금 잔뜩 화가 나 있었다.

그녀는 어리둥절했다.

"그야 너랑 나는 동등한 위치였는데 나만 올라간 거잖아. 우리 의견이 갈리면 사람들은 누굴 따라야 할지 고민할 거야. 물론 그래도 날 따르겠지만, 그 잠깐의 의심도 난 싫어."

"그뿐이야?"

"되게 중요한데."

"내쫓으면서도 상로를 떼어 줘서 고맙네. 관대해."

"아니, 안스. 그건 내쫓는 게 아니야. 분할, 그래, 분할."

그가 펜을 내려 두었다.

"너는 내가 장난하는 걸로 보이냐?"

티티라는 고개를 기우뚱했다. 무슨 소리래.

"나도 장난 아닌데? 지금 뭐가 장난이란 거야?"

그의 눈썹이 살짝 떨렸다. 그는 무언가를 말하려다가 빈 숨만 내뱉었다. 그에게서 하얀 입김이 새어 나오는 것 같았다. 방 안은 따뜻한데.

"안스, 뭐가 문젠지 정확히 얘길 해."

"……나는 분할 안 한다."

"해 주면 안 돼? 그렇게 어렵나……. 물품이나 사람은 협의해서 나눠 가지면 되잖아. 사실 공동 상주보단 좀 더 현실적이기도 하고."

"나는 너랑 같이 일할 거야."

"아까 말했듯이—"

"나는 너랑 같이 일해."

"너무하네."

"'너무하다'고?"

안스의 손이 급하게 올라왔다. 그녀는 눈만 깜빡였다. 그러나 그뿐이었다. 그의 손가락 끝이 조심스레 그녀의 어깨, 아니 두껍게 입은 양모 옷, 아니 살짝 튀어나온 보푸라기에 닿았다. 잠깐 멈춰 있었다. 곧, 그 도드라진 털을 뽑아 던졌다. 그는 말없이 일어나 방문으로 다가갔다.

티는 이상하다고 생각했다. 떠나는 그의 뒷모습에 대고 말했다.

"우스페히 씨가 진짜로 그럴 거라고 말씀하신 건 아냐. 만에 하나의 경우 내 계획을 이야기한 거지."

그가 잠깐 멈추었다. 돌아보지는 않았다.

"티, 그래서 문제야. 넌 진심이야."

"당연히 그렇지⋯⋯?"

그는 방을 나갔다. 티티라는 고개를 쭉 빼고 남겨진 서류를 보았다. 한참 남았네. 쟤는 이따 돌아와서 밤새워야겠군.

티티라는 항구의 밧줄 더미에 앉아 출항하는 배를 바라보았다. 안스는 방을 나간 날 이후로 일주일 동안 제게 말을 걸지 않았다. 밴댕이 소갈머리 같기는. 대체 뭐가 문제야?

오늘은 안스의 첫 출항 날이었다. 해가 넘어 드디어 열아홉이 되었으니 그도 이제 성인이었다. 우스페히 씨는 여전히 남들과 다른 나이로 그를 생각하고 있었기에 아직 사환이 열여덟에 불과하다며 불호령을 내렸다. 그러나 한바탕 소란이 인 뒤, 그조차 더 이상 안스를 말릴 수 없었다. 안스는 정말 많이 참았으니까.

안스는 인사도 없이 떠났다.

일주일 동안 한마디도 없고, 어쩌다 마주치면 무시하다가 정말 떠났다. 멀리도 아니고 도이도흐까지의 여행이니 열흘 뒤면 돌아오겠지. 하지만 기분이 나빴다. 이렇게 내가 뻔히 보이는 밧줄 더미에 있는데, 갑판 위에서 한 번도 안 쳐다보다니.

그녀는 그의 첫 출항에 자신이 무엇을 해 줄지 가끔 상상하곤 했다. 유용한 손칼, 가볍고 빨리 마르는 상의, 나침반, 작은 호각胡角[16]. 사실⋯⋯ 전부 좋은 물건으로 한참 전에 샀다. 그가 멍청하게 갑판에서 손을 흔들 때, 온몸에 자신의 선물을 걸치고 있었으면 했다.

---

16) 뿔로 만든 피리.

그러나 이젠 다 글렀다. 그녀는 뱃전 코앞에 앉아 안스의 황금빛 도는 갈색 머리칼을 지켜보았다. 그는 햇살 아래 있을 때 더욱 빛이 났다. 진한 도토리 같다가도, 무시무시한 황금이 되는 친구였다. 그 머리칼은 급하게 움직이며 짐을 나르기도 하고, 밧줄을 당겨 조이기도 하고, 남들에게 꾸중을 듣기도 했다. 막내 선원처럼 부려 먹혔다.

티티라는 안스에게 인사하고 싶었다. 그러나 그는 일부러인 듯 갑판에서 사라졌다. 쩨쩨한 놈. 마스트가 두 개 달린 큰 배는 두둥실 바람을 타고 밀려갔다. 노을 아래 돛이 아름답게 접혔다가 다시 펴졌다.

항구에는 세리稅吏[17]들이 피곤한 업무를 마친 채 돌아가고 있었다. 세리들뿐일까. 임시 짐꾼들, 물건을 대행한 타 상단들, 심부름 왔던 사환들……. 큰 양식이 사라지자 모래처럼 사라지는 까마귀 떼였다.

그녀 혼자 부두가 정적에 휩싸일 때까지 기다렸다. 땅거미가 지고, 수평선 위 불뚝 솟은 배의 그림자만 남을 때까지.

이제 소조폴에 안스가 없다는 사실에 마음이 허전했다.

그녀는 저벅저벅 돌길을 걸었다. 배낭에 든 선물들이 무겁게 느껴졌다. 딱히 무언가에 분풀이를 하고 싶지도 않았고 그저 맥이 빠졌다.

"티티라."

요새는 그렇게 부르는 사람이 더 드물었다. 보통은 '사마귀'지. 그녀는 고개를 들었다. 블리조 씨였다.

---

"안스는 갔고?"

"네."

"이런, 놓쳤네."

그들은 요새 통 같이 연습하질 않았다. 그래서 블리조 씨는 아마 우리 사이를 잘 모를—

"그런데 너희 둘이 싸웠니?"

"……."

"안스가 내내 이상하던데."

"……."

"티티라?"

"제가 뭘 잘못했는지 모르겠어요."

"뭐라 했는데?"

"혹여 나중에 우스페히 씨가 한 사람에게만 상단을 물려준다 하시면 제가 받을 거라고 했어요."

"네가 그런 말을 할 걸 모르는 사람도 있나?"

티티라는 조금 툴툴댔다.

"맞아요. 걔도 알았어요. 근데 그렇게 되면 우리가 같이는 일 못 하고, 큰 상로 몇 개를 떼어 줄 테니 독립하라고 했어요."

"아이고."

"자존심이 상했나……. 네?"

블리조 씨는 이마를 짚고 있었다.

"그러니 애가 박살이 났지."

"네?"

"걔는 너랑 같이 일하고 싶을 거다."

"알아요. 안스도 그렇게 말했어요."

"그런데도 내쫓겠다고?"

"이상해요. 내쫓겠다는 말에 화가 난다면 제가 상주 자릴 차지하겠단 말에 먼저 화가 나지 않았겠어요?"

"아냐, 티티라. 둘은 다르다."

"어떻게요?"

"다른 상단에 가면 아마 너와 영영 제대로 된 대화 한 번 못 할 테니까 다르지. 너도 우스페히 씨가 한때 황금 돛에 있었단 걸 알잖느냐."

우스페히 씨는 황금 돛에서 사환으로 일한 뒤 스무 살에 독립하여 자기 이름을 딴 상단을 차렸다. 그 역시 부모 이름이라곤 한쪽도 모르는 사람이었다.

"우스페히 씨가 황금 돛 상주님하고 적대하는 건 아니잖아요. 항상 사업 이야기를 많이 하시는데."

"너는 안스가 너와 사업 이야기를 하고 싶어 한다고 생각하니?"

안스는 제 머리를 잘라 주는 사람이었다.

"그건 아니겠죠. 하지만 그게 누가 정해 놓은 법도 아니고, 좀 친하게 굴어도 되지."

"안스네 상단이랑 같은 상로를 두고 싸우게 되면 어쩌려고?"

"그 건에 있어선 의견을 숨겨야죠. 당연한 말씀을 하시네요."

"그러니까 안 되는 거야. 안스는 그게 안 돼."

티티라는 자신 빼고 다들 비슷한 것을 알고 있다는 느낌이 들었다. 하지만 그들은 죄다 곧이곧대로 말할 생각이 없는 능구렁이 아저씨들뿐이었다.

그녀는 인상을 찌푸린 채 손사래를 쳤다.

"그렇게 말씀하시려면 아예 하지 마세요. 하려면 속 시원하게 다 해 주시든가요."

"그건 안스 마음이지. 내가 뭘 얘기하나?"

"그럼 안스 지가 얘기하든가!"

그녀는 혼자 씩씩댔다.

"아니, 블리조 씨. 제가 그 소릴 좀 했다고, 대체 뭐가 맘에 안 들었는지 일주일 동안 얼굴도 피하더라고요. 말이 돼요? 오늘이 첫 출항이라 선물도 들고 계속 쳐다봤는데 무시했어요."

"그놈은 고집이 세잖아."

"말 안 하니까 때리고 싶어요."

"해결이 안 될걸."

그는 급기야 실실 웃고 있었다.

"왜 웃으세요?"

"너희가 일고여덟 살일 때 처음 봤는데 말이야. 다 컸다 싶군. 불 같이 화내다가 배 타고 떠나다니, 자기가 무슨 소설 주인공인 줄 알아. 웃긴 놈일세."

"그러니까요!"

블리조 씨는 계속 웃었다.

"아, 글쎄. 안스 그놈이……. 하하! 그것 때문이었구만."

"……."

"허참, 고게, 콩알만 한 게……. 참, 요만할 때 봤는데 벌써, 하하하! 그걸 몇 년째 얘길 못 해서 말이야."

"무슨 말씀이세요?"

"아니, 아니. 됐다. 상관으로 돌아가자."

티티라는 짜증을 내며 배낭을 고쳐 멨다. 제게 필요도 없는 나침반이 덜그럭대는 소리를 냈다.


안스가 돌아오는 날, 티티라는 또다시 밧줄 더미 위에 앉아 있었다. 지난번과 같은 선물을 든 채.

그녀는 돛이 보이는 순간부터 배낭을 꽉 쥐었다. 안스가 내리자마자 달려가서 어깨를 때려야지. 도이도흐는 어땠는지 아무렇지 않게 물어봐야겠다. 이십 일 가까이 대화를 못 하다니, 말도 안 돼.

돛은 바다에서 쑤욱 뽑히는 칼 같았다. 점차 점차 올라오다가, 어느 순간 천천히 항구를 향해 커지는 배의 모습이 보였다.

그녀는 자리에서 일어섰다. 짧은 머리카락이 바닷바람에 화르르 날렸다.

배가 다가왔다. 이제 물결보다는 삐걱거리는 소리가 더 크게 들렸다. 몹시도 안정적인, 부두에 입항하는 소리였다. 부두 일꾼들이 소리를 지르며 밧줄을 던지고, 받고, 당기고, 조였다. 누군가 호각을 크게 불었다. 그것을 신호로 배에서 판자가 떨어지며 미친 듯이 소란스러워지기 시작했다.

티티라는 여기저기 치이면서도 꿋꿋하게 기다리는 자리를 차지했다. 키가 작아서 이리 고개를 빼고, 저리 고개를 빼야 겨우 배에서 내리는 사람들을 볼 수 있었다.

그녀는 안스를 발견했다. 손을 흔들었지만 짐을 나르고 있어 못 본 것 같았다. 그녀는 그가 돌아볼 때 펄쩍 뛰어 또 손을 흔들었다. 여전히 보지 못한 모양이었다.

"아 좀, 비켜 봐요! 이 인간들아!"

그러나 군중의 힘은 이길 수 없었다. 한참 뒤 그녀는 힘이 쭉 빠진 채 다시 밧줄 더미 위에 앉을 수밖에 없었다. 눈앞에는 저 배를 보냈던 인파와 비슷한 규모의 사람들이 있었다. 거의 산맥 같았다. 티티라는 관계자부터 들여보내 주어야 하지 않느냐며 불평불만을 터뜨렸다.

쫓겨난 대신, 갑판 위에서 내려오는 안스와 시선을 맞춰 보려 했나. 그러나 그는 떠날 때보다 배는 바쁜 것 같았다. 한시도 쉴 틈 없이 짐을 나르고, 세리들과 싸우고 있었다. 가끔은 두 개를 동시에 하기도 했다.

안스는 여전했다. 그녀는 태양 아래에서 빛나는 그의 모습을 보고 나서야 자신이 그를 얼마나 그리워했는지 깨닫게 되었다.

그리고 점차 걱정되었다. 어떻게 화해해야 하지? 자신은 그가 왜 화가 났는지도 몰랐다. 어떡하지? 화해하고 싶어. 그녀는 초조하게 되새겼다. 바로 배낭을 던지는 건 안 될 것 같다. 좀 더 유연하게…….

고민하는 사이 한 사람, 한 사람씩 눈앞에서 사라졌다. 일꾼이 점차 드물어졌다. 세리가 침을 뱉고 떠났다. 만날 이가 있는 사람들은 서로의 손을 잡고 걸어갔다.

티티라는 벌떡 일어섰다.

"안스!"

팔짱을 낀 채 부두에 서 있던 안스가 고개를 돌렸다.

그녀는 가까이 갈 수 없었다. 아직 적당한 화해 방법을 떠올리지 못했기 때문이다.

그들은 서로를 바라본 채 가만히 있었다. 티티라는 몹시 많은 말들을 떠올렸지만 단 하나도 건지지 못했다.

그녀는 마침내 뱉어 냈다. 어떤 생각을 하고 흘려 낸 단어가 아니었다.

"바닷길은 어땠어? 걱정했어."

안스가 성큼성큼 걸어왔다.

티티라는 표정이 밝아져 그를 바라보았다. 성공했어! 그러나 안스가 어떤 생각을 하고 있는지 그 모호한 얼굴로는 확인하기가 어려웠다.

안스가 두 걸음 앞에 섰다. 아니, 한 걸음 앞에 섰다.

안스는 그녀를 껴안았다.

티티라는 엉겁결에 그를 마주 끌어안았다. 그가 한참 커서 허리가 뒤로 기울었다. 자신을 받친 팔이 단단했다. 그러나 힘이 들어 있지는 않았다.

"티, 보고 싶었어."

"나도."

그녀는 급하게 말해 놓고 너무 정직했다고 후회했다.

"일부러 그런 건 아닌데 좀 쉴 시간이 필요했어. 미안하다."

"그래. 사과는 받아 줄게."

티티라는 자기가 사과하기로 했던 기억을 편리하게도 잊어버렸다. 기분이 좋아 싱글벙글 웃었다.

그가 몸을 일으켰다.

그녀는 그 한순간 그의 입술이 제 귓가와 뺨을 지나갔다고 확신했다. 아니, 어쩌면 그냥 몸을 일으켜 세우느라 그랬을 수도 있었다. 내가 작긴 하니까.

아, 이런. 이건 오트카저트 때 했던 생각이잖아? 안 돼. 그런 건
안 되지.

그녀는 부르르 떨며 물었다.

"안스, 너 방금 내 뺨에 입 맞췄어?"

"아니. 해도 돼?"

티티라는 인상을 찌푸렸다. 너무 예상하지 못한 답이라 어떻게
해야 할지 몰랐다.

그 빈 자리를 다시 안스가 채웠다.

"반가워서."

"……좋아."

그는 자연스레 몸을 숙여 입 맞추었다. 수염을 덜 깎은 턱이 뺨
에 부딪쳤다. 조심스럽고, 짧았다. 바닷바람에 메말랐다.

안스는 다시 빠르게 일어섰다.

"가자."

그녀는 걸어가기 전, 선물을 그의 품에 밀어 넣었다.

"나중에 열어 봐."

그날 돌아오면서 안스는 말했다. 내가 이겨도 너는 우스페히 상
단을 나가겠지? 누군가 이기고 져야 한다면 그렇게 되지 않을까?
안스, 우리 둘이 공동 상주가 되지 않는 한, 우스페히에 두 사람이
함께 있을 수 없어. 안스는 잠시 뜸을 들였다. 티, 그건 네 세상이
고. 나는 아니야.

티티라는 그의 세상이 궁금했다. 생각해 보니 그가 어떤 미래를
그리고 있는지 자신은 잘 몰랐다. 어쨌든 안스는 자신보다 삼 년을
더 살았고, 이제는 배를 타고 나갈 수 있는 성인이었다. 그의 시선

도 이전보다 훨씬 넓어졌을 것이다.

또한 안스는 언제나 자기보다 여유 있는 삶을 살고 있었다. 구태여 정상에 서고 싶어 하는 사람이 아니었다. 혹은, 정상에 서고도 자랑하는 사람이 아니었다. 성실하지만, 의욕적이라 하기에는 무언가 부족했다. 그녀는 그래서 그를 좋아했다. 숨이 턱에 닿아 있다가도 그를 보면 안심이 되었다.


"이번 항해는 어땠어?"

그녀는 안스의 침대에 엎드려 누워 물었다.

"그냥, 뭐."

"재미없게, 대답이 왜 그래?"

그는 침대 옆 바닥에 앉아 있었는데, 코앞에 있는 얼굴을 보아하니 아무래도 별생각이 없는 것 같았다. 안스는 작은 장난감을 끼워 맞추며 노래를 흥얼거렸다.

"바다가 얼었다는 소식을 들었네.

세상이 변했나 보오, 겨울 곁에."

너무 대충 불러서 가사는 거의 들리지도 않았다. 그에게 저 노래는 머리가 아니라 목구멍에서 튀어나오는 것과 마찬가지였다. 소조폴에서 자란 아이들이라면 잠꼬대로도 부르는 음이니까.

저 자식은 지금 정말이지 생각이 없군. 티티라는 그를 찰싹 때렸다.

"똑바로 대답해."

그는 듣는 체 마는 체 노래를 경중경중 뛰어넘으며 불렀다. 아무래도 뱃노래다 보니 항해하는 동안 완전히 입에 붙은 모양이었다.

"얼어붙은 수평선에서 네가 돌아오면

오, 한 줌 남은 기쁨으로 나를 불태워

네게 파도를 돌려주고 잿더미가 될 텐데."

"더 부르면 벌금이야!"

"배 위에선 할 게 없단 말이야. 난 막내니까 항상 선창한다고."

마침내 그가 제정신으로 투덜거렸다.

"너처럼 못 부르는 애가 선창을 한다니, 배 꼴도 짐작이 가네."

"야, 난 잘 불—"

"도이도흐는 어땠어?"

안스는 눈을 치켜떴으나, 더 이상 반박하지 않으려는 모양이었다.

"안스, 도이도흐."

그는 들으라는 듯 크게 한숨을 쉬었다.

"……그냥……. 신기했어. 여자가 진짜 많았어."

티티라가 놀라 되물었다.

"'여자'?"

"아, 다들 애인이 있더라고. 나만 배에 있었어. 사흘 연속 당직이
었다."

티티라는 낄낄거렸다.

"그것 때문에 우스페히 씨가 그간 널 못 나가게 한 거 아냐? 한눈
팔면 다리 몽둥이를 부러뜨리실 생각 만만이시겠지. 블리조 씨처
럼 말이야!"

"내가 한눈 안 팔 거란 건 이제 두 분 다 아실걸."

그는 음울하게 말했다.

티티라는 들은 체 만 체 그가 들고 온 신기한 기념품을 흔들어 보
았다. 작은 수정구 같은데 흔들 때마다 그 안에 든 액체의 색이

달라졌다. 그녀는 이런 걸 왜 사 오냐고 타박했지만, 그래도 신기하긴 했다.

"그리고, 또?"

"마주두 제일섬으로 가는 배가 엄청 많더라."

"거기는 불법 노예상들의 근거지 아냐? 너, 다시 잡혀갈라."

"그래도 궁금했어. 언젠가는 한번 가 보고 싶다."

"안스, 널 기억하는 놈이 있으면 죽여 버려. 그놈이 나쁜 놈이니까."

"네가 말하면 농담이 아닌 것 같아."

"정말 농담이 아니니까 그렇지."

"……."

"그리고, 또?"

"나머진 소조폴이랑 비슷하지. 시계탑 대신 높은 기념탑이 있고, 수로가 중앙까지 안 들어가는 게 차이점이라고나 할까."

"사람들은?"

"똑같아. 근데 색이 조금은 더 밝은 것 같아. 머리칼이든, 눈이든."

티티라는 새까만 단발을 흔들어 보았다. 그녀가 아는 제 눈은 속이 비치는 갈색이었다. 머리칼이나 눈 어느 쪽으로도 밝은색은 아니었다.

"안스, 너는 그 사람들하고 잘 어울렸겠다."

"나? 나도 머리 색은 진해서 아닐 텐데."

"진하긴 무슨. 햇빛 아래에선 금 같아. 밝아. 네 눈은 말할 것도 없고. 나는 뭐, 어딜 가도, 누가 봐도 남부 사람이니까."

그는 침대에 팔을 올려 둔 채 그 위로 턱을 기댔다. 이제 그의 울긋불긋한 눈만 보였다.

"티, 그래도 넌 남부인 중 최고야."

티티라는 툴툴거렸다.

"남부인 중에서만?"

"아니. 어디서든 네가 최고야."

티티라는 이상한 표정을 지은 채 고개를 뒤로 빼 보였다. 그가 '기껏 좋은 소리를 해 주었는데, 염병.'이라고 짜증 낼 줄 알았다. 예상외였다.

"대체 뭐가?"

"그냥."

그는 고개를 숙여 엎드렸다. 더 이상 그의 눈이 보이지 않았다.

그는 똑같은 말을 또 했다.

"그냥……."

티티라는 그의 뒤통수를 여러 번 거칠게 쓰다듬었다.

"실없기는."

그의 목소리는 침대에 푹 묻힌 먼지처럼 들렸다.

"남부 사람이 티 너 같기도 쉽지 않지."

"내가 특별하긴 해."

"네 눈은 물에 잠긴 산호 같아."

"와, 미쳤어?"

"아니……."

"항해 나갔다가 별별 것만 다 배워 왔네. 선원들이 가르쳐 주나?"

"그러기도 하고……."

티티라는 살짝 기어가서 그 가까이로 얼굴을 붙였다. 꿈쩍도 하지 않은 채 침대에 얼굴을 박고 있는 모습이 웃겼다. 그의 귀는 따뜻한 방 덕분인지 빨갰다.

"배 타고 자주 나갈 거야?"

"……."

"난 사실…… 열아홉을 채워도 선원으로는 나가기 좀 그러니까. 배를 타는 건 손님이 되거나, 아니면 존경받는 상주가 된 뒤가 되겠지."

항구의 심부름꾼이야 누구나 할 수 있었다. 어디로든 달려갈 수 있고, 어떤 식으로든 수를 쓸 수 있는 자유로운 일이었다. 그러나 갇힌 배 안이라면, 그녀는 솔직히 무서웠다—물론 죽었다 깨어나도 '무섭다'는 소리를 하지 않을 예정이었다—. 오트카저트 역시 어떤 순간이 오기 전까지는 좋은 사람이었으니까.

한배에 탄 백 명 중 거의 만날 일이 없는 노잡이들은 제외하고, 아무리 그래도 항상 마주 보아야 하는 열 명이 모두 안전한 사람일 수 있을까? 누군가 호의로 자신을 '보호'한다 해도, 나머지 아홉 명을 감당할 수 있을까? 그녀는 제 안전을 걸고 도박을 하기가 싫었다.

안스가 눈만 살짝 들었다. 그녀는 그를 똑바로 쳐다보며 말했다.

"안스, 네가 바다를 사랑하는 건 잘 알아. 그래서 계속 돌아다닐 건지 물어보고 싶었어. 직접 들어야 기대하지 않을 테니까."

"내가 소조폴에 있으면 좋겠어?"

"뭐…… 그렇지? 이번에 너무 힘들었어."

"너도 나랑 같이 배에 타면 안 되나?"

안스는 또 세상모르는 멍청한 소릴 하고 있었다. 티티라는 침대를 탕탕 내리쳤다.

"넌 만약에 오트카저트 같은 놈이 있으면 어쩔래?"

"한 배에 갑판 선원은 끽해야 스무 명인데."

"그중 딱 한 놈만 오트카저트 같을 거라 생각하는 거야? 그런 게 닥치면 네가 날 위해 뭘 해 줄 수 있겠어? '지킨다'는 불가능한 소리는 하면 안 돼."

그의 어깨가 크게 들렸다가 내려갔다. 티티라는 그가 몇 년 전 기억을 되새기고 있음을 알았다. 오트카저트의 범죄와 수없이 동행하고도 단 한 번을 눈치채지 못한 친구.

"미안해."

안스가 정확히 무엇에 사과하는지 몰랐다.

"난 그래도 널 믿지만 의지와는 다른 거라고. 네가 열여덟 명을 패 죽일 수 있으면 또 몰라."

"난 정말…… 너한테 무슨 일이 생기면……."

티티라는 여느 때처럼 예민하게 반응하는 그에게 장난기 어린 시선을 보냈다. 그의 팔을 툭툭 건드리면서 휘파람처럼 말했다.

"네가 도이도흐로 떠난 사이 땅에 남아 있는 나는 괜찮겠어? 도이도흐보다도 멀리 떠난다면? 막 한 달 정도 소조폴에 없다면? 나한테 무슨 일이 생기면?"

"……."

"아니, 그렇게 진지하게 쳐다보면 부담스러운데."

"티, 너 누구랑 사귈 거야?"

티티라의 눈이 휘둥그레졌다.

"갑자기 무슨 소리야?"

"'나한테 무슨 일이 생기면' 어쩌냐면서."

"아니, 그건, 오트카저트 같은 걸 이야기한 거지. 대체 어떻게 생각해야 그런 헛다릴 짚을 수 있는 거야?"

"소조폴에 내가 없으면 심심하잖아. 애인을 사귈 수도 있겠지."

그녀는 생각보다 타당한 논거라고 생각했다. 사마귀라는 별명 때문에 친구는 없고, 새로 만들기도 글렀고, 언제나 일은 산더미 같아 시간이 모자라고. 이때 자신을 좋아하는 남자가 생긴다면 굳이 인간관계를 만드는 피곤함 없이도 이것저것 재미있게 찧고 까불 수 있겠지.

"생각해 보니 그럴 수도?"

"……."

"편하잖아. 걔는 나랑 자고 싶으니까 항상 내 옆에 붙어 다니겠지? 그럼 재미야 있겠지?"

"넌 그걸 애인이라고 불러?"

"그렇지?"

"……."

"걱정 마. 네가 소조폴로 돌아오면 그땐 너하고만 놀 테니까."

그가 조용히 물었다.

"넌 누구를 좋아해 본 적 없어?"

"애매한 단어라는 생각이 들어. 자고 싶으면 그냥 자고 싶다고 하면 되지 않나? 그게 좀 품위가 없어 그런가."

"……."

안스의 손이 침상 위로 미끄러졌다. 티티라는 어느새 자신과 닿은 손끝을 바라보았다. 그의 손가락이 느릿느릿 제 손톱으로 올라왔다. 살짝, 그 아래, 더 아래에 난 솜털에 얹혔다. 손등 위를 감쌌다. 안스의 손은 그의 키만큼이나 커서, 그 그림자 아래 갇힌 어떤 것도 보이지 않았다.

"티."

티티라는 고개를 기울였다. 더워서 손을 당겼다. 아니, 당기려 했다. 안스가 힘을 주었다. 그녀의 손은 잘 맞는 돌에 끼인 듯 옴짝달싹할 수 없었다.

"뭐야? 놔."

짜증스레 말했다.

"티라티 네가 누누를 사귀면 좋겠다."

"어?"

"나는 자신이 없어."

"뭔 자신?"

그러나 침묵뿐이었다.

안스는 여전히 손을 놔주지 않은 채 다시 침대에 얼굴을 파묻었다. 티티라는 이리 빼고 저리 빼려 했지만, 손으로 만든 감옥에서 빠져나올 수 없었다. 이제 안스는 고꾸라져 의식이 없는 시체 같았다. 그러나 그녀가 온 체중을 실어 당기는 순간, 그의 손등에 힘줄이 돋았다. 이 자식이 진짜.

티티라는 이를 악문 채 반동을 이용하여 뒤로 확 당겼다. 그리고 침대맡에 머리를 쾅 부딪치고 반대편으로 떨어졌다.

"아으······."

"티, 괜찮아?"

"네가 어떻게 그런 소리를 해!"

"꼭 그렇게 안 피했어도 되잖아."

"덥단 말이야. 아, 머리 아파. 혹 난 것 같아."

"······미안해."

쏜살같이 침대를 굴러가 안스의 등을 세게 때렸다.

"한 번만 더 그래 봐!"

그녀는 쾅쾅 걸음을 내디디며 그의 방을 나섰다. 찬 바람이나 들라지. 문을 활짝 열어 놓은 채 제 방으로 쏙 들어갔다.

그러나 침대로 뛰어들기 직전, 손에 들린 기념품을 보곤 작게 웃었다.

티티라는 안스의 기념품을 책상 위에 올려놓았다.

안스가 여기 있어.

기분이 좋아져 이불 속으로 파고들었다.


안스는 딱 이십 일까지만 항해하겠다고 말했다. 소조폴을 떠난들 그 정도면 너도, 나도 괜찮지 않겠느냐고. 티는 흔쾌히 동의했다. 그러나 안스의 빈방을 볼 때마다 마음이 허전한 것은 어쩔 수 없었다.

티티라는 그의 빈 자리를 무시하기 위해 여러 가지 방법을 강구했다.

하루는 그가 항해에서 돌아오는 날 항구에 나가지 않고 방 안에 콕 박혀 있었다. 그는 잔뜩 짐을 싸매고 돌아와선 방문을 두드렸다. 티티라는 노크 소리만으로도 상대를 알 수 있었기에, 기대와 불만을 품은 채 들어오라고 했다. 안스는 문을 벌컥 열고 들어와 의자에 앉은 티티라를 끌어안았다. 그는 그녀가 항구에 나오지 않았다고 기분이 상한 것 같지 않았다. 그녀는 무언가 좀 이상하다고 생각하면서도 팔을 뻗어 그의 짐을 뒤졌다.

어느 날은 도시 반대편에 나가 있었다. 안스는 그곳에도 곧장 찾아왔다. 마치 소조폴 항구에 닿자마자 가장 먼저 하는 일이 자신을 찾는 것인 양. 그녀를 껴안곤 또 이런저런 기념품을 건넸다.

또 다른 날은 일부러 어디 갔는지 알리지 않고 혼자 시계탑에 올라갔다. 어렸을 때 이후로 정말 오랜만이었다. 열여섯 살이 되어서 애들 자리를 빼앗고 시계탑 틈을 바라보고 있자니 우스웠다. 그러나 오히려 부두에 가까이 있는 것보다 배가 잘 보여서 좋았다.

우스페히의 배가 정박하자 한참 동안 복작대는 인파가 지나간다. 한참 뒤, 어스름 속 배는 덩그러니 혼자 남겨졌다.

안스를 띄엄띄엄 기다린 지도 벌써 반년. 친구는 그 기간 중 삼분의 일 가까이 소조폴에 없었다. 이제는 어느 정도 익숙해졌다.

그가 있으면 정말 좋았지만, 그럼에도 그의 의사를 존중하고 자신도 새로운 환경에 익숙해지는 법을 배웠다. 거리를 쏘다니는 사환 일을 줄이고, 더 다양한 자료를 읽으며 우스페히 씨와 토론했다. 책상 위에는 항상 서류들이 그녀의 키보다 높게 쌓여 있었다. 꼭두새벽부터 밤늦게까지 책상에서 일어나지 않는 경우도 부지기수였다.

티티라는 아름답고 더러운 소조폴을 감상했다. 그림자는 해가 지는 방향으로 비껴 들어와 도시를 삼켰다. 얼룩덜룩한 음영이 소란을 삼켰다. 상관이 많은 거리 위로 반짝거리는 빛이 피어올랐다.

나는 이 도시를 사랑해. 티티라는 생각했다.

아, 그랬다. 티티라는 이 도시를 사랑했다. 자신이 자란 이 왁자지껄한, 사람들의 욕망이 뭉친 시장판을 사랑했다. 노잡이가 바닷새와 함께 뛰어다니는 항구를 사랑했다. 제 유년기를 한 점 티끌 없이 사랑했다.

어느새 아이들이 집으로 돌아가는 시간이 되었다. 그녀는 텅 빈 시계탑을 둘러보곤 내려갔다.

우스페히 상관으로 다가갈수록 걸음이 빨라졌다. 그녀는 아이처럼 뛰어 제 방으로 향했다.

안스의 방 앞을 지나가는데, 갑자기 방문이 벌컥 열렸다. 그녀는 이십 일 만에 본 안스에게 손을 흔들어 주곤 다시 방으로 들어가려 했다.

"티."

그녀는 몸을 뒤로 쭉 뺐다.

안스가 투덜거렸다.

"내가 별로 안 반가워?"

"이것도 벌써 반년째라 익숙해졌어. 네가 나랑 언제나 붙어 있을 순 없잖아."

"……"

"피곤할 텐데 쉬어."

"……"

티티라는 정말 방 안으로 들어갔다. 그러나 그것도 잠시, 아무래도 불편해서 밖으로 다시 나왔다. 안스는 여전히 그 자리에 서 있었다. 시선만 자신을 따라온다.

그녀는 안스의 손을 턱 잡았다.

"바빠?"

"아니."

대답을 듣자마자 그를 끌고 계단을 내려왔다. 보폭을 넓게 해서 걸었지만 키 차이 탓인지 상대가 느릿느릿 자신을 따라오는 것처럼 느껴졌다. 아무튼 그는 어디로 가는지 묻거나 반항하지 않았다. 고분고분하게 제 고삐에 매여 왔다.

다만 그는 조용히 말했다.

"이즈버르에선 도자기 새를 사 왔어."

"내 책상에 더 놓을 곳도 없는데."

"그래도 받아 줘."

"네 부탁이라면야."

티티라는 또 어디에 선물을 욱여넣어야 할지 고민하며 목적지로 향했다. 촛대 뒤에 고정하면 이제 무거워서 균형을 잃을 텐데. 참 귀찮게 하네.

티티라는 조금 뒤, 시계탑 앞에 서서 안스를 돌아보았다. 손도 놓아주었다. 여기까지 손을 잡고 왔다니 모양이 이상했네. 그녀는 시계탑 쪽으로 크게 팔을 휘둘렀다.

"가자!"

"꼭대기⋯⋯?"

"어!"

그는 갑자기 왜 그러느냐 투덜댔지만 군말 없이 걸음을 재촉했다. 티티라는 먼저 앞장서려 했는데 그의 걸음을 따라가지 못하자 분통이 터졌다. 그는 계단을 두 개씩 올랐다. 애써 따라갔지만 반쯤 다다랐을 때부터는 도저히 속도를 따라잡질 못했다. 그녀는 오기로 두 칸씩 걸어 올라갔다. 다리가 부서질 것 같았다.

그녀가 숨이 가빠 양 무릎을 잡고 몸을 숙일 때, 그는 이미 시계탑 틈 사이로 고개를 빼고 있었다.

"뭐 때문에 부른 거야? 오늘 달이라도 없어지는 줄 알았네."

티티라는 숨을 고르느라 제대로 대답하지도 못했다. 헉헉대기보다는 끙끙대면서 회복해야 했다. 와중에 안스는 심심한 듯 이리저리 텅 빈 시계탑을 오가는데 그 모습이 몹시 얄미웠다.

마침내 그녀는 시계탑 바깥 풍경이 보이는 자리에 스르륵 주저앉았다.

"안스, 너는 여기 얼마 만에 올라오는 거야?"

"사 년?"

안스는 그녀를 따라 옆자리에 앉았다.

"열다섯 살 때 이후론 안 왔지. 너는?"

"난 네가 안 온 뒤부터 안 왔어."

그들의 어깨는 아슬아슬하게 붙어 있었다. 한여름이었다. 티티라는 맨살에 스치는 안스의 옷깃이 간지럽다고 생각했다.

"오늘 네가 도착하는 걸 여기에서 보고 있었어."

"……."

"우리, 옛날에 여기에서 항구로 들어오는 배들을 봤잖아. 우스페히 돛이 보이면 환호하고. 그런데 이젠 너는 거기에 있고 나는 여기에 있단 생각이 들더라."

"……."

"신기했나 봐. 이제 굳이 너와 함께 있지 않아도 일상으로 느껴지더라고."

"그 얘기를 하려고 부른 건가?"

티티라는 무슨 허랑방탕한 소리를 하냐는 듯이 그를 바라보았다.

"아니. 멋지잖아."

"……."

"넌 다른 많은 도시들을 봤겠지만 소조폴은 이런 곳이야. 나는 여기에 평생 있을 거야. 창고를 오십 개, 배는 이십 척을 둘 거야. 어린 사환들을 키울 거야. 그때가 되면 내가 '사마귀'라고 불리는 것도 명예가 되겠지. 난 인생의 원숙기에 이른 시점까지 소조폴에서 얻은 별명을 간직하고 있을 테니까. 난 이 도시를 사랑해."

처음으로 안스의 표정이 풀렸다. 그는 작게 웃었다.

"그래."

"너는 바깥으로 나가고 싶어 하지. 하지만 난 남아 있을 거야. 또, 돌아올 거야. 소조폴로. 날 기르고 상처 주고 북돋고 떠밀어 준 도시로."

"알겠어."

"그렇게 가지 말래도 나가지. 하지만 네가 원한다면 어쩌겠어."

티티라는 불평했다.

"티, 뭔가 잘못 알고 있는데, 나도 돌아올 거야."

"그래그래, 지금은 잘 돌아오겠지."

"아니, 진짜로. 네가 있는 한 돌아올 거야."

티티라는 그를 빤히 쳐다보았다. 그의 눈은 이 어둠 속에선 깊은 물처럼 느껴졌다. 내 눈이 뭐라더라? '물속에 잠긴 산호'라고? 웃긴 자식.

"'소조폴을 좋아해서'가 아니잖아."

"네가 있는데 무슨 상관이야?"

눈을 깜빡였다. 제 위쪽의 속눈썹이 아래쪽의 속눈썹과 자꾸만 엉켰다.

"내가 도이도흐로 가면?"

"나는 도이도흐로 돌아가겠지."

"내가 마주두 제일섬으로 가면?"

"나도 마주두 제일섬으로 돌아갈 거야."

"부담스러워. 그리고 말도 안 돼."

안스는 대답에 놀라는 것 같지도 않았다. 그녀가 그러리라 예상했다는 듯 어깨를 으쓱이고 말았다.

"그러든가."

티티라는 벌떡 일어섰다. 턱 끝으로 시계탑 구멍을 가리켰다.

"너는 이 도시가 싫어? 나보다 더 오래 살았으면서."

"싫을 것까지야. 당연히 내가 자란 곳인데 추억이 있지. 하지만 이곳에만 묶여 있을 생각은 없어. 어디서 태어났는지 모른다면, 살면서 여기저기 가 보는 게 어울리지 않나?"

"넌 과거를 찾아봤자 도망 노예잖아. 왜 다시 태어나게 해 준 소조폴을 사랑하지 않는 거야?"

그는 여전히 짜증을 내지 않았다. 최근에 안스가 보여 주는 인내심은 가히 기적적이기까지 했다.

"티, 네가 소조폴을 좋아한다고 나까지 그럴 필요는 없어."

티티라는 결국 줄곧 하고 싶던 말에 패배했다. 요리조리 피했으나 결국 튀어나왔다.

"하지만 나는 사람 때문에 행동한단 말을 전혀 믿을 수가 없단 말이야. 지금이야 우리가 이렇게 친하지. 그런데 그나마도 네가 자주 떠나니 너 없는 생활이 익숙해지더라니까. 우리가 떨어져 있는 시간이 길어질수록 관계는 가벼워질 거야. 누구보다 오래 함께했던 친구인데, 그 시간이 흐려지면 어떡해? 너를 어떻게 믿어?"

"……."

"이렇게 육 개월의 절반은 없었는데, 돌아와서 싱글벙글 웃으면 다야? 나는 네가 없는 시간에 다른 일이 들어오고 그게 일상이 되는 게 싫어. 내가 언젠가는 네가 없는 자리를 당연하게 여길 거란 사실도 싫어. 그리고 너도…… 너도 배 위에서 나 없는 시간이 익숙해질 텐데……."

"……."

"넌 대체 뭘 믿고 나 때문에 소조폴에 돌아온다고 해? 그렇게 지금의 우리만 철석같이 믿는다니 신기하기까지 하네. 우리는 시간이 키워 줬고, 그게 사라지면 어쩔 수 없는 거야. 그러니 너도 나만큼이나 소조폴을 사랑해야지. 나만큼이나 우리가 자란 도시를 소중히 해야지. 그래야 우리가 여기서 계속 다시 만날 거란 믿음이 생겨."

안스가 자리에서 일어섰다. 성큼 걸어와 티티라 앞에 섰다. 한 발자국으로 끝날 줄 알았으나, 두 발자국이었다.

그녀는 너무 가깝다고 생각했다.

"티, 나는 네가 없는 시간이 익숙해지지 않아."

"……."

"네가 익숙해졌다면, 그건 너니까 그런 거겠지."

"난 너랑 똑같아. 난 너랑 이 시계탑에 올라왔어, 항상! 전부 그때 그대로라고."

"……."

안스의 고개가 기울었다. 티티라는 인상을 찌푸리며 그 눈을 바라보았다. 밝은 곳에서는 얼룩덜룩하지만 이 밤중이라면, 차라리 투명한 눈. 자신이 죽어도 잊지 않는 눈.

안스는 티티라에게 입을 맞췄다.

소조폴 앞에서.

천천히.

티티라는 얼어붙은 듯 가만히 있었다. 콧등이 부딪쳤다. 입매가 맞붙었다. 대화가 오가 메말랐지만, 여전히 여름을 이기지 못해 습한 숨이었다. 그렇게 기대어 있었다. 지탱하듯 서로를 만졌다.

정말 딱 한순간 그랬다. 그녀는 그를 밀쳤다.

안스는 한숨을 쉬었다.

"너는 그렇겠지."

티티라는 대답하지 않았다. 그를 노려보았다고 생각했으나 사실 그녀도 분간할 수 없었다. 어떤 감정인지도 몰랐다.

그녀는 도망치듯 시계탑을 내려갔다.

티티라는 부드럽게 흘러가는 범선 위에서 바다를 바라보았다.

교국의 배는 시노드 신넬의 배와 비교하기 미안할 정도로 선진적이었다. 시노드 신넬에서는 내해와 근해 위주로 짜인 상로, 수많은 노잡이 일꾼과 불법 노예들. 어마어마하게 많은 이해관계자와 돈이 탄탄히 얽혀 있었기 때문에 수백 년 동안 아무도 다른 형태의 배를 만들지 않았다.

시노드 신넬의 일부 사람들은 교국 표류자 아펭글로의 조언을 참고해 노잡이를 없앤 배로 동쪽으로 향했으나, 이는 일회성 사건이었다.

'탐험'하는 배는 투자를 받지 못했다. 배를 건조해 동쪽으로 간다 해도 이미 어렴풋이 알려진 교국 외에 무엇이 있겠는가. 교국이 풍요롭다는 소문이라곤 돼지 꼬리만큼도 없었다. 상인들이 관심을 둘 이유가 없었던 것이다.

그러나 웃기지. 반대로 생각하면, 교국인들은 서쪽이 풍요롭다는 소문을 들었을 것이다. 그들이 바다를 건너온 시점은 오히려 왜 이렇게 늦었는지 몰라 기이할 정도였다.

마침내 나타난 교국은 시노드 신넬보다 백 년은 앞서 있었다.

첫째, 그들의 배에는 노잡이가 없었다. 노가 있던 구멍에는 대포가 들어 있었다. 마스트 또한 훨씬 크고 많았으며 옹골찼다. 여기선 이백 명이 몰아야 했던 대형 선박을, 그들은 오십 명이면 몰 수 있었다. 육중한 가로돛 범선.

둘째, 시노드 신넬의 조선소는 애초에 배를 발전시키기가 어려운 구조였다. 조선소가 너무 많았던 것이다. 조선소는 큰 도시마다, 그러니까 당연히 소조폴에 있었고 소조폴보다 조금 작은 도이도흐에도, 좀 더 큰 이즈버르에도 있었다. 각 도시에 본거지를 둔 상단은 자신의 도시에서 배를 건조하는 것을 철칙으로 삼았다. 그러나 돌이켜 생각해 보면 그것이 큰 규모의 합작선을 만들지 못하게 만드는 장애물이었다. 우스페히와 황금 돛이 협력할 수는 있어도, 우스페히와 이즈버르가 협력할 수는 없었다. 그것이 서로의 조선소를 경계하게 만들었고, 연구를 늦췄다.

셋째, 그들의 항해술. 그나마 이번 세기에는 시노드 신넬 배들도 노잡이를 조금씩 줄여 발전을 꾀하는 추세였다. 그러나 시노드 신넬은, 겨울에는 남쪽으로 향하는 해류, 봄에는 북쪽으로 향하는 해류를 벗어나지 못했다. 단 한 번도 마주두 제일섬의 경계선을 넘어가지 못했던 것이다. 마주두 제일섬을 넘어가면 진짜 대해大海가 나타났으며, 이곳에서는 노잡이 배가 맥을 추리지 못했고, 가장 노련한 항해사도 깜깜이가 되었다.

결국 시노드 신넬에는 바다에서 자기들이 어디 있는지도 모르는 천치 같은 배들뿐이었단 소리다—역시 가장 중요한 것은 마지막에 나오기 마련이지—. 더욱이 보수적인 상주들 탓에 모험가들은 멸종한 지 오래였다. 따라서 별을 따라, 해류를 따라 직선으로 오가는 경로에만 익숙할 뿐, 누구도 횡으로 떠나지 못했다.

시노드 신넬은 아직도 교국 놈들이 어떻게 성공했는지에 대해 알지 못했다.

이외 수많은 나자빠질 요소들 때문에 시노드 신넬은 교국에 격파당했다. 모든 해안가 전투는 하루를 넘기지 못했다.

그렇게 자신들을 무찔렀던 배 위에 손님으로 타 있는 것은 이상한 경험이었다. 티티라는 교국이 자신들보다 발전되어 있다는 사실을 담백하게 받아들이는 편이었다. 그럼에도 걸쩍지근했다. 나를 괴롭혔던 것에 목숨을 의지하고 있다니.

"거기, 너."

티티라는 몸을 돌렸다.

"들어가. 방해된다."

몇몇 중요한 군인들은 그녀 위쪽의 선미루[18]에 있었으며, 대다수 선원들은 그녀 아래쪽의 주갑판[19]에 있었다. 그녀는 제 주제를 알

---

18) 배의 뒷부분에 만들어 놓은 상갑판.
19) 가장 넓고 주된 갑판.

고 지나다니는 사람 외엔 아무도 없는 무풍지대, 반갑판[20]에서 여유를 즐기고 있었을 뿐이다.

그런데도 방해가 된단 말씀이시지.

티티라가 잠시 주저하자, 말을 건 군인이 계단으로 내려와 그녀를 삭구索具[21]에서 밀쳐 냈다. 그녀는 반사적으로 힘을 주어 버렸다. 아, 실수했다. 그렇게 '한 걸음' 물러나는 데 그치자, 그가 더 다가왔다. 기어이 머리채를 잡고 바닥에 내팽개쳤다.

찐싸 너무하네. 그녀는 상대가 그것을 원한다는 사실을 깨닫곤 그냥 불쌍하게 누워 있었다.

"기어서 들어가."

진짜 너무하다고. 그녀는 잠시 삐걱거리는 갑판에 귀를 기울였다. 그러다 엉덩이를 발로 툭툭 차이곤 콧김을 내뿜었다. 그녀는 주갑판으로 '기어서' 내려가기 위해 계단 쪽으로 다리를 돌렸다.

"아니지. 머리부터 내려가."

티티라는 속으로 욕설을 내뱉었다. 그리고 계단 쪽으로 머리를 향한 채 조금씩 기어갔다.

"앗! 그분은 총독님의 손님이세요!"

그녀는 더듬이처럼 고개만 살짝 들어 앞을 확인했다. 라요나가 식수를 든 채 황급히 갑판을 올라오고 있었다.

군인이 느릿느릿 반문했다.

"그래서?"

"저, 이렇게 하시면 총독님께서 노하실 거예요."

---

20) 위에서 두 번째의 갑판.
21) 배에서 쓰는 로프나 쇠사슬 따위를 통틀어 이르는 말.

티티라는 순식간에 일어섰다. 그다음에 닥칠 것이 무엇인지 알았기 때문이다.

그녀는 라요나를 밀쳐 내고 뱃전을 꽉 잡았다. 군인에게 목덜미를 잡히자 상체가 확 숙여졌다. 자신이라 그나마 다행이지, 라요나가 잡혔으면 상대의 힘에 붙들려 중심을 잃고 둥둥 떴을 것이다. 최악의 경우엔 배 바깥으로 떨어졌을 수도 있고.

"꺄악!"

라요나는 티티라의 힘에 밀려 반갑판 위를 굴렀다. 그러나 그 때문이라기보단, 군인에게 잡힌 자신을 보고 놀란 것 같았다.

티티라는 현명하게 말했다.

"죄송합니다. 제가 말씀을 따르겠습니다. 용서해 주세요."

"제정신이 아니군. 둘 다 마스트에 묶어 놔라."

그녀는 양팔을 붙잡혔다. 머리가 아팠다. 질질 끌려 주갑판으로 내려갔다. 그녀는 가만히 마스트에 밧줄로 묶였다. 라요나가 비명을 지르며 항의하는 것이 들렸다. 안 그러는 게 좋을 텐데……. 티티라는 걱정스레 바라보다가 결국 그녀가 뺨을 맞는 모습을 지켜봐야 했다. 라요나는 더 악바리처럼 항의했다. 티티라는 머리가 아찔했다.

"그만, 라요나……."

"총독님께서 아시면……!"

"여기는 이미 총독님께서 모르실 수가 없는 자리잖아. 가만히 있어."

티티라는 하늘을 바라봤다. 비가 와도 걱정, 비가 오지 않아도 걱정이었다.

그 와중에 상황을 지켜보던 선원들이 놀라 달려와선, 재수 옴 붙게 여자들을 배 중앙에 꽂는다고 난리법석 항의하기 시작했다. 그리고 그들도 상급 군인에게 맞았다. 개판이군.

결국 선원들이 찌그러지고 라요나가 목이 쉴 즈음에야 갑판은 잠잠해졌다.

티티라는 무슨 소용이 있을까 의심하면서도 계속 구름을 노려보았다. 아무래도 비가 올 것 같았다. 특히 바로 앞에서 빠르게 모이는 어두컴컴한 구름이 의심스러웠다. 아니나 다를까, 노련한 선원들이 중요한 물건들을 갑판 아래로 던져 넣는 모습이 보였다.

세 시간 뒤, 그들은 정말로 비구름을 향해 직행하고 있었다. 앞에서 뿌옇게 피어오르는 물구름이 보였다.

그녀는 제 옷차림을 다시 한번 검토했지만 그다지 긍정적이지는 않았다. 긴 바지에 긴 팔. 젖었다 마르면 체온이 떨어지기엔 딱이겠지. 그나마 시노드 시넬의 근해는 항상 따뜻하다는 사실만이 마음에 위안이 되었다. 그녀는 ─마음뿐이지만─ 만반의 준비를 ─혹은 각오를─ 했다.

라요나도 먹구름을 발견했는지 궁금했지만, 떠드는 모습을 반갑판 위의 놈들에게 들키고 싶지 않았다. 어차피 미동도 없는 모습을 보아하니 이미 피곤하여 졸고 있는 것 같기도 했다. 하긴, 벌써 세 시간이나 되었지. 물론 이것도 아까 전 제 옆을 지나가던 선원의 놋쇠 시계를 훔쳐본 것이니, 그 뒤로 또 얼마나 시간이 흘렀을지 몰랐다.

뺨에 빗방울이 하나 떨어졌다. 바람이 세지 않은 지역이었기에, 이건……

순식간에 비가 쏟아졌다. 티티라는 눈을 감았다. 라요나가 움찔

하며 밧줄이 떨렸지만, 그뿐이었다. 한순간 소나기 같은 빗줄기는 강했다. 드러난 살갗이 욱신거렸다. 물론 그보단 배의 포대처럼 젖은 옷이 더 문제였다. 지금 따뜻한 비를 맞고, 청어처럼 말려지고, 다시 또 비를 맞고.

우리를 이곳에 얼마나 묶어 둘까? 단순히 괘씸죄였으니 하루 정도면 충분하지 않을까? 밤은 좀 걱정이로군.

갑판에서 일하는 선원들에게 방해가 될까 반갑판으로 올라갔는데 그게 높은 분의 심기를 거스를 줄 정말 몰랐다. 그녀는 아직도 시노드 신넬 배 구조에 익숙한 사람이었으니까.

비는 꽤 오랫동안 계속되었다. 아무리 따뜻한 비라도 계속 맞으니 으슬으슬 추웠다. 라요나가 버틸 수 있을까? 생각하는 순간, 그들은 덩그러니 조용한 밤 속으로 던져졌다.

비구름을 뒤로하자 이제 본격적으로 추워졌다. 티티라는 으슬으슬 떨리는 몸을 최대한 밧줄 속으로 욱여넣으려 했다. 그러나 너무 단단히 묶여 있어 피가 안 통할 지경이었기에 실패했다.

"라요나, 괜찮아?"

군인들은 비를 안 맞겠답시고 피해 온데간데없었다. 비구름 아래에선 소리가 너무 커서 물어보지 못했고, 이제야 조용히 속삭였다.

대답은 없었다. 티티라는 걱정이 되었다. 방금 전 비가 쏟아질 때 입 벌려 물을 마시긴 했을까? 아니라면 거의 한나절 가까이 물을 마시지 못한 것이다.

"저…… 저 어린애한테…… 물을 한 입만……."

티티라는 제 목소리도 띄엄띄엄 나온다는 사실에 놀랐다. 머리는 이렇게 예민하게 돌아가고 있는데.

선원은 고개를 저었다.

"저 애는 죽을 수도……. 몰래……."

말을 이을수록 앞이 가물가물해졌다.

그러다, 뚝 끊겼다.


티티라는 천장 아래에서 깨어났다. 눈을 뜨면 따가운 햇빛이 자신을 맞이하리라 생각했기에, 한참 헤맸다. 머리가 빙글빙글 도는 것을 보니 쓰러진 채로 꽤 버렸나 보다.

그녀는 어두컴컴한 선실에서 눈을 감았다. 파도 소리가 조용했다. 침대는 땅에 있는 것처럼 과하게 편안했고 물비린내도 나지 않았다. 그리고 부드럽게 흔들리는 이 요람 같은 진동까지. 티티라는 아이처럼 잠들었다.

시간이 얼마나 지났는지 몰랐다. 그녀는 다시 깼다.

그러고 보니, 라요나!

그제야 깨달았다. 티티라는 팔로 침상을 짚고 벌떡 일어났다. 아니, 일어나려다 물에 젖은 솜처럼 뭉개졌다.

"라…… 요나."

다행히 목소리는 살아 있었다.

"라요나는 네 선실에 있다."

티티라는 고개를 돌렸다.

안스카리우스가 침대에서 떨어진 안락의자에 앉아 있었다. 이제는 정신이 없어도 그를 안스로 착각하지 않았다.

"여기는…… 총독님 선실…… 인……."

"그래. 안전하게 사용할 만한 선실이 네 것과 여기뿐이라."

"라요나…… 괜찮……."

"건강이 상해 의사가 붙어 있다."

"……제가…… 잘못했……. 그녀…… 미안……."

"돔니니, 네 상황도 좋지는 않아."

그가 일어섰다. 그는 작은 의자를 끌고 와 침대 옆에 앉았다. 티티라는 그제야 이 침대가 그의 것이라는 사실을 알고 불편해졌다. 피하고 싶었지만 몸이 천근만근이었다. 그가 자신을 내려다보는 각도가 싫었다. 안스 같았다…….

"미안하다."

그녀는 눈을 크게 뜨고 싶었으나 고작 눈썹을 드는 데 그쳤다.

"네가 나를 죽이려 해 감옥에 갇혔다는 소문이 난 모양이다. 포로처럼 대우해도 된다는 신호를 준 거야."

"……."

"네게 벌을 내린 상사는 배 밑으로 돌렸다."

그녀는 그게 무슨 말인지 몰랐다. 질문하듯 얼굴이 움직이자, 그가 대답했다.

"죄인의 양손을 묶은 밧줄은 선수船首[22]의 갈고리에 달고, 발을 묶은 밧줄은 후면 고물[23]의 갈고리에 단다. 죄인을 선미 쪽 바다에 빠트리고, 용골[24]을 지나 고물로 올라올 수 있도록 밧줄을 잡아당기는 벌이다."

당연하지만 배 밑바닥에는 따개비가 다닥다닥 붙어 있기 마련이다. 사람을 밧줄에 매달고 팽팽히 잡아당겨 용골 아래로 미끄러뜨

---

22) 배의 앞부분.
23) 배의 뒷부분.
24) 선박 바닥의 중앙을 받치는 길고 큰 재목. 이물에서 고물에 걸쳐 선체를 받치는 기능을 한다.

린다면, 살이 남아나지 않고 갈릴 것이다. 물론 익사하지 않는다는 전제하에나 중요하겠지만.

안스카리우스는 끔찍한 벌을 태연하게 이야기하고 있었다.

그녀는 질렸다. 물론 그 형벌 자체가 흉악하기도 했으나, 그가 얄밉기도 했다. 내가 그런 꼴을 안 당하길 바랐다면 애초부터 일 처리를 제대로 했어야지. 그런 본인 잘못까지 부하에게 덜어서 벌을 주는 거야?

하지만 입 밖으로는 다른 말이 튀어나왔다.

"감사합니다……."

"회복될 때까지 여기에 머물러. 네 선실에는 라요나가 있으니."

"한 가지만…… 밖에서 얼마나……?"

그녀는 말을 잇기 힘든 척하면서 하대했다.

"여덟 시간 동안 묶여 있었다고 한다. 내가 처리가 늦었어. 사흘 밤을 새는 바람에……."

티티라는 순간적으로 자신이 잘못 들은 줄 알았다. 안스카리우스는 지금 '변명'을 하고 있었다. 총독이 변명을 하고 있다고. 그것도 무슨 애처럼 바깥 소란을 하나도 못 듣고 낮잠을 잤다네.

그녀는 어이가 없어서 웃음이 날 것 같았다. 총독이 변명하려 했다는 사실이 더 웃긴지, 그 이유가 낮잠 때문이란 게 더 웃긴지 구분하기가 참 어려웠다.

그리고 깨달았다. 부하에게 과격한 벌을 내린 것도 아마 제 멍청한 실수가 부끄럽고 미안했기 때문이겠지.

안스카리우스의 속마음이 너무도 훤히 들여다보여서 기분이 이상했다.

"만 하루를 누워 있었다. 너는 의사가 단순한 탈진이니 쉬면 문제가 없을 거라더군. 라요나는 체력이 약해 시간이 좀 더 걸릴 거다."

생각해 보니 지금 평소와 달리 말이 과하게 많은 것 같기도 했다. 그 기회를 놓치지 않고 물었다.

"대체 라요나를…… 왜 데려왔어요?"

안스카리우스는 한 손으로 얼굴을 쓰다듬었다.

"이미 말했다. 이 배에서 너 혼자만 여자인 것이 위험하다고 생각했다."

"아, 그래서…… 여자가 둘이면 좀 낫고요?"

비아냥거리고 싶은 기분을 억누를 수가 없었다. 티티라는 다시 한번 침상을 짚고 일어나려 했다. 제 팔에만 의존하지 않고, 침대 머리맡을 움켜쥐었다. 지탱했다. 올렸다. 미끄러져서 다시 베개에 머리를 박았다. 실패.

"너는 라요나가 회복되는 동안 여기 머무르는 것이 좋겠다."

"제가 왜 총독님이랑?"

말을 잇기 힘든 척했어야 하는데. 실수였다.

"배 안에서 선택지가 많지는 않아."

"총독님, 미안하면 미안하다고 하세요."

"나는 사과했다."

"무엇이 미안하신데요?"

그도, 그녀도 말이 흐르기 전까지는 저런 질문이 나오리라 상상하지 못했을 것이다. 티티라는 안스를 대하듯 짜증을 냈다. 총독은 미안해서 그리 이성적이질 못했다. 그 기묘하게 어설픈 조합이 대화를 만들어 냈다.

"내 관리 감독이 소홀했다. 이런 몰상식한 분풀이가 이뤄지고 있을 거라곤 생각하지 못했어. 너희가 가혹한 환경에 놓이게 된 것은 오로지 내 잘못이다."

티티라는 자신이 좀 더 몰아붙이기만 하면 '낮잠을 자서 미안하다.'까지 들을 수 있을 거라 확신했다. 그러나 그러면 안스카리우스가 너무도 안스를 닮아 보일 것 같았다. 그건 싫었다.

"말씀 주셔서 감사합니다. 전 몸이 아파서 더 자겠습니다."

티티라는 몸을 홱 뒤로 돌렸다, 등 위로 그의 시신이 느껴졌다. 이불을 늘어 올려 어깨를 감추었다.

그녀가 다시 깨어났을 때, 안스카리우스는 자고 있었다.

티티라는 희미한 정신으로 깨어났다가 그가 자는 모습을 보곤 놀라서 펄쩍 뛸 뻔했다. 그는 안락의자에 팔을 괸 채 눈을 감고 있었다. 바깥은 아직도 밝았다. 아침인가? 정체 모를 햇살이 그의 머리카락을 타고 내려왔다.

티티라는 꿈쩍도 못 했다.

안스카리우스는 안스와 달리 머리가 짧았다. 그러나 황금을 타진한 갈색만큼은 여전했다. 뒷머리에 보이는 곱슬기, 오른쪽으로 기운 가마. 모든 것이 그였다. 티티라는 억울해졌다. 기억을 지우고 올 거라면 외모도 바꿔야 도리 아닌가? 그게 기다리던 사람에 대한 예의 아니야?

흘러내린 머리카락 아래 살짝 핏줄이 선 이마, 금빛을 찾아볼 수 없는 진한 눈썹과 바닷바람을 많이 맞아 긴 속눈썹, 강인한 턱, 신경 쓰지 않으면 항상 위로 들리는 입꼬리. 나이가 든 탓에 변하는 것들을 제하면 소년 시절과 똑같았다.

그리고…… 머리카락을 따라 단정하게 넘긴 귀.

아니, 귓바퀴의 모양이 조금 이상했다.

그녀는 놀라서 벌떡 일어났다. 맨발로 그에게 다가가 그 옆에 있는 안락의자에 올라섰다. 귓바퀴에 손을 대려다가, 문득 정신을 차렸다.

안스카리우스가 눈을 떴다. 귀, 네 귀를 좀 봐.

"총독님, 귀가…….”

그는 잠깐 동안 상황을 파악하느라 시간을 소모했다. 고개를 이쪽저쪽으로 돌리자 목에서 우두둑거리는 소리가 났다.

"몸은 괜찮아졌나?"

"아니, 총독님 귀요.”

안스카리우스는 인상을 찌푸린 채 그녀가 말한 자리를 정확히 짚었다.

"오래된 상처인데.”

"누가 잡아당겨 베었다가, 겨우 다시 붙은 것 같아요. 절대 어디서 맞거나 부딪혀서 상처가 난 게 아니에요. 안스에게는 이런 게 없었어요.”

"아마 대련 중에 다쳤겠지.”

또 기억에 없대.

"또 기억에 없으세요?"

"교국으로 돌아와서도 한 해 가까이의 기억이 없다니까."

그는 의외로 친절하게 대답했다. 이 멍청이.

"그때, 저희가 헤어지고 마주두 제일섬으로 가셨으니까……. 거기서 어찌어찌 미친 배를 타서 교국으로 가셨을 텐데…… 시노드 신넬의 배는 교국에 못 가니까 중간에 교국 배에 붙잡히거나 표류해서 동쪽에 닿으셨을 거고……. 그러면 그게 반년입니다. 다시 한 해 동안 지위를 회복하셨을 거예요. 사제왕이라는 그 지위요. 그동안의 기억도 없으신 거라면―"

"한 가지."

티티라는 그가 제 무례를 지적할까 잠깐 걱정했다. 한 번만 더 그러면 죽는다고 했는데.

"시노드 신넬에서 교국으로 온 배가 없었던 건 아니야."

그녀는 눈을 몇 번 깜박이다 대답했다.

"네? 지난번에는, 시노드 신넬 배는 교국에 절대 못 다다른다고 하셨는데요."

"그건 너희가 건조한 배를 뜻한 것이지. 아펭글로는 교국에 다다랐다."

그녀는 탄성을 질렀다. 사실 피정복자에게 적합하지 않은 감정이었지만, 새로운 것을 좋아하는 상인으로서 어쩔 수가 없었다.

"아펭글로가 진짜 해냈군요. 그건 벌써 사십 년 전인데! 얼마나 걸렸나요? 그는 기록상 이즈버르에서 274년에 백오십이 명의 선원과 출발했어요."

"시노드 신넬력 기준으로 280년이겠군. 그는 여섯 해 만에 교국 남부 에예우에 입항했다. 생존자는 서른세 명이었지. 그들이 처음으로 시노드 신넬에 대한 기록화된 정보를 남겼다. 그때까지는 너희가 존재한다는 사실만 알던 교국에, 물에 젖은 책이 사십 권 들어왔어. 비록 지도와 같은 중요 정보는 반출되지 않았으나, 어떤 사람들이 그곳에 사는지 알게 되었다."

모험가에 대한 존경심 이전에, 등골에 소름이 오스스 돋았다.

안스카리우스는 그런 자신을 빤히 바라보았다. 그녀의 얼굴 위로 스쳐 지나간 모든 감정을 읽는 듯했다. 티티라는 이미 들켰다는 사실을 알아 입을 꽉 다물었다.

"아펭글로는……."

그의 얼굴이 너무 가까웠다. 그도 그것을 느낀 듯 몸을 뒤로 젖혔다.

그녀는 그가 물러났다는 사실에 더 긴장했다. 안스, 개자식. 네가 입 맞추지만 않았어도 이딴 게 신경 쓰이진 않았을 텐데…….

"그는 아직 교국에 살아 있다. 그것이 궁금했다면."

그녀는 지식에 대한 갈증과, 그에게 더 캐물어서는 안 된다는 자존심 사이에서 목이 꽉 막혔다. 묻고 싶다. 하지만 안 돼. 아, 너무 궁금해. 하지만 저놈은 갑자기 또 찬바람 쌩쌩 불 것 같은데.

"아직도 정정한 노인이지. 시노드 신넬의 정보를 옮겼다는 죄로 교국 본산에 불려 갔다. 법황을 만나 심문당했고."

"그렇게 말씀하셔도 돼요?"

이제는 확신했다. 저놈들이 법황을 대하는 태도는 무례하기 짝이 없었다. 그걸 숨기려 들지도 않았다.

"아, 그래. 법황 성하도 만나 뵀었다. 아펭글로는 사제왕들이 아니었다면 산 채로 매장당했을걸. 사흘 만에 알렐링기에스가 데려왔다. 귀 한쪽이 없더군."

그녀는 경악해서 말했다.

"그가 정보를 가져다주었기 때문에 교국인들이 시노드 신넬로 올 수 있었던 거잖아요."

"그래서?"

"아펭글로는 시노드 신넬에서도 위명이 대단합니다. 열아홉 살짜리 젊은이가 말만으로 상주 몇을 구워삶아, 형체도 없는 꿈에 그 많은 돈을 쏟아붓게 만들었다고요. 고작해야 한 해 만에! 자신을 믿고 돈을 대게 한 거예요. 그것도 서로 이해관계가 다르던 이즈버르의 대상들을 상대로. 비극으로 끝나서 다들 입맛을 다시긴 했지만 그 잠깐, 다섯 해 동안의 엄청난 희열은 아직도 이즈버르의 추억이에요. 돈을 잃은 상주들마저도 비웃음거리가 되지 않았을 정도로요."

안스카리우스는 열변을 토하는 티티라를 이상하다는 듯 바라보았다.

"네 말처럼, 그 때문에 우리가 마침내 이곳으로 왔다고 치자. 그러면 너희 입장에서는 죄인 아닌가? 왜 그를 위해 화를 내지?"

"하지만……."

그녀는 뜸을 들였다. '총독' 앞에서 말을 고르고 싶었다. 패배자의 비겁한 정신 승리로 비치지 않길 바랐다.

"……그는 무언가를 해내고 싶었을 뿐이에요. 시노드 신넬 출신이든, 교국 출신이든 아무 상관 없습니다. 저는 그의 열정과 추진력, 용기를 존경해요. 설혹 그게 제 터전을 무너뜨렸더라도요."

"희한하군."

티티라는 더 이상 화가 나지도 않았다. 저 감상하듯 여유 있는 시선에 그저 무력해질 뿐이었다. 그가 언제나, 어떤 일이 일어나도 제 우위에 있으리란 증거 같아서 힘이 빠졌다.

"하지만 내가 만나 본 그를 생각하면 이해가 안 가는 것도 아니지."

안 물어볼 거야. 정말 안 물어볼 거야……

"아펭글로를 만나 보셨다고요?"

"교읍지에선 옆 거리에 살았는데."

"세상에! 어떤 사람인가요?"

"네 말 그대로의 사람."

"부족합니다!"

그녀는 거의 으르렁거리듯이 말했다. 총독은 기가 막힌 듯 '허' 하는 소리를 내더니 말을 이었다.

"일생 동안 다시는 항해하지 못하도록 금제가 쳐져서, 지금은 아이들을 가르치며 살고 있다."

"어떻게 그럴 수가!"

"네가 왜 화를 내?"

"너무 부당합니다. 그는 능력이 있는 사람이라고요. 일을 할 줄 아는 사람이란 말입니다. 그런 이를 애들 가르치는 데나 써먹다니……. 그는 더 대단한 걸 할 수 있었어요. 시노드 신녤이 뭐야, 우리들 북쪽으로도 배를 타고 나가 무언가를 찾았을 사람이라고요. 차라리 바다 위에서 죽게 내버려 두지."

안스카리우스는 무언가를 생각하듯 인상을 찌푸렸다. 저 얼굴만큼은 그녀가 아는 안스의 버릇이 아니었다. 안스카리우스를 안스카리우스인 것처럼 보이게 해 주는 최초의 습관이었다.

"너희는 이상하군."

"뭐가요?"

이제 와선 될 대로 되라는 심정이었다.

"너희들이 그토록 성취에 가치를 두는 이유를 모르겠다. 그래 봤자 바다를 넘어오지도 못했는데. 잘못된 방향으로 인도된 부나방 같다. 무가치한 자리에 파편화된 정력을 쏟는다. 잔이 아닌 곳에 물을 붓는 셈이다."

티티라는 안스카리우스에게 주먹질을 할 뻔했다. 이는 어느 정도 반사적인 반응으로, 의외로 그렇게까지 모욕적이진 않았다. 조롱하는 태도가 아니었기 때문이다. 그는 진지하게 의견을 내고 있었다.

그녀는 바닥을 내려다보았다.

당신만 그런 질문을 떠올릴 수 있는 줄 알아? 시노드 신넬에서도 벌써 한 십만 명쯤 던졌을 질문이야. 어쩌면 저토록 문화적으로 빈곤하고 의욕도 없는 녀석들이 우리의 심장을 갈랐느냐고. 어떻게 올리브유로 맛있는 음식 하나 만들지 못하고, 회계 장부 하나 제대로 쓸 줄 모르는 녀석들이 벼락같은 대포를 몰고 왔느냐고. 아니, 그렇게 패배한 우리는 무엇이냐고.

"……저희는 욕망이 너무 다양했을 뿐이에요."

"설명……."

그는 고민하듯 말을 끌었다.

"……해 다오."

티티라는 싱긋 웃었다.

"저는 제가 제일 잘되면 좋겠어요."

"이 상황에 와서 잘도 그런 말을 하는군."

"그럼요. 저는 누구보다도 더 움켜쥘 거예요. 명예 같은 건 모릅니다. 시노드 신넬에는 저도 그렇고, 길바닥 거지부터 기어 올라온 사람이 무척 많거든요. 다른 사람을 밟아야만 물에 빠지지 않을 수 있다면, 당연히 그 얼굴을 익사시킬 거예요. 저는 저밖에 몰라요. 다른 모두가 그렇듯이. 시노드 신넬은 전부 이 모양이에요.”

“…….”

“뭐, 교국분들은 어쨌든 신을 모시잖아요. 그게 가끔 희생이 나오더라도 서로 협력하도록 도움을 주지 않았을까요? 하지만 시노드 신넬은 아니에요. 이 나라는 충분히 많은 사람들에게 이득이 되지 않았더라면 애초에 존재하지도 않았을 겁니다. 호국경이 감히 우리를 조율하도록 내버려 두지 않았겠죠. 저희는— 아니, 이건 제 의견이지. 그러니 ‘저는’ 사람들의 이기利己를 믿어요. 그것만 믿어요.”

안스카리우스는 무슨 말을 하려다가 다시 침묵했다. 그러나 그뿐, 그는 완전히 무감정했다. 노루 발자국도 지나가지 않았다. 티티라는 한동안 엿볼 수 있던 그의 표정이 사라졌다는 사실에 아쉬움을 느꼈다. 안스를 잃었기 때문은 아니었다. 안스카리우스를 놓쳤기 때문이었다.

한참 뒤, 그가 손을 움직였다. 손바닥을 바라보았다. 그의 시선을 따라가자, 이런, 손바닥에도 흉이 있었다! 티티라는 기함하여 또다시 다친 이유를 물어보려—

“나를 죽이려 했잖아.”

티티라는 잠깐 동안 그의 말을 이해하지 못했다.

그의 시선은 여전히 흉 진 손바닥에 있어서, 목소리만으로 상대를 파악해야 했다. 어려웠다.

“돔니니, 나를 죽이는 데에 어떤 이득이 있었지?”

“……총독님께선 제가 남부를 시찰할 수 없게 금지하셨어요.”

“아니, 네가 시찰할 여유는 충분했다. 소조폴 상단의 이득을 충분히 배려했지."

"그렇다고 화도 못 내나요? 전 화가 났습니다."

"아무리 화가 났다 한들 총독을 죽여? 그러고도 '누구보다 움켜쥐겠다'고?"

티티라는 총독을 노려보았다. 왜 갑자기 참견이지?

"그리고 네 경쟁자가 없어졌으면 다행으로 여겨야지, 그를 찾으러 약속한 날마다 언덕에 올라?"

그녀는 벌떡 일어섰다.

"총독님, 제가 지금 총독님을 죽이고 싶어도 어렵겠죠?"

"나는 죽기 싫으니 어렵겠지."

티티라는 주먹을 꽉 쥐었다. 어차피 무기도 없었다. 총독의 선실을 뛰쳐나갈까 생각했지만, 몸이 아직도 으슬으슬했다. 그녀는 현실과 분노 사이에서 오락가락했다.

"총독님은, 안스에 대해 절대, 한마디도 하지 않으셨으면 좋겠습니다. 애초에 총독님께서 그걸 바라셨잖습니까. 그런데도 필요할 때마다 언급하신다면, 교국의 총독께서 발언의 권위를 스스로 무너뜨리는 것입니다."

안스카리우스는 마침내 주먹을 쥐었다. 그의 손에 진 흉도 함께 사라졌다.

"나는 단지 네 말이 이상하다고 지적하는 거다."

티티라는 그를 노려보았다. 그는 물론 제 위에 우쭐대며 서 있지 않았다. 그의 태도에는 성실함이 서려 있었다. 그렇기에 더 짜증이 났다. 그가 진지해서 무시할 수조차 없었다.

그녀는 다시 한번 선언했다.

"전 저만 알아요. 다른 모든 시노드 신넬 사람들과 같이요."

그는 더 대답하지 않았다. 몸을 기울여 안락의자에 기댈 뿐이었다.

티티라는 푹신한 천을 밟고 바닥에 착지했다. 빠르게 침대 위로 오른 뒤 등을 돌렸다. 그와 방 안에 있는 모든 순간이 이렇게 마무리될까 지겨웠다.

자신이 제압할 수 없다고 생각되는 타인과 함께 있는 것은 언제나 긴장되는 일이었다. 심지어 우스페히 씨와 친밀했을 때에도 조금쯤은 그러했다. 그녀는 안스를 제압할 수 있었지만, 안스카리우스는 통제할 수 없었다. 그것이 그가 총독이라는 사실보다 그녀를 더 괴롭혔다. 총독을 두려워하는 것이 아니라 제 예상 밖의 말을 하는 사람이 싫었다.

티티라는 그의 말을 경청할 생각이 없었다. 어떻게 하면 상대를 누를 수 있을지 고민했다. 그가 인간처럼 다가왔기에, 가능할 것 같았다. 그녀는 그를 부러뜨리고 자르고 꺾기 위해선 무슨 수든 쓸 예정이었다.

티티라는 몸이 따듯해지자마자 절뚝이며 라요나를 찾으러 갔다. 선실을 나오기 직전 총독을 바라보았으나, 그는 안락의자에 파묻힌 채 서류를 읽고 있을 뿐이었다.

감히 총독의 침대를 독차지한 지 벌써 만 이틀째였다. 안스카리우스는 그녀가 말을 걸지 않는 한 구태여 대화하려 들지 않았다. 따라서 처음 딱 한 번을 제외하면, 그들은 주로 침묵에 잠겨 있었다.

그는 희한하게도 항상 안락의자에 기대어 있었다. 소조폴의 집무실에서도 서 있거나 기대어 있는 모습만을 보았는데, 아무래도 습관 같았다. 덩치가 큰 인간이 푹신한 천에 파묻혀 있는 모습을 보자면 조금쯤 희극적인 느낌이 들었다. 안스는 항상 꼬챙이처럼 책상 앞에 앉아 있었는데.

티티라는 그와 같은 공간에 있는 것이 건강에 나쁘다고 생각했다. 차라리 그가 악랄하거나 무감동한 무정물 총독으로 보이는 것이 나았다. 안스카리우스가 안스와 별개의 '인간'처럼 보일 때마다 머리가 둘로 쪼개지는 것 같았다. 안스카리우스를 파악해야 그를 무찌를 수 있는데, 그러기 위해서는 너무 큰 노력이 필요했다.

그녀는 성큼성큼 걸으려 노력하며 제 선실 문 앞에 도달했다. 몸 무게를 실어 쾅쾅 두드렸다.

"누구십니까?"

처음 듣는 남성의 목소리였다.

"……돔니니입니다."

"들어오십시오."

내 이름을 아는 건가? 그녀는 신기한 기분이 되어 문을 열었다. 교국인들이 모인 곳에서 높임말을 듣기는 처음이었다.

안으로 들어가자 젊은 남자가 앉아 있었다. 얼마나 젊으냐면, 티티라보다도 어린 것 같았다. 그녀는 순식간에 경계하는 시선이 되어 침대에 누운 라요나를 바라보았다.

"누구시기에 이 자리에?"

딱딱거렸다.

그는 웃으며 대답했다.

"이프루이우호號의 의사입니다."

그녀는 그 어린 얼굴에 하마터면 '네가?' 코웃음을 칠 뻔했다.

"라요나의 상태는 어떻······ 냐······ 요?"

"많이 아픕니다. 폐렴에 가까운 감기입니다."

티티라는 그녀가 그렇게 아픈 줄 몰랐기에 죄책감이 들었다. 여유롭게 이틀이나 지나 오다니. 손을 들어 라요나의 이마에 대 보려 했다.

그 순간, 의사가 무섭게 달려와 쳐 냈다.

"하지 마십시오. 가까이 가지도 마십시오. 옮습니다."

"그냥 감기라고 했잖아요?"

"네. 하지만 완치될 때까진 본인과 모두를 위해 떨어져 계십시오. 고립된 곳에선 모든 병이 위험합니다."

"고립되면 얼마나 고립된다고······. 이즈버르는 열흘이면 갑니다."

"이즈버르에 입항할 수 있다고 생각하십니까?"

티티라는 그제야 어린 의사를 돌아보았다. 안경을 쓴 그는 무료한 표정이었다.

모두가 이즈버르에 가는 이유를 알고 있었다.

"저 말고도 의사는 두 명이 더 있습니다. 진찰실은 저 아래에 있으니 참고하십시오."

마치 무슨 일이 일어날 줄 알고 의사 수를 늘렸다는 투였다.

"큰 볼일이 있어서 오신 게 아니라면 나가 주십시오. 이 사람은 완쾌할 때까지 안정을 취해야 합니다."

티티라는 한순간 이상한 점을 느꼈다. 의사는 그녀에게는 높임말을 썼고, 라요나에게는 낮춤말을 썼다. 그녀는 라요나와 자신 사이에 어떤 차이가 있는지 몰랐다.

그러나 어린 의사는 더 이상 가만히 두지 않겠다는 투였다. 그는 엄격한 태도로 바깥을 향해 손짓했다.

"총독께서 자리를 내주신 것으로 압니다. 나가 주십시오. 이 사람의 완쾌를 위해 필요한 조치입니다."

"그러면 애초에 왜 들여보냈습니까?"

"동행자를 걱정하시리라 생각했습니다. 환자의 얼굴을 보여 드릴 수는 있습니다. 그러나 그 이상은 용납하지 않습니다."

"······."

"저는 소조폴 상륙으로부터 구 년간 군의로 복무한 파르훈 오피오입니다. 파르훈 오피오가 환자의 완치를 위해 당신을 추방합니다. 이 명령은 검은 밤 가장 높은 인도자이신 법황 성하께서 수호하십니다."

티티라는 그 말을 한마디도 이해하지 못했다. 하지만 그의 이름이 파르훈 오피오라는 사실, 또 여기서 안 나가면 무슨 일이 생길 거라는 사실만큼은 눈치 빠르게 깨달았다.

그녀는 눈 감은 라요나를 바라본 뒤, 뒷걸음질 쳤다. 걱정스러웠지만 뾰족한 수가 없었다. 이 감옥 같은 배에서 내가 행할 권력이 남아 있을 리가. 총칼 앞에서 돈은 도움이 되지 않았다.

그녀는 문을 닫고 나왔다.

텅 빈 복도에서 갇힌 파도 소리를 들었다.

순간적으로 속이 갑갑하다 못해 터질 것 같았다. 자신은 고작해야 의사의 말에도 쫓겨나야 했다. 라요나에게 무슨 일이 생길지도 모르는데, 열일곱짜리 애 하나 보호하지 못하고.

총독의 방으로 올라간들, 총독은 애완동물을 다루듯 자신을 다뤄 꼴 보기가 싫었다. 그리고 갑판으로 나가기에는 무슨 불상사가 생길지 몰라 무서웠다. 동료의 복수를 하기 위해 이번에야말로 제게 본때를 보여 주겠다는 사람이 과연 한 명도 없겠는가.

삐걱거리며, 수많은 그물 침대가 흔들렸다. 물에 젖은 나무 냄새가 물씬 풍겼다.

그녀는 잠시 두 손으로 얼굴을 짚고 있었다.

무슨 일이 일어난 거지?

나는 죽어라 일해서, 일 년 만에 상단을 거지꼴에서 벗어나게 만들었어. 드디어 부끄럽지 않은 상주로서 소조폴에 돌아왔지. 다시 여러 해를 노력해 마침내 소조폴 열 손가락 안에 들어가는 튼튼한 집을 만들었다고. 나는 인생에 걸쳐 발버둥 친 내가 자랑스러워.

그러다 친구를 다시 만났어…….

차라리 안스를 다시 만나지 못했을 때가 더 좋았다. 잠자리가 뒤숭숭했지만, 그래도 그가 장렬하게 산화했거나 혹은 잘살고 있다고 상상하길 좋아했다. 둘 중 어느 쪽이라도 그녀는 괜찮았다. 그가 선택한 길일 테니까.

그런데…….

친구는 팔뚝에 추억을 새긴 채 적국의 지배자로 돌아왔다.

한 문장으로 정리하자 어이가 없었다. 울음 같은 웃음이 새어 나왔다. 왜 팔뚝에 그리 흉한 것을 기록했어? 총독이 되길 원하긴 했던 거야? 마주두 제일섬을 떠나 어떻게 교국에 다다른 거지? '드라수스 바를라암'이라는 긴 이름을 달기까지 대체 어떤 일이 있었던 거야? 얼굴이 너무 멀쩡하고 심지어 체격은 훨씬 커졌는데 정말 역병에 걸렸던 게 맞아?

왜…… 상처를 새겼어? 많이 아팠어?

티티라는 가면을 벗겨 내듯 얼굴을 움켜쥐었다.

그러나 벗겨 낼 가면이 없었다. 그녀는 그녀인 그대로였다.

배를 곯던 유년 시절부터 소조폴 흙탕물에서 굴러다니던 순간, 머리에 새털 같은 지식이 쌓이기 시작했던 순간, 무언가를 성취했던 순간, 살인의 순간, 좋은 사람들과 웃던 순간……. 그 모든 것이 그녀를 이루고 있었다.

그녀는 단 하나의 기억도 잊지 않았다. 각각의 사건은 일어날 때마다 거품처럼 부풀어 삶 속에 얼어붙었다. 그 기억만큼 그녀도 거인처럼 커졌다. 나를 키워 준 그 거대한 조각들을 잃어버릴 수야 없지.

## 소조폴 1001 26

안스, 네겐 저 상처가 그저 상징이었을까? 우리가 언젠가 다시 만날 수 있도록 다짐을 몸에 새긴 것뿐일까? 독침을 쓴 문신보단 차라리 칼로 새기는 편이 성공률이 높을 거라 생각했나?

"다만 호기심은 가질 수 있지. 내가 무슨 일을 했나?"

너, 안스카리우스. 네 몸에 있는 흉을 매일같이 보면서 과거에 무슨 일을 했는지 '호기심'만 가졌다고? 대체 어떤 인간이었길래 이렇게 절박하게 몸에 남겼는지 미치도록 궁금하진 않았고?

하지만…… 그가 '미치도록 궁금해하지' 않았다면 왜 그 언덕에 나왔겠는가? 왜 죽을죄를 지었던 자신을 살렸겠는가?

티티라는 짧은 시간 동안 너무 많은 생각을 한 사람답게 갑작스레 힘이 쭉 빠지는 것을 느꼈다. 잊고 있던 한기가 으슬으슬 닥쳤다.

그녀는 발을 질질 끌며 총독의 선실로 올라갔다.

문을 벌컥 열어젖혔으나, 총독은 없었다. 문 앞에서 바로 보이는 응접실만이 침묵하고 있을 뿐이다. 그녀가 감시당하던 침실로 들어가도 깨끗하기만 했다. 혹시 안락의자 근처엔……. 아니, 그가 보던 서류도 흔적 없이 잠긴 궤짝 안에 갇힌 듯했다.

갑작스레 이 모든 것에 화가 치솟았다. 그녀는 무기를 찾아 두리번거렸다. 나는 안 죽어. 하지만 무기는 항상 필요한 법이지.

그녀는 엉금엉금 바닥을 기어 다니며 여러 가구의 밑바닥을 살폈다. 양탄자를 들추고, 궤짝을 용써서 밀어 보았다. 어디 뾰족한 장식품이라도 없을까. 무릎을 디딘 채 선실 끝까지 뒤졌다.

그 결과로 건진 것은 제 손가락 길이만 한 뭉툭한 나무 막대 하나 —눈은 찌를 수 있겠지—, 단단하고 얇은 쟁반 하나—머리를 때릴 수 있을 듯. 혹은 더 날카롭게 갈아 목을 벨 수 있겠다—, 틈이 거의 없어 어딘가에 걸기가 애매한 커튼 갈고리—이 사이에 그의 손가락 하나 정도는 끼워서 골절시킬 수 있지 않을까—, 제 팔 길이만 한 밧줄—그가 자는 사이에 목을 조를 수 있음—이었다.

티티라는 잔뜩 모은 잡동사니를 이불 속에 쑤셔 넣었다. 그러곤 다시 책장 하나하나를 뒤져 공격할 만한 무기를 찾기 시작했다.

그때, 누군가 쿵쿵쿵 계단을 올라오는 소리를 들었다.

티티라는 겨우 발견한, 나무 바닥 위 뾰족한 거스러미를 뜯어냈다. 이것까지만! 그렇게 온 힘을 다해 뜯어내다 뒤로 나동그라졌다.

그래서 총독이 들어왔을 때, 그녀가 할 수 있는 짓은 거스러미를 엉덩이 아래로 숨기는 것뿐이었다.

안스카리우스는 맨바닥에 주저앉아 있는 티티라를 바라보았다. 침대와 한참 떨어진 자리였다. 그는 그녀를 뚫어져라 응시하더니, 갑자기 침대로 다가갔다. 잔뜩 구겨진 이불을 펼럭였다.

온갖 잡동사니를 발견한 그의 표정이 희한해졌다.

"뭘 하려고?"

그녀는 아무 말도 하지 않았다. 그의 얼굴을 보자 모든 것이 망가졌다. 눈앞에서 '너를 죽이려고 했다.'고 증오로 선언하기에는 이제 그가 너무도 인간처럼 느껴졌다. 그럼에도 그가 없었으면 하는 마음은 한결같았다. 그러니 아마.

"당신이 죽었으면 해서요."

겁쟁이처럼 주어를 지우는 것이다.

"이걸로 너희 신에게 빌게? 신은 안 믿는다면서."

그는 바닷가에서 쓰레기를 건지듯 하나하나를 들어 올렸다. 막대, 쟁반, 원형 갈고리, 짧은 밧줄. 티티라는 모욕감에 얼굴이 꿈틀거리는 것을 느꼈다.

안스카리우스는 한숨을 쉬었다. 잡동사니를 바닥에 버린 뒤, 그녀에게로 다가왔다. 팔뚝이 쥐였다. 한순간 정말 꽉 쥐였으나, 오기로 신음을 내지 않았다. 거스러미를 떨어뜨리자 힘은 금세 풀렸다. 그는 그녀를 일으켜 세웠다.

"돔니니, 나는 너를 죽일 생각이 없다."

티티라는 눈을 깜빡였다. 그를 증오할 거리가 많이 남아 있었음에도, 그 순간 든 생각이라곤 하나뿐이었다.

저 인간도 나와 같군.

안스카리우스는 애초에 총독의 수치스러운 과거를 드러내질 말았어야 했다. 과거가 너무 궁금해서 언덕에 나타났더라도 이야기를 들은 뒤 증인을 죽여야 했다. 그때 죽이지 못했더라도, 그자가 적의를 드러낸 순간 언제든 제 약점이 폭로될 수 있다는 것을 깨닫고 결단을 내려야 했다. 손이 더럽혀질까 걱정했다면 마스트에서 말라 죽도록 둘 수도 있었다.

하지만 그는 같은 방에서 이틀 동안 선잠을 잤다. 명백히 해를 입히기 위해 모아 둔 잡동사니에도 꿈쩍하지 않았다.

안스카리우스는 그녀를 침대까지 이끌었다.

"앉아. 이야기를 좀 하지."

"이야기는 어제 많이 했어요."

"너는 아펭글로와 시노드 신넬에 대해서만 떠들었어."

"당신 원하는 것만 '이야기'고, 나는 '떠드는' 거고?"

"미안하다. 그런 뜻은 아니었다."

"……."

그녀는 털썩 침대에 앉았다. 달리 도리가 없었다. 그 역시 바로 의자를 끌어와 앉았다. 반쯤 마주 보고 있는 꼴이 마음에 들지 않았기에, 그녀는 최대한 허리를 뒤로 뺐다.

"나를 왜 싫어하지?"

티티라는 한순간 그가 정신이 나간 줄 알았다.

곧장 영혼을 되찾은 석상처럼 거칠게 손가락을 흔들었다.

"당신은 교국 지배자입니다. 그리고 나를 유폐했어요. 아, 개집에 한 달 동안 가두기도 했고요."

"아니. 근본적으로."

"뭐요?"

"먼저 말하는 편이 낫겠군. 나는 널 못 죽인다. 널 죽이기에는 네게 궁금한 것이 너무 많다. 너는 내 잃어버린 기억을 보관하고 있는 유일한 인간이다."

티티라는 얕게 숨을 쉬었다. 처음 만났을 때 오만하던 총독의 말을 떠올렸다. 과거는 필요 없다고? 별거 아닌 호기심이라고? 이제야 그의 거짓말이 걷힌 듯하여 목뒤가 빳빳해졌다. 더 놀랄 수도 있었으나 기묘하게도 자신이 이를 예상했다는 느낌이 들었다. 그러니까, 그렇게 뻥 뚫린 기억을 메우기는 쉽지 않은 일이다.

"……저 말고도 안스를 아는 사람은 있어요. 그때 소조폴 사람들이 정말로 다 죽었다고 생각해요?"

"아니, 그야 당연히 있겠지. 하지만 나는 너 외의 사람에게 고백할 생각이 없다."

그 말은 의도하지 않았어도 참 바보 안스같이 들렸다. 티티라는 제 속 부풀어 오른 기억 하나에, 속이 쓰렸다.

"더 많은 사람이 알수록 상황은 더 나빠질 뿐이지……. 나는 바를라암의 수장이다. 호기심에 너무 많은 걸 걸 수는 없어."

그녀의 어깨가 작게 오르락내리락했다.

안스카리우스는 잠깐 그녀 쪽으로 기울었다. 그렇게 가까워진 채 무슨 말을 하려다가, 그것이 적절하지 않다는 사실을 깨달은 듯 다시 똑바로 앉았다.

그가 말했다.

"내가 과연 너를 쉽게 찾았을까?"

피가 뜨겁게 올랐다가, 차갑게 식었다. 뜨겁고 차가운 피가 머리

꼭대기에서 간질간질하게 섞였다.

그의 목소리는 다른 뜻을 품고 있지 않았다. 마치 예전, 사역관에서 '내가 보고 싶어 왔느냐.'고 물었을 때처럼 담백했다. 그는 정말로…… 그 언덕에서 만나기 위해 쏟았던 노력을 묘사하고 있을 뿐이었다.

안스는 모든 말에 애정을 담았기에 절대로 낯부끄러운 단어에 손대지 않았다. 반면 이자는 아무 감정이 없기에 어떤 문장을 쓰든 자유로웠다. 그 대조야말로 서로 정말 다른 사람이라는 증거였다.

"내가 이렇게 솔직해지는 것도 위험을 무릅쓰는 것이지."

"……."

"하지만 돔니, 네가 끊임없이 '총독'을 의심하고 경계해서 불필요한 잡음을 내는 것보다는 이편이 낫겠다."

티티라는 처음으로, 누군가 제 의견에 찬성이나 반대표를 주었으면 좋겠다는 생각을 했다. 너무 많은 감정들이 시야를 가렸다. 분노와 이해와 그리움과 후회와…….

그녀는 스스로 뺨을 갈겼다.

대중없이 때렸기에 무시무시하게 아팠다. 입 안이 찢어진 듯 비린 맛이 났다. 눈을 뜨자 안스카리우스가 찡그린 채 자신을 바라보고 있었는데, 그제야 모든 것이 땅바닥에 안정적으로 서 있는 듯한 기분이 들었다. 그녀는 냉정해졌다.

"전 당신이 제 눈앞에 없었으면 좋겠어요. 죽든 말든 그냥 제 눈앞에만 없었으면 좋겠어요. 저랑 상관없는 방식으로 꺼졌으면 좋겠어요."

"……."

"그런데 당신이 원하는 건 그 반대잖아요. 그래서 제가 당신을 싫어할 수밖에 없는 거예요."

"그러면, 내가 총독인 건?"

"상관없어요."

"교국의 첫 총독이 소조폴의 유력자들을 죽인 장본인인데?"

"……그건…….."

티티라는 입술을 꽉 깨물었다. 사방에서 피 맛이 났다.

"당신들의 통치 방법이었으니까…….."

한 글자, 한 글자 짓씹듯이 내뱉었다.

"만 명을 죽일 것을 천 명을 죽여 끝냈으니까…….."

교국인들이 시노드 신넬에 아예 안 왔더라면 좋았겠지. 그러나 대항구들은 압도적인 군사력 차이에 패배했다. 거기까지는 누구의 잘못도 아니었다.

그리고 이후 무력한 부자들을 죽였다고 하기에는, 유력자들이 그다지 선량하지 않았다. 그들은 교국이 자신들이 아닌 다른 사람들을 죽이거나 부릴 거라 생각했고…… 정말이지 어떤 대가가 있을지 정확히 몰랐다. 아마 그들 인생에서의 첫 번째 실패였을 텐데, 그 실패가 목숨을 앗아 간 것이다.

티티라는 그냥 약육강식이라고 생각했다. 가슴이 찢어져도 자기가 배워 온 세상에 따르면 그랬다.

그녀는 다섯 겹 눈을 가진 사마귀의 습성을 가졌다. 그것은 자주 그녀를 살렸는데, 가끔 감정과 조각이 맞지 않아 고통을 안겼다.

"아서라. 그런 태도로 이야기하면 누가 믿겠어."

"하지만…… 저는 정말 그렇게 생각합니다. 안스가 소조폴을 배신해서는 안 되는 거지, 당신은…… 제 알 바 아니죠."

안스카리우스는 여전히 꾹꾹 참고 있는 그녀를 보며 눈썹을 치켜세웠다.

"내가 총독인 것은 전혀 상관이 없다—"

"제가 당신을 안스와 다른 사람으로 보기 위해 얼마나 노력하고 있는지 아세요?"

그녀는 물에 빠진 사람처럼 후다닥 내뱉었다.

진실을 터뜨리자마자 눈을 질끈 감았으나, 돌이킬 방법은 없었다.

"다 알면서 물어보시는 거죠? 얘가 날 다른 사람으로 보지 않으려고 무진 애를 쓰고 있구나. 알면서 그따위로 말씀하시죠?"

"몰랐는데. 나는 십 년 만에 만난 친구가 그 정도로 반가울 것 같지 않아서."

"……."

방금 제가 고백했는데도 아무 관심도 없는 모습이 정말 안스카리우스 같았다.

"아무튼…… 저는 당신이 제 눈앞에만 없으면 됩니다. 소조폴은 포기 못 하니까, 우리 같은 도시에서 그냥 모른 척 살아요. 궁금한 게 있으면 이번 여행에서 다 끝내시고요."

총독이 빙그레 웃었다.

"이번 여행에서는 무엇이든 답해 주겠다?"

티티라는 말려들지 않기 위해서 이불을 꽉 쥐었다.

"당신 과거라면, 당신 것이기도 하니까. 하지만 그 밖의 호기심은 그대로 두세요. 건드리지 마세요."

"좋아. 약속하지. 이번 여행이 끝난 뒤, 네가 원한다면 영원히 나와 마주 보지 않고 살 수 있도록 해 주겠다. 대신 그때까진 내 과거에 대해 성실하게 답해라."

그녀는 합리적인 제안에 비로소 긴장이 풀렸다.

"네. 기한을 두고 저를 괴롭히시겠다면 그래도 참을 만하겠죠."

"시험을 해 보지. 질문 하나. 왜 마스트에 묶이는 벌을 받았을 때 총독 이름을 팔지 않았지? 내가 그렇게 두지 않을 걸 알고 있었잖아."

그녀는 손으로 가위표를 쳐 보였다. 그런 질문은 취급 안 해요. 딱딱거리면서도, 안스와 약속했던 가위표의 뜻이 생각나 심장이 쾅쾅 뛰었다. 물론 상대는 그저 '안 된다.'는 뜻으로만 알아듣고 고개를 끄덕일 뿐이었다……

"그러면, 지난번에는 언덕에서 친구를 얼마나 기다렸지?"

티티라는 다시 한번 가위표를 쳤다.

"너와 내가 왜 헤어졌지?"

티티라는 반사적으로 가위표를 치려다가, 자신이 대답해야 하는 질문임을 깨달았다. 그녀의 팔이 스르르 내려갔다.

"전쟁 통이었어요. 교국인들이 소조폴을 점령하고 얼마나 많은 사람들을 죽일지 몰랐습니다."

"친구라면 같이 도망칠 수도 있었겠지."

"함께 있으면 더 추적당하기 쉬울 거라 생각했어요."

"교국이 꼬맹이 사환들 따위를 사람을 보내 쫓는다고?"

그는 헛웃음을 지었다.

"돔니니, 이런 식으로는 안 된다."

"……"

"나도 약속을 못 지키는 수가 있어."

"진짜예요. 당신이 그때 소조폴이 어땠는지 몰라서 그래요. 삼백 년 동안 번영을 누리다 처음으로 성벽이 무너지고 점령당했다고요."

"내 말 잘 생각해 봐."

"……."

티티라는 이불을 내려다보았다. 자신이 착각했다. 총독은 인간적으로 변할수록 더 다루기 힘들었다. 그가 적당한 거리에 있으면 얼굴을 볼 수 있지만, 거기서 두 걸음 다가오면 가슴팍만 볼 수 있는 것처럼. 상대가 솔직하게 묘사하고 요구할 때 그 권력을 거절할 방법이 없었다. 어떻게 굴복시키지? 답답했다.

안스카리우스는 더 추궁하지 않겠다는 듯 무릎을 탁탁 내리쳤다. 그는 일어서 다시 안락의자로 향했다.

"내가 사람을 죽였나?"

"아니요. 안스는 아무도 안 죽였습니다."

티티라는 이것도 조금 고역이라고 생각했다. 예전과 똑같은 얼굴을 보며 예전과 똑같은 이야기를 해 주는 것. 마치 남의 이야기를 하듯 그의 인생을 해설해 주는 것.

"어떤 일에 가장 흥미를 보였지?"

"항해, 그리고 계약서 작성요."

"무기를 다룰 줄 알았나?"

"칼은…… 대련할 땐 엄청 잘 다뤘는데, 실제로 싸우는 걸 보지는 못했어요. 화승총은 정말 잘 썼어요. 백 미터 바깥에서도 과녁 한복판을 맞히곤 했어요."

"병은 없었나? 건강은?"

"십 년 동안 한 번도 안 아팠어요."

기억할수록 정말 야생마 같은 소년이었다.

그녀는 더듬더듬 말을 이었다.

"정말 빨랐어요. 수영도 날랬어요. 절대 뭔가를 놓치지 않았고, 놓치더라도 땅바닥에 닿게 하는 일이 없었습니다. 바쁠 땐 한쪽 옥상에서 다른 쪽 옥상으로 뛰어다니곤 했고요. 배가 부두에 다다르기 전에 먼저 도움닻을 하여 내리거나, 부두에서 배로 밧줄을 타고 기어올라 갔어요. 상관 앞에서 싸움이 벌어지면 순식간에 둘 혹은 셋을 제압하곤 했습니다. 비위도 좋아서 썩은 생선에 얻어맞거나 추잡한 몰골을 봐도 꿈쩍하지 않았죠."

그는 한쪽 턱을 괴고 앉아 스스로의 손을 내려다보았다. 웃으면 안 되는데 웃음이 났다. '내가 그런 사람이었다고?' 읊조리는 듯한 표정이었기 때문이다.

"싫어하는 것은?"

"별로 없었어요. 저는 아직도 그게 신기해요. 어떻게 싫어하는 게 없을 수 있지? 그렇지만 뭔가 못 해내는 게, 그래서 두려운 게 딱히 없었기에 그럴 수 있었을지도요."

물론 티티라는 단 한 가지 답을 알았다. 안스는 그녀를 공격하는 것들을 싫어했다. 오트카저트를 증오했고, 그녀에게 '사마귀'라고 외치는 또래들을 혐오했다. 한 번은 그녀의 머리 위로 거대 청새치를 떨어뜨릴 뻔한 가게 주인과 대판 시비가 붙었다. 나는 어쨌든 안 맞았고, 그게 그럴 정도의 일도 아니었는데.

"도덕적으로는 어땠지?"

"착했어요."

"좀 더."

"명백한 범죄가 보이면 혼자 나서서라도 일을 해결하려 했어요."

"범죄의 정의가 무엇인지 궁금하군. 서류로 이루어진 잘못도 범죄일 텐데?"

"……."

안스는 주저하지 않고 보호 귀족과 재판관에게 바칠 뇌물을 기재하곤 했다.

"어쨌든…… 누군가 맞고 있으면 구해 줬어요."

"네게 도덕이란 꽤나 단순하군."

"……."

"예를 들지. 나는 일이 급해. 이 건을 시간 안에 전달하지 않으면 귀찮게 되는데 길에서 칼에 찔리는 행인을 목격했다. 어떻게 했을까?"

"무시했을 거예요."

"그렇다면 그에 대한 네 평가를 좀 수정해야겠다."

"하지만 집에 돌아와서는 후회했을 거예요, 안스도."

"나는 위선은 취급하지 않아."

"하지만 당신부터가 위선자인데요."

그녀는 툭 내뱉었다가 바닥을 내려다보았다. 하지만 말을 더 잇기 위해 시선을 피한 것이다. 그녀는 여전히 그를 굴복시키겠다는 불가능한 꿈을 꿨다.

"당신은 법황을 믿지 않는데도 '사제왕'이란 직함을 달고 있어요. 위선자."

"그건 도덕과 상관없어. 생존 전략이지."

티티라는 눈을 여러 번 감았다 떴다. 습관적인 행동이었다.

"신의 대리자가 법황인데, 그를 존경하지 않는 거잖아요. 당신

도덕은 어디 있나요?"

"굶는 아이를 돕는 내 손에 있겠지. 위로 향하는 건 도덕이 아니야."

"그럼 당신들 법황께선 뭘 하시는데요?"

안스카리우스는 턱을 툭툭 건드렸다. 나지막한 목소리로…….

"통치."

짧은 단어였으나 긴 숨이었다. 그는 단어와 함께 침묵을 내려놓은 셈이었다.

안스카리우스는 더 설명하지도 않았다. 그러나 그 사실 자체가 많은 것을 알려 주었다.

"……신은요……?"

"네가 더 믿고 싶어 하는 것 같은데."

그는 빙그레 웃었다.

티티라는 주먹에 힘을 주었다. 이제는 그의 웃음이 안스를 닮아서 긴장된다는 거짓말을 하지 않기로 했다. 안스는 호탕하게 입을 벌려 웃었다. 저자의 웃음은 입술 한 번 들지 않는 여유였다.

"각설하고, 신은 온 세상에 있지. 한 사람에게 임할 수 없다."

"그렇게 말해도 누가 잡으러 안 오나요? 교국은 법황께서 다스리는 나라잖아요."

"사제왕은 스물두 명이다. 말 한마디 했다고 잡혀 죽기엔 수가 많아."

그는 좀처럼 교국에 대해 입을 열지 않았기에 이번이 절호의 기회였다.

"사제왕들은 총독님을 빼면 모두 교국에 남아 있나요? 교국에선 각 지방에 머무르는 건가요? 아니면, 총독님께시는 교읍지에 사셨

다고 하셨으니 모두 한곳에 있는 건가요? 그런데 그렇게 모여 있으
면 법황님 발아래 꼼짝없이 엎드려 있어야겠는데요."

잠깐의 정적이 흘렀다. 안스카리우스가 턱을 괸 팔을 내려놓았다.

"뭐가 그렇게 궁금한 게 많지?"

철딱서니 없는 사환을 다루는 태도였다. 티티라는 얼굴이 붉어졌
다. 너무 호기심을 드러냈을까?

"아펭글로에 대해 물어볼 때도, 지금도. 위험하단 사실을 알 텐
데 질문을 멈추질 않는군."

"……."

티티라는 꽉 막힌 목소리로 말했다.

"절 죽이지 않는다고 하셨잖아요."

"난 약속을 지키지 못할 수도 있다고 했잖아."

그녀는 콧김을 씩씩 내뱉었다.

"그래도 궁금해요."

"들으면 목숨이 위험하대도?"

"네."

급하게 대답하고 또 후회했다. 정말 죽이는 거 아냐? 하지만 여
태껏 시노드 신넬의 누구도 들어 보지 못한 교국의 통치 체계였다.
너무너무 궁금해서 눈가의 맥이 쿵쿵 뛸 정도였다. 아펭글로가 바
다를 건너가서 멀쩡히 살아 있다는 것도 멋진 지식이었는데, 이건
그 이상이었다.

안스카리우스는 한숨을 살짝 쉬었다. 눈을 반쯤 감더니, 어렴풋
한 등불 속 구도자처럼 침묵했다.

티티라는 뺨이 뜨끈해지는 것을 느꼈다. 이유를 모르겠다. 안스

녀석은 절대 저런 표정을 못 짓는데.

"사제왕들에게는 오래도록 품어 온 땅이 있다. 하지만 여러 사정 탓에 연결 고리가 약하지. 그보다 직접적인 지배력은…… 법황에게 받는다. 사제왕은 법황에게 주州의 통치권을 받는다. 기한은 삼 년. 그리고 다음 사람에게 넘길 문서와 하수인들을 잘 관리한 뒤 떠난다. 그렇기에 사제왕들의 책임감은 그리 높지 않은 편이지. 특히 그 지역에 수백 년 동안 머무른 '대리인'이 있으니 더욱 그렇다."

"'대리인'이요?"

"법황의 직속 하수인."

"그 사람들은 뭘 하나요?"

"지역 사람들과 좋은 관계를 쌓지."

그녀는 그가 말을 이을 줄 알고 침묵했다. 그러나 그는 눈썹을 살짝 치켜세울 뿐이었다.

"그래서요?"

"그뿐이다. 아이의 탄생과 노인의 죽음에 함께하고, 법황이 내리는 제물을 분배하고, 무엇보다 매주 한 번씩 모임에서 설교를 하고. 그자가 죽으면 새로운 사람이 교국 본산에서 파견되어 온다."

"……그럼 사제왕들은 무엇을 할 수 있어요? 저 '대리인'이라는 사람들이 토착 지역에서 반대하면 아무것도 못 하겠는데요."

안스카리우스는 웃었다. '그'의 웃음이었다.

"사제왕들에겐 군사가 있지."

"……."

"대답이 되었나?"

"그러면 반…… 아니…… 죄송합니다."

티티라가 삼킨 말은 '반란'이었다. 저렇게 중앙에서 꽉 잡고 있는데, 불만이 생기지 않을까? 총칼이 있으면 한 번쯤은 반역할 법도 한데. 너무 자연스레 든 생각이었다. 그러나 누구나 생각할 수 있기에 더욱 위험했다. 티티라는 처음으로, 호기심 이상으로, 건드려서는 안 된다는 감각을 느꼈다.

총독은 알아들은 듯, 듣지 못한 듯 잠자코 있었다.

"하나 묻지. 이런 지식을 들어 어디에 쓸 요량인가?"

티티라는 입을 꾹 다물었다.

"네가 교국에 가진 못할 텐데."

"알아요."

"그런데?"

"……그래도 알고 싶어요."

딱히 덧붙일 말이 없었다. 그녀는 눈에 흙이 들어갈 때까지 배우고 삼킬 사람이었다.

안스카리우스는 여전히 안락의자에 파묻힌 채 그녀와 거리를 유지하고 있었다. 티티라는 그편이 훨씬 좋았지만, 지금처럼 침묵이 설명해야만 하는 순간에는 조금 갈증이 났다. 나를 보기라도 하면 좋을 텐데.

그는 무언가를 생각하듯 종이를 툭툭 치고 있었다. 생각해 보자면, 우리 사이에 적절한 계약이 맺어진 뒤에도 안스카리우스는 절대 자신에 대한 이야기를 하지 않았다.

아, 물론 할 필요는 없지. 나만 그의 질문에 대답하면 되지. 그러나 그녀는 자기표현에 거리낌이 없는 반면, 안스카리우스는 절대 입을 열지 않았다.

이것은 한쪽 방향으로만 기운 모래시계였다. 그는 점차 상대의 조각을 맞출 수 있는데, 그녀는 어려웠다. 그렇다고 그에게 조각을 요구하기에는 제 자존심이 용납하지 않았다.

그가 고개를 돌렸다. 그녀가 뚫어지게 보고 있는 것을 느낀 모양이었다. 잠깐 큰 파도가 미쳐, 방 안의 불이 출렁였다. 빛과 빛 사이에서 그의 음영이 움직였다.

"너는 나에 대해 묻기보단 차라리 정보를 움켜쥐는군."

"……."

"묻겠다. 나는 네게 어떤 친구였지? 어떻게 해야 그렇게 지극히 그리워하다가도 끝내 단절할 수 있는지 궁금하다."

나한테서, 그만 조각을 캐 가란 말이야.

하지만 여전히 안스의 이야기였다. 티티라는 그제야 안스와 자신이 쪼갤 수 없는 사이라는 것을 깨달았다. 입맛 쓰게.

"저는 십 년간 친구였던 관계를 어떻게 표현해야 할지 잘 모르겠어요."

"너는 우리가 왜 헤어졌는지도 제대로 설명하지 못했다."

"'우리'라고 하지 마세요."

그녀는 소리 지르지 않았다. 노려보지도 않았다. 단지 그를 향해 경고했다. 대가? 별건 아니었다. 제 증오를 걸고 경고했다.

안스카리우스는 다시 시선을 돌렸다. 읊조리듯 말했다.

"'우리는 그냥 친구였다.'"

티티라는 손바닥에 땀이 나는 것을 느꼈다. 우리는 정말 친구였지. 누구도 부정할 수 없도록, 아주 오랜 시간 동안 서로를 위하는 벗이었다.

문득 안스가 제게 입 맞추던 기억이 떠올랐다.

아니, 그것은 기억이 아니다. 감각이다. 소리이자 향이고, 열이자 빛이다. 소조폴 시계탑처럼 무너져, 형체 없는.

가슴이 쿵쿵 뛰었다. 제 눈앞의 안스를 사랑해서는 아니었다. 그녀는 단 한 번도 그를 사랑한 적이 없었다. 하지만 자신이 사랑하지 않기 때문에 고집 피웠던 결과가 무서웠다. 나는 단지, 그를 이성으로 볼 마음이 없었을 뿐인데, 너무 가혹한 결과를 맞이했다. 그게 큰 잘못은 아니잖아……

티티라는 번뜩 총독을 다시 바라보았다. 그는 다시 서류를 읽고 있었다. 한 점 흐트러짐 없는 옷차림, 가면처럼 바꿔 끼는 표정, 힘이 실린 펜 끝, 언제나 제 권역인 듯 스스로 잡아당기는 침묵. 정말 제멋대로였다. 그는 자기가 쉬고 싶을 때만 불러 캐묻곤, 허락된 시간이 끝나면 일에 매진했다.

티티라는 울컥해서 말했다.

"어제 '제' 선실에 갔을 때 파르훈 오피오라는 의사가 저를 내쫓았습니다. 라요나를 보러 갈 거예요. 총독님 권한으로 허가해 주십시오."

"배 위에서 환자에 대한 결정권은 전적으로 의사에게 있다. 파르훈 오피오는 구 년간 전쟁에 종사한 노련한 의사이므로, 그의 의견을 따르는 게 좋을 것이다."

"그럼 저는 뭘 할 수 있어요? 저는 라요나를 문병 갈 수도 없고, 선상에도 못 나가고, 계속 여기에만 있어야 합니까? 총독님도 불편하실—"

"네가 왜 선상에 못 나가?"

"군인들이 절 공격할 수 있잖아요."

총독의 눈이 가늘어졌다.

또다시 가면이 밀려나는 듯했다. 진지하고 무료한 관료의 시선 위로 군인이 드러났다. 마치 검은 물속에 잠겼던 칼이 떠오르는 것 같았다.

그가 자리에서 일어났다. 저벅저벅 침대로 걸어왔다. 칼이, 걸어 온다. 티티라는 습관적으로 무기를 찾다가 아무것도 없다는 사실 을 깨닫곤 침대 저편으로 달아났다. 벽과의 틈새에 억지로 버티고 섰다.

"나와."

"제가 왜요?"

그녀는 총독이 평소 그래 왔듯 잔잔하게 대답할 거라 생각했다. 그러나 그는 침대 위로 한쪽 무릎을 디디더니, 그녀의 한 팔을 꽉 잡았다. 잡히는 순간 뿌리치려 했으나 그대로 부여잡혀 침대에 나 동그라졌다.

"악!"

한 번이 아니었다. 그는 그녀가 침대로 떨어지자 두 팔뚝을 단단 히 잡아 다시 끌어당겼다. 온몸의 피가 앞으로 쏠리는 것 같았다. 숨을 들이켰다. 바닥으로 고꾸라질 뻔했으나, 그가 우악스럽게 힘 을 써 들어 올렸다. 티티라는 팔이 빠질 것 같은 고통에 이를 악물 었다.

"대체 뭐가 문제—"

안스카리우스는 그녀를 침실 입구에 붙은 응접 공간으로 밀쳤다. 그녀는 나동그라질 뻔하다가 겨우 양손으로 문틀을 잡았다.

"나가."

티티라는 대각선 방향, 닫힌 문과 마주했다. 몸을 돌려 안스카리우스를 노려보았으나, 그는 벌써 무언가를 품에 챙기고 있어 시선을 마주하기 어려웠다.

티티라는 어떻게 도주할까 고민했다. 하지만 어디로 도망가든 그가 팔만 뻗으면 잡힐 것 같았다. 안스는 원체 큰 녀석이었는데, 심지어 제 앞의 인간은 그보다 배는 힘이 센 것 같았다. 그에게 잡혔던 팔뚝이 아렸다. 피할 방법이 없었다.

티티라는 굴욕적으로 문을 열었다.

한 발자국 나가서 못 박힌 듯 서 있었다.

익숙한, 그물 침대 사이로 이어지는 나무 길이 보였다. 배가 움직이고 있기는 한 것인지, 파도가 전혀 느껴지지 않았다. 그물 침대도 흔들리지 않았다.

연극 같았다. 티티라는 그 무대 위 꼭두각시가 된 느낌에 맥이 빠졌다. 그가 왜 그렇게 반응하는 건지 도저히 알 수가 없어서, 그냥 갑자기 미친놈이 된 듯하여 더 모욕적이었다.

티티라는 그가 다가오는 기척을 민감하게 느꼈다. 다음 순간, 무언가 어깨에 거치적거리는 것을 느끼곤 날카롭게 돌아보았다.

그러나…… 제 외투였다. 그녀는 얼떨결에 외투를 받아 들곤 물었다.

"왜……?"

"갑판으로 나간다."

그녀는 주섬주섬 외투를 입었다. 최악의 상황에서도 따뜻하게 죽을 요량이었다. 그 중간중간 투덜대기까지 했다.

"왜요?"

"나는 네가 병이 있어 나가지 못하는 줄 알았다. 아니라면, 해결해야지."

물론 그녀는 전혀 병들어 있지 않았다. 지금 가장 아픈 곳은 제 속의 자존심이었다. 그녀는 반항하듯 포효했다.

"대체 뭘요!"

그는 더 말하지 않고 그녀를 툭 밀었다. 정말이지 이놈은 개를 닮아서 사람을 개 부리듯 한다.

결국 티티라는 입술을 잘근잘근 씹으며 앞으로 걸어갔다. 이 배가 건물이었다면 창문을 깨고 뛰어내렸을 텐데.

바깥으로 열린 채 고정된 문에는 작은 천 가림막이 쳐져 있었다. 앞에 서자 너무 긴장이 되었다. 군인들 탓에 마스트에 묶였던 것은 솔직히 별일 아니었다. 하지만 그렇게 묶여 있던 자신을 본 사람들과 다시 만나는 것이 너무 싫었다. 회피하려는 마음이라 해도 좋다. 정말…….

그때, 안스카리우스가 뒤에서 손을 뻗어 천을 열었다.

먼저 스쳐 지나간다.

언뜻 그에게서는 바다 냄새가 났다―아니―. 안스와 희미하게 닮은 듯했다―물론 착각이지―. 바닷바람과 기억이 섞여 얼굴 앞에서 펑 터졌다. 열이 올랐다.

그러나 지체할 시간이 없었다. 티티라는 반쯤 가려진 천 너머에서 안스카리우스가 멈춰 있는 모습을 발견했다. 당장 안 나가면, 아까처럼 힘으로 끌고 나갈지도 몰랐다.

그녀는 떠밀린 듯 총독을 따라 갑판으로 나갔다. 눈부신 빛에 적응하자, 그제야 많은 사람들이 말 그대로 굳어 있는 모습을 볼 수 있었다. 선원, 군인, 심부름꾼 할 것 없이 우뚝 선 채 그에게 경례를 했다.

티티라는 그 알량한 권력 과시에 이를 갈아붙였다.

그가 몸을 돌리자 멈췄던 시간이 풀리는 듯했다. 그는 단 한마디도 하지 않았다. 고개를 끄덕이는 것 같더니 그냥 몸을 돌렸을 뿐이다. 그러자 마치 공중에 마법으로 붙잡혀 있던 나무 막대가 툭 떨어지듯 모든 긴장이 풀렸다.

안스카리우스는 반갑판으로 올라가 타룬 근처, 뱃전에 놓인 의자에 앉았다.

"선상 보고."

티티라는 갈 곳을 모르고 있다가, 어정쩡하게 그의 옆에 섰다. 우연찮게도 자신이 얻어맞았던 장소였다. 아, 정말. 뭘 어쩌려는 건지, 쪽팔리게 진짜—

티티라는 생각을 뚝 멈췄다.

'선상 보고'를 하겠답시고 나타난 사람은 뺨에 천을 붙이고 있었다. 아니, 뺨뿐만이 아니라 건장한 온몸에서 제대로 응시할 수 있는 곳은 눈뿐이었다. 그는 제대로 걷지도 못했다. 양쪽에서 두 사람이 부축해 와야 했다. 절뚝이며 총독 앞에 엎드렸다. 머리를 땅에 박았다.

티티라는 어깨를 들었다. 목을 길게 뺐다고 할 수도 있다. 그제야 엎드린 자의 얼굴이 떠올랐기 때문이다. 자신과 라요나에게 벌을 주어 '배 아래로 돌리기' 형을 받은 군인이었다.

그는 애써 다시 일어났다. 자신이 선장실에 처박힌 지 기껏해야 사흘하고도 반나절이 지났으니, 저자도 딱 그 정도 요양할 시간이 있었을 것이다. 그런 환자의 멱살을 잡아 제 앞에 무릎 꿇리다니.

"아고스 투르키아가…… 사제왕 안스카리우스 드라수스 바를라암께…… 보고드립니다. 11월 21일…… 날씨는 쾌청하고…… 비바람의 전조는 없습니다……. 뭍에서 순찰할 수 없는 위치에 진입했으며…… 적절한 시점에 위도를 60도 돌려…… 이즈버르로 남향하고자 합니다. 명하신 바 모두 순탄하게 이루어지도록…… 이프루이우호와…… 아홉 개 선이 한마음으로 노력하고 있습니다."

"들었다. 명한다. 너를 제명하고, 대대장직에 므니모니오 디아세를 임명한다."

"존명."

"너는 앞으로 열흘 동안 소형 포의 손질을 도맡아라. 이후 네 처신에 따라 일반직으로 복귀시키겠다."

"존명."

티티라는 기가 막힌 눈으로 안스카리우스를 바라보았다. 모두의 시선이 집중된 가운데 피해자인 나를 불러 놓고 가해자를 벌한다고? 반쯤 쓰러져 있는 죄인에게 벌을 더 줘 봤자 모양새가 좋을 리가 없는데?

남자는 다시 다른 이의 도움을 받아 물러났다.

이제 반갑판에는 안스카리우스와, 초조하게 키 앞에 서 있는 선원 하나와, 자신뿐이었다.

티티라는 분통을 터뜨리려다 선원의 눈치가 보여 삼켰다. 안스카리우스는 무슨 일이 일어났느냐 싶게 품에서 서류를 꺼내 빠르게 문장을 갈겨쓰기 시작했다. 훔쳐보려 했지만 실패했다. 아무리 교

국어와 시노드 신넬 언어가 비슷하다 해도 저토록 엉망인 필기체
까지 읽을 수는 없었다.

티티라는 그를 지키는 석상처럼 어정쩡하고 빳빳하게 서 있었다.
선미루 갑판과 주갑판에 있는 모든 인간들이 여기에 집중하고 있
다는 데 제 전 재산을 걸 수 있었다. 더 나쁜 것은, 다들 총독을 볼
수 없으니 자신을 보고 있을 거라는 사실이었다.

안스카리우스는 원하던 것을 완성한 듯 휘파람을 불어 눈앞 선원
을 불렀다.

"므니모니오 디아세에게 전달해라."

선원은 불안한 눈으로 키를 바라보았다.

"잠시 둔다고 지옥에 떨어지진 않겠지. 가라."

그는 차라리 빠르게 다녀오는 편이 낫겠다는 듯 달아났다. 그는
거의 인사도 하지 않았다.

티티라는 그제야 숨이 트인 듯 속삭였다. 아주 작게.

"무슨 의미가 있어요……. 이게……."

안스카리우스는 뱃전에 팔을 얹은 채 대답하지 않았다. 수평선에
는 아무것도 없었다.

그녀가 다시 항의하려는 순간—

"의미가 있지."

"무슨 연극처럼 민망하게……."

"네가 무서워서 갑판에 못 나오고 있었잖아."

그는 한순간 천진해 보였다. 심지어 바다와 태양의 빛을 함께 받
고 있었다……. 해를 받은 그의 머리칼에, 기적처럼 황금이 저며
들었다.

"······."

"어차피 저런 형벌을 받은 군인이 책임을 맡을 순 없다. 오히려 조용히 직위 해제해 준 것을 감사히 여기겠지. 그 와중에 네가 불필요한 구속을 겪지 않는다면 더 좋은 것이고."

그는…… 금세 돌아왔다.

티티라는 그 사실이 미치게 아쉬우면서도 차라리 다행이란 생각이 들었다. 안스가 돌아올 수 없다면, 저자에게서 안스를 닮은 부분을 발견하는 게…… 나을지도 몰랐다.

"머물러도 좋고, 들어가도 좋다."

그는 더 관심을 두지 않은 채 바다를 응시했다.

티티라는 그를 노려보았다.

깨달았다. 자신도 그에게 묻고 싶은 것이 너무 많았다.

네 가족들은 누구지? 역병에선 어떻게 헤어났지? 너도 교국에서 전쟁을 겪거나, 통치를 했어? 소조폴로 오면서는 무슨 생각을 했을까? 혹시 소조폴에 온 것부터가 나를 만나기 위해서였니?

그녀는 아주 잠깐, 그와 같은 먼바다로 시선을 돌렸다.

티티라는 그를 돌아보지 않고 계단을 내려갔다.

티티라는 시계탑에서 도망친 날부터 철저하게 안스를 피했다. 피한다는 사실에 자존심이 상했지만 생각보다 몸이 먼저 질겁해서 어쩔 수 없었다.

잠들기 전엔 항상 그가 다가오던 긴장된 숨이 기억났다. 숨, 향,

그림자. 그 모든 것이 훅 끼칠 때면 베개와 침대를 쾅쾅 내리치며 분통을 터뜨렸다.

그를 시계탑에서 추궁한 것이 패착이었을까 생각했지만, 아니, 아니지. 애초에 안스가 그럴 마음을 먹은 것부터가 잘못되었다. 무조건 잘못이었다. 그보다 고차원적으로 설명할 수가 없었다. 어떤 단어로 묘사할지 생각하자면 바보 같은 단어만 툭툭 튀어나왔기 때문에. '감히'? '어쩌다가'? '미쳐서'?

티티라는 그가 입 맞추기 직전에 멈추었다면 사뿐히 무시할 자신이 있었다. 잠깐 중심을 잃어 아찔했거나 그래서 기울었던 거겠지. 아니면 멀대 같은 게 나한테 기대고 싶었겠지. 아니면 뭔가 속삭이려다 까먹은 거겠지. 애정이 아닌 모든 방향으로 해석해 줄 수 있었다.

하지만 이젠 전부 글러 먹었다.

"너는 그렇겠지."

그의 목소리가 떠오를 때마다 주먹을 꽉 쥐었다.

네가 어떻게 그래.

티티라는 화가 나선 침대 위에서 굴렀다. 안스가 오랜만에 돌아와 머리칼을 잘라 주어야 하는데. 내 머리, 이제 큰일 났다.

그녀는 도저히 무슨 얼굴로 그를 마주해야 할지 상상이 가지 않았다. 이렇게 피하다 피하다 마침내 그를 만나면 그제야 제 최초의 반응을 관찰할 수 있을 것 같았다.

그러던 어느 날, 우스페히 씨가 자신을 붙잡았다. 업무실에 들어오는 안스를 보자마자 홱 돌아 나가려는 제 모습을 본 것이다. 새 사탕수수밭의 수확량에 대해 연설하다, 말을 끊은 채 도망가니 이상하셨겠지…….

"너희 무슨 일 있어?"

"……."

침묵이 흘렀다. 티티라는 언제라도 도망갈 자세로 몸을 빼고 있었다. 침묵 속에서 조금 더 멀리 떨어진 것 같기도 했다.

그 모습을 보던 우스페히 씨가 펜을 내려놓았다.

"이거 안 되겠군. 둘 다 상관 대기실에 가둘 테니 풀고 나와라."

"……."

"당장 안 내려가?"

티티라는 고개를 푹 숙인 채 뒤돌았다. 그녀는 바닥이든 벽이든 무생물에서 한 번도 눈을 떼지 않은 채 대기실로 뛰어 내려갔다.

문을 벌컥 열고 구석진 소파에 가서 앉았다. 이번에도 바닥을 내려다보았다. 그날 이후 벌써 일주일쯤 되었나? 안스의 코끝도 보기 싫었다.

문이 닫히는 소리가 들렸다.

티티라는 바짝 긴장해서 바닥에 가깝도록 몸을 숙였다. 웅크렸다. 동물처럼 귀를 기울였다. 그러나 움직이는 소리가 들리지 않았다.

그녀는 혹시 그가 아예 들어오지 않았나 해서 고개를 살짝 돌렸 — 홱 다시 바닥을 바라보았다.

"……."

"……."

"……."

"티."

이제는 그가 자신을 '티'라고 부르는 것도 싫었다. 그래서 대답하지 않았다.

"미안해."

꽉 쥔 주먹에, 힘이 조금 풀렸다.

그가 주저하며 걸어오는 소리가 들렸다. 세 발자국, 두 발자국, 한 발자국. 소파가 눌렸다.

티티라는 혼란스러운 가운데 말했다.

"저리 꺼져."

"미안해⋯⋯."

"이제 너 안 보고 싶어."

그의 숨소리가 약간 커졌다.

"티, 내가 잘못했어. 너는 그런 일도 겪었는데 내가⋯⋯."

방금, 뭐라고?

티티라는 한순간 머리끝까지 화가 치솟아 그를 돌아보았다. 시야를 뒤덮은 그의 얼굴이 엉망이라 전의를 잃을 뻔했지만⋯⋯.

"무슨 헛소리야! 내가 오트카저트를 겪었기 때문에 뭐 누굴 사귀지도 못한다고? 넌 내가 그랬으면 좋겠어?"

"⋯⋯그래도 내가 맘대로⋯⋯ 했으니까⋯⋯."

"그거나 그거나! 갑자기 오트카저트 이야기가 왜 나오냔 말이야! 아아아아아무 상관 없어! 나도 누굴 좋아할 수 있고, 사귈 수도 있고, 입 맞출 수도 있어! 나는 그냥 '네'가 싫은 거야!"

티티라는 덜컥 내뱉어 놓고 스스로 놀라 입을 다물었다.

안스의 어깨가 크게 들썩였다. 그의 안색이 순식간에 붉어졌다.

그녀는 그를 잘 알았다. 부끄러워서가 아니라 속이 울컥 치밀 때, 막다른 곳에 몰려 어찌할 바를 모를 때. 어릴 적 이후론 거의 보지 못한 얼굴이었다.

"아무튼…… 그런 거니까. 난, 난, 뭐가 됐든, 싫어."

"……."

"당연히 네가 싫은 건 아니야, 안스. 난 네 친구잖아. 그냥 네가 그러는 게…… 싫단 말이야. 너, 막, 날 생각하면서, 그래? 우웩. 이상하지 않아? 우리가 몇 년을 같이 살았는데."

그녀는 당황한 나머지 무슨 말이든 주워 삼켰다. 조금도 정제하지 않고 농담처럼 터뜨려 댔다.

"넌 나를 일곱 살 때부터 알았는데, 어떻게 남매처럼 자란 사이에서 그럴 수 있어? 난, 난, 진짜, 모르겠어. 내가 한 번이라도 그런 생각을 했더라면 솔직히 난 너랑 옆방에서 못 지냈을 거야. 아니, 일단 내가 미쳤다고 생각했을 거야. 우스페히 씨한테 가서 머리가 이상하다고 고백하고 치료받았을 거야."

그의 감정을 읽기가 힘들었다. 그녀는 굴러떨어지는 기분을 느끼면서 애써 그의 어깨를 툭 쳤다.

"난 너랑 '그런 짓' 하고 싶단 생각은 한 번도 안 해 봤어. 난 오히려 '그런 걸' 하는 사람들끼리 친해질 수 없는 것 같아. 그러니까, 오히려 너랑 '그런 걸' 할 생각을 안 했던 게 더 '진짜' 감정이라고."

안스는 무표정하게 바닥을 내려다보았다. 티티라는 갈 곳 없는 손을 내려 꽉 쥐었다. 긴장되었다. 방금 무슨 얘기를 했는지 하나도 기억이 나질 않았다.

"똑바로 얘기해."

"뭐, 뭘?"

"'그런 게' 뭔데?"

"뭐…… 입 맞추거나, 자거나…….."

"넌 내가 너랑 자고 싶어서 이러는 것 같아?"

티티라는 반사적으로 몸을 뒤로 뺐다. 식은땀이 오스스 돋았다. 그가 뭐라고 길게 이야기한 것 같은데, 안 들었다. 들었어도 금세 까먹었다. '안스가 정말 그런 생각을 한 거구나!' 그저 그런 확신이 들어 겁이 났다. 어떤 것에 대한 겁이냐 하면…… 완전히 무너진 신뢰와, 이상한 얼굴을 하고 있는 남자애에 대한 겁.

티티라는 물러나다가 소파에서 굴러떨어질 뻔했다. 안스가 가까스로 팔을 잡지 않았으면 정말 그랬을 것이다.

"놔!"

티티라는 방금 전 무슨 일이 일어났는지 망각하고 그를 뿌리쳤다. 안스는 놓지 않았다. 티티라는 헐떡였다. 발을 들어 그의 다리 사이를 걷어차려 했다.

"네가 제대로 앉아야 놔줄 수 있어."

"……너, 반대편으로 가. 내 옆에 있지 마."

안스는 그녀를 끌어당긴 뒤 팔을 놓았다. 그는 정말로 반대편 소파로 옮겨 갔다.

그의 얼굴은 아직도 새빨갰다. 아까와 달리 이제는 화가 나 있었는데, 그 감정을 읽자 더 거슬렸다. 결심했다. 우스페히 씨의 명령이 뭐든 당장 나가야겠다.

"알았어야 했는데."

목소리가 너무 낮아서 급기야 쉿소리가 났다. 티티라는 안스를 흘끗 바라보았다. 그에게서 이런 목소리를 듣는 것은 처음이었다.

"'자고 싶으니까 옆에 붙어 다니는 게 애인'이라고 하던 앤데."

"뭐가? 왜?"

안스가 얼굴을 감쌌다. 티티라는 갑작스레 그가 울까 걱정이 되었다. 억울했다. 나는 별말 안 했는데. 물론 토하는 척한 건 잘못했다. 하지만 나머진 잘못도 아니었고 다 진심이었다!

"난, 난, 세련되게 거절하는 법을 몰라, 안스. 내가 실수했으면 안타깝지만, 솔직히 안 미안해. 네가 먼저 그랬잖아. 갑자기 들이닥쳤는데 나한테 뭘 바라?"

티티라는 그를 달래다가 다시 한번 퍼부었다. 그녀는 머리를 감싸 쥐었다. 어떤 말로 시작하든 결론으론 제 본심이 나오고 있었다.

안스는 아무 말도 하지 않았다. 아까처럼 가까이 있기는커녕, 반대편 소파에 앉아 웅크린 채 얼굴에서 손을 떼지 않았다.

그래도 친구라고 그가 그러고 있는 모습을 보자 불쌍했다. 티티라는 주춤주춤 바닥에 쭈그려 앉았다. 오리걸음으로 안스에게 다가갔다. 안스는 그녀가 부산스럽게 다가오는 소리를 들었을 텐데도 조용했다. 손도 꿈쩍하지 않았다.

"안스."

"……."

"안스."

"……."

티티라는 고개를 절레절레 저었다. 손을 들어 그의 귀를 잡아당겼다.

"안스, 난 여전히 너를 좋아해. 그러니까 계속 친구로 남고 싶어.

내가 스무 살이 되어도, 서른 살이 되어도, 오십이 되어도, 아니,
네가 결혼을 해서 아이가 생겨도 계속 친하고 싶어."

"……."

"에이, 내가 양보한다. 상단 분할 안 할게. 네가 내 밑에서 일할
수 있게 해 줄게. 됐지? 그럼 진짜 계속 같이 있을 수 있잖아."

"……."

안스는 꿈쩍도 안 했다. 티티라는 아까 전 급박하던 감정을 분실
한 채 점차 지루하단 생각에 빠져들었다.

"그러면 우스페히 씨한테 가서 우리 둘 상황을 이야기하고 둘 중
에 누가 잘못했는지 가려 달라고 하자. 한 표로 부족하면 블리조
씨랑 이즈고랄 씨랑 투크 바하 씨도 부르자."

"……."

"너 계속 말 안 할 거야? 내가 어떻게 해야 하는 건데?"

"……됐어."

그의 동굴 속에서 목소리가 들렸다.

"응? 됐어? 그럼 일어나 봐. 얼굴 보여 줘."

안스는 잠시 한숨을 쉬더니 고개를 들었다. 티티라는 내심 그가
울었을 거라 생각했는데, 예상보다 멀쩡해서 깜짝 놀랐다.

"다 괜찮은 거지?"

그녀는 그를 다그쳤다.

"그래."

"좋아! 그럼 이제 날 안 좋아하는 거지?"

"노력해 볼게."

티티라는 문제가 해결됐다는 생각에 신이 나서 그를 껴안았다.

그는 잠시 멈칫했으나, 곧 제 등에 손을 올렸다. 힘이 들어왔다. 조금 과하다 싶었지만 따뜻했다. 기분이 좋았다.

"안스. 그럼 나도 시계탑 일은 잊어 줄게. 너도 잊어. 알겠지?"

"어."

일이 잘 풀리자, 말할 때마다 웅웅 울리는 그의 몸도 좋았다. 이렇게 친구처럼 지낼 수 있으면서 왜 그랬대? 잠깐 착각한 거 아냐? 티티라는 스스로 이야기해 놓고서도 확신했다. 착각한 건가 봐! 시계탑 분위기가 그날따라 묘해서 친구가 휩쓸린 거야. 특히 요새 몹쓸 선원 놈들이랑 항해를 자주 다녔으니 물든 것도 무리는 아니지.

티티라는 그의 무릎 위로 기어 올라갔다. 껴안은 손을 풀고서 그의 얼굴을 잡아당겼다.

"다시는 그러지 마. 너 혼자 착각하면 됐잖아. 왜 남까지 혼란스럽게 해?"

"……."

"네 항해 생활이 어땠는지 정말 구경 가고 싶네. 질 나쁜 놈들만 있는 거 아니야? 어떻게 착한 너한테 그런 생각을 심어 줘?"

"난 안 착해. 자꾸 그러지 마."

"나한텐 착해 보여."

"너한테만 착하니까."

"맞아, 그건 그래."

티티라는 기지개를 펴며 몸을 빼내려 했다. 그러나 허리를 껴안은 손이 단단했다. 몇 번 쾅쾅 부딪쳐 봤으나 그는 전혀 놓아줄 생각이 없어 보였다.

티티라는 눈을 깜빡이며 항의했다.

"뭐야? 나갈 거야."

"잠깐만……. 화해했으니까 이렇게 잠깐만 있으면 안 돼?"

그녀는 어깨를 으쓱인 뒤 다시 엎드렸다. 어차피 날 안 좋아한다는데, 뭐.

그는 크고 따뜻한 소년이었다. 그런 그에게 안겨 있는 것은 몸이 노곤해지는 일이었다. 티티라는 하품을 한 번 했다. 어깨에 머리를 기댔다.

"안스, 항해 너무 자주 가지 마."

"……."

"난 네가 없는 소조폴에 익숙해지기 싫어."

"……."

그녀는 그의 향을 들이켰다. 그다워서 좋았다. 역시 제 친구였다. 변하지 않고 그 자리에 있었다. 눈을 살짝 감았다. 무슨 고민을 하려 했던 것 같은데…… 피곤했다……. 안스가 좋았다…….

티티라는 벼락같은 충격에 깨어났다.

"아야!"

그녀는 눈물이 찔끔 나는 아픔에 뒤를 획 돌아보았다. 등짝이 아릿아릿하다 했더니, 아니나 다를까 블리조 씨였다. 어리둥절한 채 주변을 둘러보려니 코앞에는 안스가 있었고, 그는 자기보다 먼저 맞은 듯 머리를 감싸 쥐며 신음하고 있었다. 주변은, 상관 대기실?

"내가 미친다. 너희 둘, 여기서 남들 부끄럽게 뭐 하는 거냐? 얌전한 고양이가 굴뚝에 먼저 올라간다더니, 이게 뭐야?"

"제…… 가…… 뭐요! 아! 제가 뭘 잘못했어요! 아파요!"

티티라는 더듬거리다 원기를 회복했다. 안스를 내팽개치곤 소파 위에서 벌떡 일어섰다.

"저한테 왜 그러세요!"

"너희가 너무 안 나온다기에 문을 열었더니, 아이고. 너흰 이렇게 들어온 게 내가 아니었으면 어쩔 뻔했어? 그리고 안스 네놈, 네놈은 뭐가 문젠지 알면서도 이따위 짓을 해?"

"안스한테 왜 그러세요!"

"티티라, 넌 그만 빠지는 게 좋겠다. 대답하기가 정말 미치게 귀찮군."

티티라는 블리조 씨의 말에 뿔이 났다. 하지만 강철 같은 선생님이 밀치는 힘에는 당할 수가 없었다. 그녀는 힘에 밀려 카펫 위로 크게 누웠다. 납작해진 세상 속에서 블리조 씨가 다시 한번 안스의 등을 때리는 게 보였다.

"네놈은 정신머리가 없군. 가뜩이나 그런 걸 생각할 경황도 없는 애한테."

"……."

"한 번만 더 이런 짓을 해 봐. 남들한테 보이는 게 문제가 아니라 네 문제다, 네 문제!"

"안스 괴롭히지 마시라니까요!"

"넌 가만히 있어!"

그의 불호령에 티티라는 입을 다물었다. 그녀는 그가 장난으로 자신을 때린 줄로만 알았다. 그러나 다시 보니, 블리조 씨는 정말 화가 나 있었다. 그는 손을 한 번 더 올렸다가, 한숨을 쉬며 꾹 움켜쥐었다. 왜 저렇게 화가 나신 걸까?

이상하게도 안스는 한마디도 하지 않았다. 부당하게 맞으면서도 묵묵했다. 아니, 마침내 입을 열었다.

"죄송합니다."

"넌 이즈버르로는 안 되겠다. 스마흐로 가라. 항해가 아니라 부상관에 머물면서 일을 도와라. 반년은 돌아오지 마."

"안스, 멀리 보내지 마세요!"

"넌 우스페히 씨에게 이야기하면 죽은 목숨이야, 이놈아."

"티도 알아요……."

블리조 씨가 의심하는 눈빛으로 그녀를 돌아보았다.

"안다고?"

그 어조는 마치 '세상에 유령이 존재한다는 걸 안다고?'처럼 들렸다. 티티라는 무슨 말인지 몰라 고개를 기우뚱했다.

"뭘 알아요?"

"너 이 자식, 거짓말을 해!"

"제가 좋아하는 거, 티도 알아요."

"아아, 그거요. 알아요."

블리조 씨의 분노는 한순간 갈 곳을 잃었다. 덩치가 산만 한 그의 눈이 동그랗게 뜨였다가, 방황했다가, 안스와 자신 사이에서 흔들렸다.

"아! 그런데 안스는 이제 그만하기로 했어요."

"뭐……?"

"앞으로는 절 안 좋아할 거래요."

"뭐!"

블리조 씨의 눈에 다시 영혼이 돌아왔다. 그는 으르렁대며 다시 안스에게 다가갔다. 티티라는 답답한 마음에 그의 바짓가랑이를 붙들고 늘어졌다. 그러나 그가 그녀를 장애물로도 치지 않았기에, 그의 격분에 이리저리 흔들리며 어쩔어찔해야 했다.

"뭘 그만해? 엉? 네가 나도 속일 수 있는 줄 알아?"

"……."

"당장 짐 싸서 스마흐로 가!"

"……."

"안스가 뭘 잘못했다고요!"

"나도 피하는 데 지친다. 그래, 말해 주마. 안스가 너를 무릎 위에 둔 채 껴안고 잤잖니."

티티라는 심각하게 듣다가 어리둥절해졌다. 그게 끝이야?

"그래서요?"

대답은 없었다. 대신 안스가 한 대 더 맞았다. 티티라는 정말 걱정이 되어서, 더 이상 질문하지 않기로 했다. 이상하게도 블리조 씨는 자신이 영문을 모를 때마다 화산처럼 불기둥을 뿜는 것 같았다.

"일어나! 스마흐로 갈 준비해라!"

"……잠깐 내려가 보라 했더니…… 상황을 모르겠군, 블리조."

티티라는 구세주를 만난 것처럼 상체를 벌떡 들었다. 문 앞에는 우스페히 씨가 서 있었다. 그는 상황을 보더니 등으로 문을 밀어 닫았다.

"우스페히, 이놈들이 부둥켜안고 자고 있더라 이거야."

그녀는 도저히 이해할 수 없는 사태였지만, 우스페히 씨조차 갑작스레 심각한 표정이 되었다. 티티라는 이 왜곡된 세계에서 벗어나고 싶었다. 자신이 남들의 이해를 따라가지 못한 역사가 없었는데, 생소한 감각 탓에 너무도 답답했다.

"안스, 개인적인 것을 '설명하라고 말하지 않겠다. 하지만 나는 네가 티티라에게 해를 끼친다면 제거해야 해."

티티라는 멈칫했다.

우스페히 씨는 굉장히 차분한 태도로 잔인한 말을 하고 있었다. 그녀는 안스를 제거하지 말라고 간청하려다가, 도저히 그럴 분위기가 아니라 카펫만 쥐어뜯었다.

"너를 티티라만큼 아끼지 않아서가 아니다. 네가 생각없이 일을 저지르면, 내 자산을 양쪽으로 해치는 셈이기 때문이다. 너는 스스로를 망치고 티티라는 고통스러워지겠지. 나는 그 상황을 좌시할 수 없어."

"……."

"네 욕심으로 그랬니?"

"저는—"

"안스가 저한테 좋아한다고 고백했어요! 저는 전혀 아니니까 화를 냈는데요. 결국 쟤도 이해했어요. 그래서 저를 더 이상 안 좋아하겠다고 맹세했어요! 화해의 표시로 안았는데 제가 그만 졸려서 잔 거예요!"

우스페히 씨가 자신을 돌아보았다.

무슨 일인지는 몰라도, 명백하게 상황을 설명해야 한다는 압박감에 시달린 티티라는 새하얗게 질려 있었다. 안스가 제대로 대답하지 못하면 무언가 큰일이 일어날 것 같다는 직감이 들었다.

"안스, 사실이야?"

"……네."

"그러면 왜 블리조에게 고분고분 맞고 있었지?"

"······."

티티라는 발을 동동 굴렀다.

안스는 아무 말도 하지 못했다.

"안스—"

"티티라 돔니니, 조용히 해라."

"······."

블리조 씨가 이마를 짚는 모습이 보였다. 차라리 그가 안스를 때리던 때가 나았다. 지금은 무서웠다······.

"안스, 너는 네 욕심에 티티라를 다치지 않게 한다고 약속할 수 있겠니?"

"네."

"그래. 그때가 오면 연을 끊을 생각을 해라. 이렇게 말하는 내가 원망스러워도, 티티라가 무엇을 겪었는지는 나보다 네가 더 잘 알겠지."

"······."

"잘 처신해라."

우스페히 씨는 돌려 말하지 않았다. 그것은 티티라에게도 마찬가지였다.

"티티라."

"네······."

"안스가 한 치라도 오트카저트처럼 굴면 내게 와라."

티티라는 말도 안 되는 소리에 하얗게 질렸다.

"무슨, 무슨 말씀을 그렇게 하세요······."

"약속해."

"안스는 안 그래요. 쟤는 그렇게 못 해요. 절대."

"넌 오트카저트가 그렇게 될 줄 알았니? 사람이란 게 원래 그런 거야. 약속해."

"……알겠어요."

우스페히 씨는 마지막으로 안스를 한 번 바라보고, 돌아 나갔다.

블리조 씨도 한숨과 함께 뒤따라 나갔다.

안스에게 무슨 말을 하려 했으나, 그 역시 고개를 저은 뒤 빠져 나갔다.

티티라는 혼란에 빠진 채 바닥에 동그마니 앉아 있었다.

방금 무슨 일이 벌어진 거지?


그들은 다음 날 어색하게 방문 앞에서 만났다. 안스는 배낭을 들고 있었는데, 티티라는 그가 다시 항해를 떠나는 줄로만 알고 놀랐다.

"또 떠나?"

그 말에 들어찬 실망감에는 티티라 스스로마저 놀랄 정도였다.

"방을 옮기는 거야. 위층으로."

그녀는 눈을 깜빡였다. 이것은 그가 잠깐 배를 타는 것보다 더 심각한 일이었다.

"왜? 싫어."

"우스페히 씨가 옮기라 하셨어."

안스는 이상한 표정을 지었는데 아무래도 웃으려다 실패한 것 같 았다.

"멀리 가는 것도 아니고."

"너는 옮기기 싫지?"

"……."

정말 많은 일이 있던 방이었다. 그가 어렸고, 그가 자랐고, 그가 일을 배웠고, 또 자신과 함께했던 방. 티티라는 자기 방을 잃는 상상을 해 봤다. 끔찍했다.

"설마, 네가 나를 잠깐 좋아했다고 그러시는 거야? 가까이 있으면 안 된다고? 네가 나한테 무슨 짓이라도 할까 봐?"

"……."

"내가 말리러—"

"티, 하지 마. 내 잘못이야."

티티라는 바닥에 발을 굴렀다. 하지만 안스는 고개를 저으며 제 갈 길로 올라갔다. 그녀가 따라잡았으나, 그는 굳건했다. 정말 이사하기로 결심한 사람처럼 보였다.

"우스페히 씨가 강요하신 거면 내가 말려 준대도."

"우스페히 씨가 더 화내실 테니 하지 마."

"넌 안 해 보고 어떻게 아는데?"

티티라는 그를 툭 치고 계단을 두 칸씩 뛰어 내려갔다. 안스가 다시 한번 제 이름을 불렀지만 —"티!"— 무시했다.

그리고 곧장 본관으로 달려갔다. 내려갈 때와 마찬가지로 계단을 두 칸씩 올라갔다.

그녀가 층에 다다랐을 때, 업무실 문이 벌컥 열렸다. 티티라는 반사적으로 손님에게 고개를 숙였다. 우스페히 씨의 인사 소리, 누군가 제 옆으로 지나가는 기척을 느끼며 가만히 예의를 지켰다. 그녀는 우스페히 씨에게 부탁해야 하는 입장이었다. 어떻게든 믿음

직스러운 분위기를 만들어야 했다.

"무슨 일이냐?"

"……우스페히 씨, 안녕하세요."

"그래."

"안스의 방을 유지해 달라고 말씀드리러 왔어요."

"그럴 줄 알았다. 안 돼."

티티라는 울컥해선 우스페히 씨를 바라보았다. 그는 안경을 벗어 닦고 있었다. 그 모습이 그를 더욱 냉정하게 보이도록 했다.

"안스는 아무 잘못도 안 했습니다."

"잘못은 이미 저질렀어."

"뭐요? 껴안고 잔 거요?"

"티티라, 내 말을 들어. 나는 안스가 괜찮은 사람이라 생각하지만 그의 자제심에 대해서는 모른다."

그녀의 얼굴이 벌게졌다.

"저는 안스와 십 년을 같이 있었는데, 이젠 단둘이도 못 있나요? 그렇게 만드실 거예요? 안스를 그렇게 취급하면 걔는 더 병들 뿐이에요. 저도 난처하고요. 제발 그러지 마세요."

"네가 보통 아이다웠다면 무엇을 신경 썼겠느냐. 하지만 이미 일을 그르쳤으니 앞으로 혹시 모를 실수를 방지하는 편이 낫다. 물론 안스에게는 미안한 마음이 있다. 그 애보다는, 어렸던 너를 살피지 않은 내 잘못이 크겠지."

"무슨 말씀이신지……."

"방은 옮겨야 한다. 번복 안 한다."

"삼 층은 아예 자물쇠를 채워 놓지 그러세요?"

"너는 일주일 근신이다."

티티라는 씩씩거렸다. 하지만 우스페히 씨는 더 기다리지도 않고 눈앞에서 문을 쾅 닫아 버렸다.

그녀는 자신을 말리던 안스를 생각하며 약간의 패배감을 느꼈다. 그가 맞았다. 우스페히 씨는 본인의 논리에 따라 결정을 내리면 절대 번복하지 않는 사람이었다.

그렇게 용맹하게 달려갔던 기억을 까마득히 둔 채로, 그녀는 터덜터덜 걸어 내려왔다. 우스페히 씨가 제게 감시를 붙이진 않겠지만, 어차피 자신은 그의 명령을 어길 수도 없었다.

티티라는 우울하게 제 방으로 들어섰다.

조금 뒤, 부산스러운 소리가 나더니 안스가 방문으로 고개를 내밀었다.

"다녀왔어?"

그는 침대 위에 쭈그려 앉아 있는 티티라를 보곤, 묻지 않아도 답을 깨달은 모양이었다.

안스가 웃었다. 오랜만에 보는 그의 '진짜' 웃음이었다. 그는 저벅저벅 다가와 침대에 앉았다.

"그러게 가지 말라고 했잖아."

"일주일 근신이야."

"거봐라."

"진짜 말도 안 되고 너무해."

"아냐. 내가 짐을 옮기면서 생각해 봤는데 이게 맞는 것 같다."

"너 진짜 '그럴' 거야?"

티티라가 빽 소리를 질렀다. 안스는 당황한 표정으로 허리를 뒤

로 뺐다. 맞을까 봐 피한 모양이기에, 그녀는 실제로 때려 주기로
했다. '퍽퍽' 소리가 날 정도로 어깨를 두드렸다. 그는 다섯 대쯤 맞
다가, 미꾸라지처럼 피해 그녀를 고꾸라트렸다.

"티, 아파."

"네가 옮기는 건 너도 '그럴' 수 있다고 생각하는 거잖아!"

티티라는 억울함과 경멸을 담아 외쳤다.

안스는 어깨를 으쓱였다.

"그거야 모르지."

티티라는 성벽처럼 부정해도 모자랄 녀석이 저러고 있다는 게 분
통이 터졌다. 사실 자신도 확신이 없었기에, 그가 확신해 주길 기
다렸는지도 몰랐다.

"나는 절대 그러지 않겠지만, 우스페히 씨 말씀이 맞다는 생각이
야. 오트카저트가 그렇게 될 줄 알았냐?"

"너는 알았잖아!"

그는 잠깐 할 말을 잃은 것처럼 두리번거렸다.

"……아무튼."

"야."

"우스페히 씨 말씀은 항상 곱씹을수록 의미가 있어. 난 더 생각
해 볼 거야. 그 정돈 나쁠 거 없지?"

티티라는 한 번 더 항의하려 했다.

그러나 안스는 그녀가 무언가 말을 건네기도 전, 방을 떠났다.


안스가 제 옆방에 없는 첫날 밤, 티티라는 우울하게 창밖을 내다
보았다. 벽을 툭툭 두드려도 텅 빈 옆방에선 대답이 없었다. 평생

동안 주고받던 수신호였는데 말이다. 그가 항해로 자리를 비웠을 때도 상황은 비슷했지만, 이제는 소꿉친구 안스가 정말 영원히 사라졌다는 느낌이 강하게 들었다.

그녀는 툭툭 벽을 두드리다가, 쾅쾅 두드리다가, 마지막으로 발로 걷어찼다. 쌕쌕 거친 숨을 내쉬며 창틀 위로 쓰러졌다. 아래로 바람을 후 불다가 침도 퉤 뱉어 봤다. 평생 안 하던 짓이었지만 지금 이 상황에 불만을 나타내기 위해서라면 뭐든지 할 예정이었다.

갑자기 위에서 창문이 열리는 소리가 들렸다.

티티라는 위를 올려다보려다가, 그도 이사하는 데 동의했다는 생각이 문득 떠올랐다. 그래서 다시 눈을 크게 뜨고 꿋꿋이 앞만 내다보았다. 고집 세게 대화를 거절했다.

무언가, 작은 꾸러미가 눈앞으로 떨어졌다. 줄에 동동 매인 보자기였다. 티티라는 어이가 없어 위를 올려다보았다.

"뭐야?"

안스가 웃으며 자신을 바라보고 있었다.

"받아 봐."

대롱대롱.

티티라는 구시렁거리며 꾸러미를 턱 잡았다. 묶인 줄을 풀곤, 짐을 들고 방 안으로 쏙 들어갔다.

천을 풀어내자 여러 잡동사니들이 들어 있었다. 삐뚤삐뚤한 제 글씨체로 '바보만 들어갈 수 있는 방'이라고 쓰인 종이가 하나 있었다. 그녀는 킬킬 웃었다. 아마 아홉 살 때쯤 건물 위에서 그가 쏟은 물을 맞고, 머리끝까지 화가 나서 붙인 것 같았다. 물론 자신은 그리 만만하지 않았기에 지 쪽지를 무시하고 들어가면 함정에 걸리게 만들었고, 안스는 한동안 허리를 제대로 못 펴고 다녔다.

그녀는 종이쪽지를 밀어 놓고 이번에는 제 책갈피를 발견했다. 이게 어디 가 있었나 했더니 거기 숨어 있었네! 티티라는 탄성을 지르며 책상 위로 던졌다. 심지어 그 아래로 그녀가 아끼던 펜대, 실내화 한 짝도 있었다. 티티라는 급기야 의심했다.

창문으로 고개를 빼냈다.

"야! 이거 다 네가 훔쳐 간 거 아냐?"

안스는 창틀에 앉아 있는 듯했다.

"내가 그딴 걸 왜 가져가냐?"

"너 이 펜촉 갈이가 얼마나 좋은 건 줄 알아? 블리조 씨가 남부에 다녀오면서 사다 주신 거라고. 내가 열네 살 때 잃어버리고 온 상관을 뒤졌는데!"

"내 침대 바닥에 있더라."

"내가 왜—"

"다 확인했어? 또 있어."

"도둑놈—"

"싫으면 말고."

"……."

티티라가 인상을 썼지만, 그는 어깨를 으쓱이곤 말았다. 저게, 내가 바로 옆방으로 달려갈 수 없다고 까분단 말이지. 그녀는 고집 세기로는 둘째가라면 서러운 사람이었다. 벽에 오돌토돌 튀어나온 돌기와, 창틀을 바라보았다. 흠.

이윽고 티티라는 제 방 창틀을 밟고 일어섰다. 안스의 눈이 크게 뜨였다. 그가 무어라 외치기도 전에, 미리 생각해 둔 경로대로 건물을 타고 올랐다. 한 층 정도야 가뿐했다. 그녀는 곡예단 재주꾼처럼 재빠르게 등반했다.

당장에 안스의 놀란 얼굴이 시야에 들어왔다. 그녀는 마지막으로 안스 방의 창틀을 부여잡은 뒤, 다리부터 집어넣었다.

"비켜."

그녀는 계단을 올라오는 것보다 쉽다고 생각했다.

개선장군처럼 방 안을 둘러보았다. 아니……!

"방이 훨씬 넓어졌잖아!"

안스를 돌아보았으나 그는 아직도 얼떨떨한 표정이었다.

티티라는 새집을 살펴보는 깐깐한 노인처럼 돌아다녔다. 원래 빈 방이었던 모양인지, 가구는 모두 안스를 위해 새로 들인 것처럼 반짝반짝 빛이 났다. 나무라 해도 빛이 날 수 없는 것은 아니다. 오히려 빛이 나야만 좋은 소재라고 할 수 있었다. 새 침대, 새 책상, 새 책장, 새 옷장, 새 거울……. 티티라는 억울하다는 듯 말했다.

"나는 아직도 일곱 살 때 쓰던 침대를 쓰는데!"

"넌 그때부터 키가 안 자랐잖아."

티티라는 바닥에 있는 책을 주워 던졌다. 그는 그것이 창문을 넘어 떨어지는 것을 막다가, 바닥에 고꾸라졌다. 꼴좋다.

"너 똑바로 이야기해. 네가 위로 올라가게 해 달라고 빌었지……? 이건…… 전부 지나치게 좋아. 우스페히 씨 업무실 같아……. 다 새 거잖아……. 그리고 어떻게 방이 두 개나 돼! 이제…… 네가 책상에 앉아 있으면 침대에 누워서 괴롭힐 수가 없잖아……."

티티라는 경악에 찬 눈으로 침대에 털썩 쓰러졌다. 보는 것 이상으로 누우니 더 놀라웠다. 그녀가 사지를 최대한 늘려도 가장자리

에 전혀 닿지 않았다. 티티라는 충격받은 짚 인형이 되어 천장을
바라보았다.

"너…… 이런 침대를…….''

안스는 무슨 반응을 보여야 할지 몰라 어색하게 웃는 듯했다.

"너 이리 와 봐…….''

티티라는 벌떡 무릎을 꿇고 일어나 창문 앞에 서 있는 그를 끌어
당겼다. 그는 방심하다 균형을 잃고 떨어졌다. 침대에 '푹' 하고.

"가장자리에 누워 봐."

그는 어설프게 대나무 벌레처럼 누웠다. 티티라는 아까와 똑같이
팔다리를 쭉 뻗어 보았다. 침대 바깥은커녕, 가장자리의 안스조차
닿지 않았다.

그녀는 확 굴러 웅크렸다.

"침대가 내 방만 하네."

"그 정돈 아니야."

"나도 방 옮길래."

"너 근신이잖아."

티티라는 일곱 살 때부터 십 년간 한 번도 제 방에 불만을 가진
적이 없었다. 그런데 아까 우울한 얼굴로 나간 녀석이 이렇게 좋은
새 방을 가지게 되다니. 사기당한 기분이었고, 제 방도 싫었다.

"티."

그의 목소리는 살짝 위에서 들렸다. 가까이 온 그 덕에 침대가
약간 눌린 것이 느껴졌다.

"근신 풀리면, 원래 내 방을 터서 써. 도와줄게."

"난 새 가구도 가지고 싶어."

"우스페히 씨가 그것도 못 해 주실까."

"이거, 침구도 새거 아냐? 정말 좋아."

티티라는 눈물 날 것처럼 부드러운 이불을 매만졌다. 확 끄집어내, 얼굴에 묻었다. 눈처럼 뽀얗고 연했다. 말도 안 돼. 안스 저 녀석은 이런 고급품을 누릴 자격이 없어⋯⋯. 티티라는 손님들에게 넘어갈 상품으로만 품질 좋은 면화를 보다가, 이렇게 직접 겪으니 벼락 맞은 기분이 되었다. 이래서 부자들이 좋은 면화에 환장하는구나.

"이것도 우스페히 씨가 사 주신 거지⋯⋯?"

티티라는 아예 이불 속에 들어갔다. 일자로 누워 머리부터 발끝까지 덮은 이불을 느꼈다. 사람이 죽을 때 그 위로 고운 천을 덮는다는데 딱 그 꼴이었다.

"너무 좋다."

티티라의 입 근처 이불이 부풀어 올랐다가, 다시 가라앉았다.

그녀는 제 얼굴 위 이불이 걷힐 때까지 감탄만 하고 있었다. 불쑥 안스의 얼굴이 나타났다.

"티, 이러지 마."

"네 돈 주고 산 것도 아닌데."

"아니⋯⋯."

"이불만 나 주면 안 돼?"

안스는 한숨을 쉬었다. 그리고 곧장 누가 찌르기라도 했는지 침대 위로 엎어졌다. 왜 저래? 티티라는 인상을 찌푸렸다.

안스는 이불에 얼굴을 묻은 채로 웅웅거렸다.

"입 맞춘 건 다 까먹었어?"

티티라의 얼굴이 순식간에 붉게 달아올랐다. 부끄럽다기보단 무안했다. 같은 표현이지만 조금쯤 달랐다.

"우스페히 씨가 말씀하신 것도 까먹고?"

그녀는 그가 너무 짜증 났다. 애써 '갈등을 봉합'하고 '문제를 해결'했는데, 그는 계속 같은 무기로 지분거리고 있었다. 우리, 그걸 뒤로하고 나아가자고 약속한 거 아니었어?

"안스, 너 나 안 좋아한다면서."

"노력한다고 했잖아."

"그럼 노력하면 되지. 왜 쓸데없는 말을 덧붙여?"

"……."

"자꾸 이러면, 난 다시는 너랑 말 안 할 거야."

안스의 어깨가 움찔했다. 티티라는 그에게 기어가 몸을 흔들었다.

"난 널 친구라고 생각하고 친구처럼 대하고 있어. 솔직히 시계탑에서 있었던 일은 벌써 까먹었어."

정적. 아무래도 그는 죽은 것 같았다.

"안스, 다른 얘기 하자."

"……."

"우스페히 씨가 정말 너한텐 성姓을 주실 생각이 없으시대? 난 여덟 살에 받았는데, 너도 그 나이나 먹었으니 서명할 때 필요하잖아."

"……."

"좋은 생각 났다. '안스'가 이름이고, '카리우스'가 성인 거지. 나 완전 똑똑하다. 이렇게 해 봐. 어차피 네 뒤 이름은 기억하는 사람도 없잖아."

"……."

"사실 예전에 네가 블리조 씨랑 처음 술 마시고 맛이 갔을 때 들었는데, 우스페히 씨가 너한테 성을 안 주는 건 이유가 있다 하시더라고. 너도 이미 알겠지만, 네 문신 있잖아. 너 아직 있지?"

티티라는 의심쩍은 듯 그의 옷을 어깨 쪽으로 잡아당겨 내렸다. 문신은 여전히 선명했다. 누가 살에 그려진 것을 늘인 것 같지도 않았고, 세월에 못 이겨 흐려지지도 않았다. 그냥 열 살 때와 마찬가지로 모양 좋게 선명했다. 달라진 것은 자신의 팔뚝과 다를 바 없는 꼬챙이에서, 무언가 덕지덕지 붙은 불쾌한 덩어리로 변한 어깨뿐이었다. 티티라는 옷을 찰싹 놓아주곤 다시 내려다보았다.

안스는 꿈쩍도 하지 않았다. 진짜 기절했나? 그녀는 그의 얼굴을 보기 위해 있는 힘껏 그를 굴렸다. 그는 무겁긴 해도, 뿌리박혀 있는 나무라기보단 그냥 쓰러져 있는 돌덩이 같았기에 굴리는 데 문제가 없었다. 티티라는 얼굴을 가린 안스를 천장을 보는 자세가 되도록 굴렸다. 그리고 만족스레 팔짱을 꼈다.

"저 문신이 말이야, 다른 걸 수도 있대. 그래서 우스페히 씨가 너한테 굳이 성을 주지 않으시겠단 거야. 근데 그 '다른 게' 뭘까? 넌 그냥 도망 노예잖아. 가격이 안 쓰여 있어 다행일 뿐이지."

"……."

"야, 야."

티티라는 그를 흔들었다. 그러나 그의 팔은 눈가에 붙은 듯 꿈쩍하지 않았다. 그녀는 옛날처럼 그의 배에 주먹을 꽂을까 하다가, 아무래도 비겁한 전술이라 그만두었다.

"안스카아리우우스."

"……."

"대답 안 하면 다음 항해에서 물에 빠져 죽을 거야."

"……."

"여기 있는 새 가구들 내가 다 가질 거야. 침구도."

"……."

도통 통할 것 같지가 않았다. 정신을 잃었나 싶어 체중을 실어 요리조리 팔을 당겨 봐도 소용없었다. 누군가 누운 안스의 시체에 아교를 붙여 굳힌 것 같았다.

"아이, 씨."

티티라는 결국 비겁한 수단을 쓰기로 했다. 그녀는 무릎으로 일어서 그의 배를 타 넘었다. 네가 자초한 거지. 티는 안타까운 마음으로 체중을 실어 앉았다.

"컥, 크흑!"

마침내 그가 거칠게 기침을 터뜨렸다. 거봐, 살아 있었잖아. 티티라는 그가 콜록콜록 기침을 터뜨리는 위에서 만족스럽게 균형을 잡았다.

그러나 그는 좀처럼 기침을 멈추지 못했다. 마침내 눈에서 팔뚝을 떼곤 옆을 짚었다. 벌겋게 달아오른 그의 얼굴이 보였다. 그가 어찌나 격렬하게 기침을 터뜨리던지, 티티라는 결국 옆으로 밀려 고꾸라질 수밖에 없었다. 물론 곧장 다시 반듯하게 앉아선 그의 가슴팍을 두드렸지만.

"무시하는 건 나쁜 버릇이야. 옛날부터 자기가 불리할 때마다 그러더니, 변하질 않네."

"무시한 거, 콜록! 아냐."

"그럼 왜 그렇게 누워 있었는데? 나처럼 이불 감상이라도 하셨나."

안스는 그녀 때문에 제대로 일어나질 못하고 계속 어설프게 콜록 댔다. 티티라는 개선장군처럼 안스를 타고 있었다.

점차 충격이 잦아들자, 그가 짜증스레 말했다.

"……비켜."

"무시하면 또 공격할 거야."

안스는 그녀를 밀쳐 냈다. 순간적으로 배에 힘을 주었지만, 아무 소용 없었다. 그녀는 드넓은 침대 위로 굴렀다. 아니, 튕겨 나갔다고 표현하는 편이 맞겠다. 그녀는 심지어 침대 바깥으로 나갔다. 다행히 다리부터 떨어졌지만, 바닥에 부딪친 무릎이 아팠다.

티티라는 앓는 소리를 내며 무릎을 감싸 쥐었다.

"아…… 진짜 너무하네."

"네 물건 저기 있어."

그는 바닥에 놓여 있는 궤짝을 손가락질했다.

안스는 으르렁댔다.

"안 나가면 내가 들어서 내보낸다. 그리고 앞으로 내 방에 허락 맡고 들어와."

"뭐? 누구 맘대로."

그녀는 진심으로 억울해졌다.

"안 그러면 우스페히 씨한테 말씀드릴 거야. 그러면 너도 좋은 방을 가질 수 있겠지. 본관에서 말이야. 우스페히 씨랑 잘 지내 봐라."

티티라는 항의하려 했지만, 한편으로는 지쳤다.

"아, 됐다. 내가 무슨 말을 하겠어. 저건 내일 알아서 가져다 놔……. 내 방문 앞에 던져 놓든 해."

그녀는 터덜터덜 일어서 문을 나섰다. 그녀가 마지막으로 돌아봤을 때, 그는 자신이 뒹군 이불을 정리하고 있었다. 웃기는 자식.

티티라는 제 불만의 크기만큼 세게 문을 닫았다. 쾅 소리가 온 건물을 울렸다.

걸어 내려가며 생각했다. 이전처럼 친구로서 멀쩡하게 대해도 싫다면, 안스는 대체 뭘 바라는 걸까? 내가 어떻게 해야 저 애가 예전으로 돌아올 수 있을까? 그가 진정할 때까지 멀리 떨어져 있으라고? 그랬다가는 그가 자신을 좋아하는 것보다 더 나쁜 일이 벌어질 수도 있었다. 그러니까, '어른이 되며 영원히 멀어지는' 일.

그녀는 이 층 복도로 접어들려다가, 제 방에만 들어온 불에 기분이 나빠졌다. 결국 멈추지 않고 내려갔다. 텅텅 빈 건물 일 층으로 접어들었다.

티티라는 눈을 감고도 걸어갈 수 있는 홀을 지나, 주방 옆에 붙은 욕실로 들어갔다. 문을 단단히 걸어 잠그고, 이곳저곳 불을 붙였다. 욕실은 금세 환해졌다.

그녀는 양손으로 냄비를 들어다 물을 가득 받았다. '으쌰' 소리 한 번에 무거운 냄비를 벽난로 위에 걸곤 뿌듯하게 손을 털었다. 시원한 물을 큰 통에 받고, 더 받고, 벽난로의 물이 끓자 열심히 들어 통에 쏴아아 부었다. 음, 아직 이 온도는 아냐. 그녀는 여러 번 더 같은 행동을 반복했다. 마침내 물 온도와 양 모두 그녀의 마음에 찼다.

티티라는 옷을 벗었다. 주섬주섬 바지와 상의를 던졌다. 속옷은 벽난로 위에 걸었다.

그녀는 아무 생각 없이 물에 들어가려다가, 잠깐 물에 비친 제 가슴을 바라보았다.

음.

티티라는 가슴을 받쳐 보았다. 아, 모르겠는데. 애초에 처음 튀어나올 때부터 귀찮기만 했던 가슴이었다. 그래도 몇 년 전엔 그냥 다녔지만, 최근 들어선 달릴 때 모래주머니를 휘두르는 느낌이라 결국 천으로 졸라맸다. 진짜 짜증 났다. 한번 공중으로 떠오를 때마다 자신과 가슴이 같이 부양하는 느낌이었다. 밑창 떨어진 신발 같지. 제대로 움직일 수 없게 만든다고.

티티라는 안스가 이걸 뭐 어쩌고 싶어 하는 건가 싶어서 갑자기 구역질이 났다.

"우웨엑······."

헛구역질에 침이 뚝 떨어졌다.

티티라는 비위 상한 표정을 한 채로 풍덩 물에 빠졌다.

그녀는 솔직히 투크 바하 씨가 어렸을 때 설명해 준 것 이상으로 남녀 관계에 대해 알지 못했다. 그걸 왜 거기다 넣어? 그냥 이상하고 더러웠다. 안스가 그런 생각을 한다니 또다시 토기가 치밀 것 같았다.

아니, 근데 사실 별거 아닐 수도 있지 않을까?

티티라는 문득 든 생각에 벌떡 일어났다. 물론 물이 주르륵 흐르자 확 추워져서 다시 주저앉았다.

하지만 엄청 똑똑한 생각임은 분명했다.

사실 '관계'는 구역질이 날 정도의 일은 아닌 것이다. 구역질이 나는 건 그녀 스스로가 잘 몰라서 그런 것이다. 왜, 주변에선 이미 다들 했다잖아. 황금 돛의 라보타와 카자도 했다고 했어. 크러거트와 네니야도 했나고 했시. 생각해 보면 걔들노 나 어렸을 때부터 알던 사이였다!

티티라는 다시 벌떡 일어섰다. 엄청난 걸 발견했다!

물론 추워서 다시 앉았다.

그녀는 깨달았다. 걔네도 코흘리개일 때부터 알았는데 잤다는 거지. 그때 그녀가 그러면 둘이 사귀는 거냐고 물었지만, 라보타는 전혀 아니라고 했다. 투크 바하 씨도 그냥 할 수 있다고 했다. 모든 조각이 맞춰졌다.

자신은 남들이랑 자는 걸 너무 중요하게 생각하는 과오를 범하고 있었던 것이다. 그러니 안스가 갑자기 자길 그렇게 생각하자 화가 난 거다. 우리는 친구인데 너무 중요한 변화를 준다고 생각했으니까.

그런데 아닐 수도 있었다. 티티라는 안스랑 자고도 관계를 똑같이 유지할 자신이 있었다. 아까 전까지 상상만 해도 구역질이 났던 스스로가 조금 어색했지만, 결국 동전은 앞면이거나 뒷면 아닌가. 왜 구역질이 나? 그가 나를 친구로 생각하지 않으니까. 그러면 자고도 친구로 남으면 되는 거 아니야? 와, 넌 정말 똑똑해.

티티라는 안스랑 자는 상상을 해 보았다.

그녀는 다시 통 밖으로 토했다.

이런. 머리로 이해하는 것과 감정은 아직 다른 것 같았다. 그녀는 안스의 가랑이 사이를 볼 마음이 조금도 없었다.

안 보고 하면? 티티라는 물속에서 손날로 턱을 감쌌다. 누가 보면 우스페히 씨가 맡긴 중요한 임무를 해내는 거라고 생각할 만큼 진지했다.

어두운 방에서 하면 되지 않나? 새로운 방의 창에는 커튼도 달려 있던데. 음. 일단 문 닫고 커튼도 내리고 완전 깜깜해지면 옷을 벗

는 거야. 침대 위에 크게 눕는 거야. 팔이 안 닿아 좋다. 그다음에
네가 알아서 하라고 하는 거지. 다만 아프면 걷어찰 거야.

티티라는 거기까지 생각해도 비위가 멀쩡한 스스로를 보곤 감탄
했다.

또, 그가 한마디도 못 하게 해야지. 내 이름 부르면 죽어. 신음
정도는 괜찮을 것 같아. 아니, 그것도 안 돼. 아무튼 말하지 마. 묻
지도 말고, 대답하지도 마. 물론 나는 말해도 되겠지? 너는 '나'랑
자고 싶은 거니까.

그런데 안스를 보지도 못하고, 목소리를 듣지도 못하면 의미가
있나? 그걸 안스랑 잤다고 할 수 있나?

그녀는 철학적인 고민에 빠졌다…….

그리고 한 번 자면 안스가 떨어져 나갈까? 원했던 걸 이뤘으니
이제 멋지게 다시 친구 하자고 해 줄까?

논리적인 고민에도 빠졌다…….

그녀는 온몸이 팅팅 불 때까지 열심히 고민했다. 그러나 답은 나
오지 않았다.


다음 날, 티티라는 투크 바하 씨에게 갔다.

"투크 바하 씨!"

그녀는 자신이 맨몸으로 따라오면 도망가는 성질이 있었다. 맨몸
으로 따라오는 것은, 즉 우스페히 상단의 공무가 아니라는 뜻이기
때문이다. 그녀는 티티라가 개인적으로 묻는 질문들을 언제나 귀
찮아했다.

티티라가 지금까지 개인적으로 물어본 질문들은 다음과 같았다.

남녀가 잔다는 게 뭔가요? 고백은 어떻게 거절하나요? 사귀는 건 뭔가요? 여자도 항해할 수 있나요? 생리 계속 이렇게 처리해야 해요? 뛸 때 가슴이 아픈데 어떻게 고정해요?

아니나 다를까, 투크 바하 씨는 종이를 들고 있지 않은 티티라를 보자마자 부드럽게 뒷방으로 달아났다.

티티라는 잽싸게 달려가 문고리를 잡았고, 투크 바하 씨와 잠깐의 힘겨루기를 했다. 그리고 이겼다! 티티라는 열리는 문에 코를 얻어맞았지만 의기양양하게 말했다.

"안녕하세요, 투크 바하 씨."

그녀는 한숨을 푹 쉬었다.

"또 뭐야?"

"네, 투크 바하 씨 첫 경험은 어떠셨어요?"

투크 바하 씨는 궁지에 몰린 표정을 지었다.

"네 친구들한테 가서 물어봐."

"걔네들은 말재주가 없어요."

"하……. 나는 애 보는 값으로 돈을 더 받아야 해, 진짜. 나 없었으면 어쩔 뻔했어, 우스페히 씨."

티티라는 기대하는 눈으로 그녀를 바라보았다.

"난 그냥 내 취향의 여행객이랑 사귀었어. 여행객인 걸 알고 사귀었지. 딱 석 달 갔고, 나름대로 만족스러웠단다."

"그런 거 말고요. 실제로 할 때 어때요?"

"미치겠네."

"물어볼 사람이 없어요……. 마린카 씨에게 물어보면 어디서 새파란 애가 그런 거에 관심 두냐며 혼날 거예요."

티티라는 불쌍한 표정을 지었다.

"하……. 아팠어. 됐니?"

"잘 모르겠어요."

"처음엔 어쩔 수 없어. 조금 아프든, 많이 아프든 아무튼 아파. 그게 하니즈산 고추로 매운 건지, 자플라슈바트산 고추로 매운 건지의 차이가 있는 거지, 아무튼 매콤한 건 같다고."

"그럼 아픈데 그걸 왜 해요?"

"넌 매운데 왜 먹어?"

그녀는 깨달음을 얻은 표정이 되었다.

"맛있어서……."

"대충 비슷하지. 그리고 먹다 보면 익숙해져서 즐길 수 있게 되고."

투크 바하 씨는 겨우 능선을 넘었다는 듯 탁자에 놓인 물을 들이 켰다. 물론 입을 닦으면서 '매번 이런 대답을 해야 하는 내 신세' 한 탄도 잊지는 않았다.

"막 자면 뭐가 바뀌고 그래요?"

"무슨 뜻이니?"

"세상이 바뀌어요?"

"내 아침 식사는 바뀌긴 하더라. 살랑이며 들고 오는 낮짝이."

"그럼 별게 아니라는 건가요?"

"당연히 별거 아니지. 뭐, 네 잠자리에 벼락이라도 쳐 주길 바라니?"

"그 사람이랑은 어떻게 돼요?"

"아침 식사가 더 맛있어지는 관계가 되지. 하루는 글쎄, 어디서 거대한 가재를 공수해 왔지 뭐야. 일부러 '투크 바하 씨가 오기 직 전에 맞춰 심부름꾼에게 주문하느라 죽는 줄 알았다.'고 하면서 엄살을 피우더라고. 그날은 정말 맛있었지. 그런 게 생기는 거야."

"아……."

큰 가재가 생기는 관계. 안스도 큰 가재를 가져올까? 티티라는
생각해 두었다.

투크 바하 씨는 이제 완전히 여유로워져서 물을 따랐다. 다시 마
시기 시작했다.

"제가 안스랑 자면 어떻게 될까요?"

"커헉, 큭, 커크헉!"

티티라는 깜짝 놀라 투크 바하 씨의 등을 쳐 주었다. 물이 기도
로 넘어간 것 같았다. 제가 너무 갑작스레 이야기했나 싶어서 미안
했다. 한창 투크 바하 씨의 등을 두드려 주는데, 그녀가 갑자기 제
손목을 잡아챘다.

"티! 티라!"

"네?"

"그놈이 너한테 자자고 해?"

그녀는 무서운 표정이었다. 티티라는 그녀의 얼굴이 꼭 상관에
서 있는, 거래 위반을 벌하는 수호신상 같다고 생각했다.

"아……. 아니요?"

"그런데 왜 그런 소리를 해서 이 심약한 사람을 괴롭혀!"

"제가 그러면 어떨까 생각해서요……?"

"네가 안스랑 자고 싶어졌다고?"

"자는 게 별거 아니면, 그럴 수도 있지 않을까 해서요."

투크 바하 씨는 티티라의 양어깨를 잡았다. 힘은 약한 사람이었
지만, 그녀보다는 키가 훨씬 컸다. 그녀는 말 그대로 어른 같았다.

"티티라, 혹시 안스가 조금이라도 자고 싶다는 이야기를 했으면 나한테 말해라. 그놈은 소금물에 담가야 해."

"그러지 좀 마세요, 다들……."

"뭘 그러지 마? 어? 네가 아무것도 모른단 걸 모두가 아는데, 안스도 알 텐데 그러는 게 가증스럽다. 네가, 넌, 아무것도 모르는데……."

투크 바하 씨가 갑자기 울었다. 티티라는 깜짝 놀라 방문을 닫고 왔다.

"투크 바하 씨."

"아니, 미안하다……. 칠칠치 못하게……."

티티라는 투크 바하 씨를 달래면서도, 그녀가 무엇을 떠올렸는지 알아서 기분이 나빴다.

당연히 투크 바하 씨도 오트카저트에 대해 아신다. 아마 우스페히 씨의 직속이자 같은 위치의 상단 동료였던 블리조 씨, 투크 바하 씨, 마린카 씨 모두 사실을 알 것이다. 물론 그들은 구태여 그 사실을 언급하지 않았다. 꼭 필요할 때를 제하곤.

"저는 괜찮아요."

"아니야……. 너는 안 괜찮아."

"괜찮아요."

"내가 귀찮아하지 말았어야 했는데……."

"투크 바하 씨, 저는 괜찮아요."

티티라는 고장 난 태엽 인형처럼 반복했다. 그녀가 안타까워하는 것이 지루했다.

"그러니까…… 너를 아는 안스가 그래서는 안 되는 거야. 안스는 네 오랜 친구잖아. 뭐든지 쉽게 설득할 수 있지. 그런 애가 네가 거부감을 가진다는 걸 알면서도 들이닥치면 안 되는 거라고……."

"안스는 안 들이닥쳤어요. 제가 그냥 생각해 본 거예요. '좋아한다'는 게 자고 싶단 거면, 한번 해 봐도 되지 않나 싶어서요."

"안 돼, 안 돼. 그런 생각도 안 돼."

"왜요? 투크 바하 씨는 여행객이랑 하셨다면서요?"

"난 그랑 죽도록 하고 싶었어. 그런 생각이 없다면 하면 안 된다. 무엇보다 처음은 그래."

"아까는 아무것도 아니라면서요? 벼락도 안 친다면서요?"

"……."

투크 바하 씨는 침묵했다. 한참 뒤, 대답했다.

"달라."

"……."

"티티라, 부디 너도 그게 다르단 걸 알길 바란다."

"어떻게요?"

"……."

그녀는 더 이상 대답하지 않았다. 눈물은 더 이상 흔적도 없었다. 투크 바하 씨는 티티라의 머리에 손을 살짝 얹더니, 방을 나갔다.


티티라는 마음속에서 간단하게 정리했다.

첫째, 나는 오트카저트 일로 아무 영향도 안 받았다. 누가 나를 사마귀라고 부르든 말든 전혀 감흥이 없다. 둘째, 안스랑 자는 건 그렇게 큰일이 아닐 거다. 셋째, 첫째와 둘째는 아무 상관 없다.

티티라는 코웃음을 쳤다. 다들 자기가 원하는 대로 생각하는 거지. 정작 나는 오트카저트를 죽이고 나서 한 번도 꿈조차 꾼 적이 없는데 말이야. 죄다 곤두선 고슴도치들 같아선.

주변이 그럴수록 티티라는 반항적으로 변했다. 생각해 보니 이상하지. 고작해야 안스 어깨에서 침 흘리며 잤다고 우스페히 씨나 블리조 씨나 기겁을 해서 어린애 멱살을 붙들고 오트카저트처럼 굴지 마라 운운이라니. 투크 바하 씨도 귀신을 본 듯 놀라서 안스가 그걸 원하면 바닷물에 거꾸로 담가야 한다느니 어쩌니. 그런 것들이야말로 그 사람들이 자신을 얼마나 잘못 생각하고 있는지에 대한 증거 같았다.

다들 내가 사람을 죽였단 사실을 까먹은 거 아니야? 티티라는 진지하게 불만을 가졌다. 그때 일이 있기는 했지만 당시엔 너무 몰라서 당했던 것이고, 결국 제 손으로 '문제를 해결'했다. 어떤 일이든 제 손으로 문제를 매듭짓지 못하는 사람들이 태반인데, 자신은 그걸 해냈다.

그런데 내가 왜 이렇게 과보호를 받아야 하지? 오트카저트 일이 있었을 때 다들 안타까워한 건, 내가 그에게 무언가를 '빼앗겼다'고 생각했기 때문이었나? 어린 시절이나— 아니, 그보단 '소녀의 순결' 같은 것.

그녀는 자존심이 상했다. 화가 났다. 난 '문제를 해결'했다니까! 그 인간을 죽였다고! 나는 아무것도 안 빼앗겼는데, 그렇게 생각들을 한다면 애초에 가지지 않았던 것, 빼앗기지도 않았던 것을 없애버려야겠다. 그딴 건 원래 중요한 것도 아니었어.

결국 안스와 자야 한다는 결심이 무럭무럭 커졌다.

그의 의견은 묻지 않았지만, 그가 멀쩡한 정신으로는 거절할 거란 사실이 뻔했다. 그러니까 내가 이렇게 묻는다면—

'안스, 나랑 잘래?'

그러면 안스는 자신을 들어 방 바깥으로 던지고 문을 쾅 닫아 버릴 것이다. 실패.

'안스, 사실 널 좋아해.'

이건 토할 것 같아서 안 되겠다. 실패.

티티라는 결국 목욕통 안에서 생각했던 최악의 계획을 실행하기로 했다. 일단 깜깜한 곳에 들어가서 깜깜하게 자는 것 말이다.

그녀의 계획은 이러했다.

먼저, 안스가 창문을 닫고 잘 리 없다고 생각했다. 그러니 지난번처럼 기어 올라가면 손쉽게 침입할 수 있을 것이다. 물론 준비물도 허리춤에 챙겨 갈 예정이었다. 따뜻한 물에 적신 물수건, 그리고 돼지 창자. 지난번에 애들이 무슨 창자로 피임을 한다고 했다. 그래서 궁금한 척하면서 왕창 뜯어 왔다. 어떻게 쓰는지는 잘 모르지만, 안스가 알 것 같았다.

안스가 딱 잠들 시간에 창문을 열고 들어가는 거다. 그 좋은 침대에 조용히 올라가서 안스에게 입…… 맞…… 이건 못 하겠다. 안스의 턱에는 뽀뽀할 수 있을 것 같았다. 그래, 턱에 뽀뽀하자. 그러면 자고 있든, 자는 척을 했든 번쩍 깨겠지. 그러면 옷을 벗기는 거야. 티티라는 그것만큼은 엄청 잘했다. 눈 감고도 멍청이 안스의 바지를 내릴 수 있었다.

그러면 그 뒤는…… 어떻게든 되지 않을까?

티티라는 뭔가 좀 급하게 마무리된 것 같아 찜찜했다. 하지만 걔는 날 좋아한다고 했으니까, 거절하진 못할 거야. 우스페히 씨도 안스가 '그럴 거'라 생각하셨는걸. 티티라는 한때 화냈던 문장이 나름대로 힘이 되는 걸 느끼곤 희한하다고 생각했다.

결전의 날은 별것 아니었다. 그냥 계획이 완성된 다음 날이었다. 티티라는 딱히 지체하고 싶지 않았다. 삼 일 전에 안스에게 쫓겨났고, 그저께 투크 바하 씨가 울었고, 어제 고민한 뒤 돼지 창자를 얻어 왔고, 그러니까 오늘 자정이었다.

그녀는 창문을 타고 나가기 직전에 심각한 문제를 깨달았다. 이곳저곳을 뛰어다니는 습성 탓에, 제 옷은 벗기가 좀 어려운 종류였다. 그녀는 급하게 잠옷으로 갈아입었다. 그나마도 거의 건드린 적도 없는 마린카 씨의 선물, 무려 '치마'로.

티티라는 다시 창문 앞에 섰다. 아직 초봄이라 이가 달달 떨렸다. 아주 잠깐만 참으면 된다.

그녀는 심호흡을 하고, 도둑처럼 벽을 타 올라갔다. 허리춤에서 준비물이 달랑거렸다. 안스의 방 안은 어두컴컴했다. 추워서 제대로 살필 겨를이 없었으나, 그래도 창문을 밀자 손쉽게 열렸다. 다행이었다.

티티라는 발소리가 안 들리도록, 아주 조심스럽게 내디뎠다. 아! 지난번엔 몰랐는데 카펫도 있었잖아? 개자식! 덕분에 소리 없이 들어갔지만 괘씸했다.

두리번거리자 침대에 누운 안스가 보였다. 그녀는 조용히 창문을 닫은 뒤 침대에 올라갔다.

침상이 눌리는 감각에 안스가 눈을 떴다. 티티라는 놀라 몸을 숙였다. 어설프게 그의 뺨에 입을 맞춘 것 같기는 한데, 솔직히 그냥 머리를 박은 것 같기도 했다.

"뭐……."

티티라는 재빠르게 무릎으로 기어 올라갔다. 아니, 방이 왜 이렇게 추워? 아니면 옷이 추운 거야? 티티라는 평생 입어 보지 않았던 치마 잠옷에 익숙해지지 않았다. 아직도 이가 딱딱거려, 체면 차리지 않고 고급 면 이불 속으로 굴러 들어갔다. 그의 위에 올라타곤 다시 이불을 덮으니 그제야 좀 살 것 같았다.

"아, 죽을 뻔했다."

아니, 이런 말은 계획에 없었다. 입조심 좀 해! 그녀는 혀를 찼다. 아무튼 그제야 따뜻해진 몸으로 안스를 내려다볼 수 있었다.

그는 얼어붙은 채 그녀를 바라보고 있었다.

티티라는 그가 자신을 발견하면 제 이름이라도 부를 줄 알았다. '티?' 하고. 그러나 시체 같은 정적뿐이었다.

티티라는 아까 저지른 실수를 돌이켜 보기로 했다. 그녀는 몸을 숙여 안스의 턱에 입 맞추었다. 으. 실제로 입 모양이 '으'였는데 그에게 들키지 않기를 바랐다.

그는 여전히 차게 굳어 있었다.

티티라는 그가 이 자세를 별로 안 좋아하나 생각했다. 하긴, 지난번에도 내가 배 위로 올라가자 침대 바깥으로 떨어뜨렸지. 그녀는 납득했지만 별다른 방법이 없었다. 쟤는 너무 무거워서 아래로 파고들 수가 없단 말이야.

대신 다음 단계를 더 빨리 실행하려 했다. 그녀는 그의 웃옷을 벗기려다가, 상대가 누워 있고 협조도 하지 않는 상황에서는 그게 정말 힘든 일이라는 것을 깨달았다. 그래서 그녀는 바지를 먼저—

순간 손목에 부서질 것 같은 충격이 닥쳤다.

티티라는 아픔에 신음을 터뜨렸다.

그럼에도 그는 손을 놓지 않았다. 오히려 뒤로 꺾었다. 티티라는 너무 아파서 몸을 기울였다. 이건 블리조 씨가 그녀한테 알려 준 한 방에 상대를 제압하는 방법이었는데, 당연히 저 자식도 쓸 수 있겠지. 하지만 이상했다. 나를 공격한다고? 나랑 자고 싶어 했잖아?

"너…… 뭐 하냐?"

티티라는 아파하느라 제대로 대답을 못 했다.

"아, 아야……."

안스는 손목을 놓지 않았다. 대신 몸을 돌려 바닥에 눌렀다. 티티라는 털썩 침상에 떨어졌다. 여전히 아픈 손목을 비틀어 빼내려 했다. 안스의 숨소리가 들렸다.

"너 뭐 하냐고……."

말하다 말고 그가 한순간 시선을 피했다. 곧장 옆에 있는 이불을 구겨 티티라의 가슴께를 덮었다. 티티라는 답답해서 이불을 빼내려 했지만 그 자리는 이미 안스의 팔뚝으로 눌린 뒤였다. 그녀는 캑캑댔다. 이제 손목에 거의 감각이 없었다. 그의 무게로 짓눌린 가슴팍도, 너무 아팠다.

"아파……."

그러나 안스는 놓지 않았다. 보통 싸울 때도 이 정도면 놓아주는데, 무언가 이상했다. 제 첫 계획처럼…… 그의 표정이 보이지 않았다. 원래는 좋은 어둠이어야 하는데, 지금은 조금 무서웠다. 안스라는 사실을 일부러 모르려 했는데, 지금은 안스이길 바랐다.

티티라는 콜록콜록 기침을 터뜨렸다. 숨이 모자랐다. 이제는 제 위에 있는 사람이 안스인지도 확신하기 어려웠다.

그녀는 갑자기 칼이 필요해졌다.

단 하나 남은 손으로 침상을 빠르게 더듬었다. 칼이 필요했다. 그러나 아무것도 잡히지 않았다. 그녀는 헐떡였다. 침을 삼키려 했으나 제대로 되지 않았다. 입가로 침이 흘렀다. 코로도, 입으로도 거칠게 숨을 내쉬었다. 그러나 그것은 단순히 공기가 오가는 것일 뿐이었다. '들이마실' 수 없었다.

그녀는 결국 숨 쉬는 법을 잊어버렸다.

한 해 전의 '그것'이었다.

티티라는 헐떡였으나 여전히 숨을 제대로 못 쉬었다. 허억, 허억, 허억. 안 돼. 우스페히 씨가 뭐라고 하셨지? 안정적인 생각을 하라고. 안스. 그래, 내게는 안스가 안정적인 생각이었다. 그러나 그는 지금 자신을 짓누르고 있었다.

그녀는 절벽 위에서 미끄러졌다. 천 길 낭떠러지로 끝없이 추락했다. 여전히 숨을 쉴 수 없었다.

"아프으흑."

뭉개진 발음이었다.

"아."

머리가 빙글빙글 돌았다.

"숨이 안 쉬······."

"······티! 야! 정신 차려! 제발······!"

갑자기 멀리서 소리가 들렸다. 빙글빙글 돈 머리끝에서 다시 빙글빙글 돌아오는 소리였다.

"허어어억, 헉······."

티티라는 가슴을 짚으며 급하게 숨을 들이켰다. 제 위에 있던 안스를 바라보려 했다.

그러나 아무것도 없었다.

따뜻한 감각이 느껴져 시선을 돌리자, 안스가 하얗게 질린 얼굴로 제 손을 잡고 있었다. 그는 운 것 같았다. 눈가가 빨갛게 부어 있었다.

"무슨 일이야……. 티, 괜찮아?"

티티라는 어디부터가 현실이고, 어디서부터가 환상인지 구분하기 어려웠다.

그녀는 그의 손을 뿌리치고 침대 건너편으로 달아났다. 땀이 너무 나서 차갑게 식은 몸으로 일어섰다. 무기를 찾았다. 그러나 아무것도 없었다.

그녀가 미친 사람처럼 두리번거리는 것을 본 안스가 일어섰다. 그는 낮게 물었다.

"뭘 찾는 거야?"

"칼……."

"날 죽이게?"

"칼."

안스는 몸을 숙이더니, 침대 아래에 있는 칼을 침상에 올려 두었다. 반대편으로 밀어 주었다. 티티라는 받아 들려다가 바닥으로 놓쳤다. 앉아서 주섬주섬 주워 들었다.

"티."

티티라는 칼집에서 칼을 뽑았다.

벽에 등을 붙인 채로 주춤주춤 움직였다.

방은 이미 밝았다. 안스는 잠자리 옷 그대로 아연하게 서 있었다. 티티라는 자신을 내려다보았다. 가슴이 훤히 보였다. 그제야 머릿속이 뜨거워졌다.

기억이 확 빨려들어 가서, 따뜻한 목욕통을 바라보며 귀찮은 가슴에 대해 생각했던 일, 안스와 자도 괜찮겠다고 생각했던 일, 투크 바하 씨를 만난 일, 그리고 오늘 준비물과 함께 안스의 방으로 올라왔던 일이 순서대로 돌아왔다.

그녀는 칼을 내려놓았다.

부들부들 떨면서 침대에 앉았다.

안스가 급하게 침대 위로 기어 왔다. 티티라는 멍하니 앉아 있다가, 그의 기척이 느껴지자 그를 확 껴안았다.

그는 주춤하다가…… 결국 마주 안았다.

"너, 너……. 너, 왜……."

"내가 묻고 싶은 말이야, 티. 왜 그랬어?"

"왜 내 목을 졸라……."

그가 그녀를 확 밀쳐 냈다.

"내가 네 목을 졸랐다고?"

"그랬잖아……. 그냥 싫다고만 할 수도 있었는데……."

"사실 관계는 똑바로 하자. 자다 깼을 때 넌 이불을 둘러쓴 채 내 위에 있었어. 내가 좀 늦게 상황 파악이 돼서 널 침대로 잡아 눕혔지. 또 말도 안 되는 미친 짓을 하는구나 싶었다."

"그래, 그거……."

"뭐? 난 널 내팽개치고, 네 옷이…… 그래서…… 덮어 준 것밖에 없어."

"아냐……. 네가 목을 안 졸랐으면 내 숨이 왜 막혔겠어……."

안스는 말문이 막힌 표정이 되었다.

"너……. 나는 욕하면서 일어났는데 네가 갑자기 부들부들 떨기
시작했어……. 숨을 못 쉬겠다고. 넌 내가 얼마나 겁먹었는 줄 알
아? 어떻게 해야 할지를 몰라서 손잡고 네 이름만 불렀어……. 네
가 죽을까 봐……. 나도 죽는 줄 알았어."

티티라는 혼란스러웠다. 그 모든 게 다 환상이었다고? 그녀는 다
시 겁을 집어먹었다.

"안스, 나 미쳤나 봐."

그가 이를 악무는 것이 보였다.

"아, 애초에 여기까지 올라온 것도 미친 거네. 대체 무슨 생각이
었지? 왜 너한테……."

안스가 그녀를 잡아당겼다. 껴안았다.

"안스…… 나 미쳤나 봐. 어떡해……."

그녀는 같은 말을 계속 반복했다. 머릿속에도 그 말뿐이었다. 어
떡해. 미쳤나 봐. 어떡하지? 상단 일을 계속할 수는 있나? 어떡하
지? 어떡하지? 나는 이것밖에 없는데.

티티라는 그의 품 안이 조여드는 것을 느꼈다. 뜨겁고 단단했다.
많이 운 사람 같았다.

"나…… 미치면 어떡하지……? 날 버리지 말아 달라고…… 우스
페히 씨께 이야기해 줘."

"널 왜 버려……."

"나, 난…… 열심히 했어. 문제없었어. 진짜로……."

"티, 괜찮아. 넌 안 미쳤어. 내가 널 힘으로 누른 건 맞으니까. 방
은 어두웠고, 너는 갑자기 숨을 못 쉬기 시작했어. 넌 어둠에 질식
당했어. 네 그 병이 문제인 거야. 갑자기 숨을 못 쉬는 거……. 지난

번에도 내 방 앞으로 기어 왔잖아. 그때 환상이 있었어? 없었지."

"……."

그녀는 바다 끝까지 달려 나갔던 생각의 줄을 가까스로 끌어당겼다. 빠르게 숨을 몰아쉬자 점차 머리에 열이 돌아왔다. 온몸이 따뜻해졌다. 안스가 불에 타듯 뜨거운 덕도 있는 것 같았다.

티티라는 점차 안정을 찾았다.

"안스……. 우스페히 씨가 알려 주셨는데, 앞으로 내가 숨을 못 쉬면 유리병을 입에 대 줘. 그리고 숨을 천천히 쉬라고 계속 이야기해."

"알겠어. 지금은 괜찮아?"

그의 심장이 쿵쿵 뛰는 것이 느껴졌다. 티티라는 온몸의 힘이 쭉 빠져 그저 그렇게 기대 있고 싶었다.

"괜찮아……. 그리고 미안해."

"……."

"난, 난, 너랑 자고 싶었어."

"……."

"자꾸 사람들이 네가 날 부서뜨릴 것처럼 굴잖아. 너보다 내가 더 모욕받은 거야. 난 오트카저트를 다 잊었단 말이야. 그런데 날 볼 때마다 오트카저트, 오트카저트……."

갑자기 안스가 그녀를 밀쳐 냈다. 그녀는 그에 굴하지 않고 상대를 똑바로 보며 말했다.

"난 오트카저트 때문에 건드리면 안 되는 벌집이야? 누가 건드리면 바스러질 것처럼 살라고? 심지어 지금 상대는 다른 누구도 아니고, 안스 너인데? 그래서 한순간 저질렀나 봐."

안스는 몸을 숙여 최대한 작아졌다. 그는 말을 고르는 듯하다가, 결국 자포자기한 사람처럼 입을 열었다.

"티…… 오트카저트 일은 네게 남아 있어."

"무슨 소리야?"

그녀는 욕설을 들은 사람처럼 파르르 화를 냈다.

"방금 전에 호흡 곤란을 겪었잖아……."

"그게 뭐?"

"……그건 내가 너를 눌렀을 때 갑자기 시작됐어. 그리고 넌 오트카저트를 겪기 전엔 단 한 번도 그런 적이 없었어. 작년에야 그런 증상이 나왔는데…… 네가 나보다 더 잘 알지 않아?"

"아니?"

티티라는 당황스럽다는 듯 반문했다. 그녀는 아무렇지도 않았다.

"난 괜찮아. 난 심지어 오늘 너랑 자고 싶어서 여기에 숨어들어 왔다니까. 미리 네게 묻지는 못했지만……."

"그것도 난 싫어. 난 너랑 그렇게 자고 싶지 않아."

"……."

"다시는 나한테 그러지 마."

"미안해……."

"나로 증명하지 마."

그녀는 그가 무슨 말을 하는지 정확히 알고 있었다. 충격에서 벗어나자 미안함이 밀물처럼 밀려들어 왔다. 자신은 안스와 잠으로써 오트카저트를 벗어났다는 증명을 하고 싶었던 것이다. 왜 하필 그였냐면…… 쟤는 나를 좋아하니까, 당연히 나랑 자고 싶어 할 거라고 생각했기 때문이다.

제 논리의 흐름을 풀어내자 부끄러웠다. 눈이 돌아 앞뒤 분간을 못 했다고는 하나, 안스를 넘겨짚은 데 죄책감이 들었다.

티티라는 그에게 바짝 붙어 올려다보았다. 그의 울긋불긋한 눈이 크게 뜨였다.

"미안해. 네가 나랑 자기 싫어하는 줄은 몰랐어……."

안스는 얼굴을 붉혔다. 왜, 또? 그는 손만 내려 더듬더듬 옷자락을 여며 주었다. 아, 나랑 자기 싫다면서! 그녀는 오락가락하는 그에게 눈을 가늘게 떴다.

"뭐야?"

"아니……. 싫은 건 아니고……."

"그래? 그러면 하자!"

안스는 다시 몹시 불쾌한 표정이 되었다.

"널 증명하는 데 쓰이진 않을 거야. 그딴 건 너한테 도움도 안 돼."

"……우선 먼저 묻지 못해서 미안해. 정말로…… 내가 너무 급했어. 그런데 궁금한 게 있는데, 너도 솔직히 나랑 자고 싶고, 나도 너랑 자는 게 필요하면 그래도 되는 거 아니야?"

그의 입매가 꾹 다물렸다. 평소에는 무슨 짓을 해도 올라가 있는 입매가 질질 끌려 내려왔다는 것은, 그가 몹시 화가 났다는 뜻이었다.

"난 너랑 '그렇게' 자고 싶지 않다고 했어."

"차이가 있어?"

그가 숨을 들이켰다.

"넌 오트카저트 일에서 벗어나지 못했단 걸 인정해야 해!"

사람들이 다 깰까 무서울 정도로 큰 고함이었다.

지금껏 미안해했던 티티라였지만 그 말에는 화가 치밀었다. 지지 않고 왁 소리를 질렀다.

"아니라니까!"

"그럼 방금 왜 그랬어! 난 고작해야 손목이나 눌렀는데!"

"그건, 그건…… 그냥 새로 생긴 병이야! 어디 이를 생각하지 마! 우스페히 씨도 아셔!"

"누가…… 그딴 걸…… '일러'? 그런 건 알리는 거야!"

"너 미쳤어? 누구한테든 말하기만 해 봐!"

"티, 너한테 그런 병이 생겼는데도 아무것도 아니라고? 넌 심지 어 그걸 증명하겠답시고 나한테 와?"

"병은 오트카저트랑 상관없다니까!"

안스는 얼마나 화가 났는지 얼굴이 하얗게 질려 있었다.

"난…… 도저히…… 어떻게 해야 할지 모르겠다."

"나랑 자기 싫으면 마."

"너는…… 사람이…… 어떻게…….."

티티라는 그를 뿌리치고 일어나 손가락을 들었다.

"안스, 다짜고짜 들어와서 미안해. 다른 사람들이 이상하게 걱정 해서 화가 났고…… 네가 날 좋아한다길래 나랑 자도 괜찮은 줄 알 았어. 그건 진짜 미안해."

"……."

"하지만 내 증세는 오트카저트랑은 아무 상관 없어. 그건 내가 알아. 아니까 너랑 자러 왔지."

"입은 찢어져도 말은 바로 해야지. '아니까' 나랑 자러 온 게 아니 라, '알아보려고' 나랑 자러 온 거겠지. 그런데 호흡 곤란이 와서 못 잤지? 그러니까 오트카저트랑 상관있는 기야. 받아들여. 치료빋아."

티티라는 갑자기 입술을 깨물었다. 그의 마지막 한마디에, 마음 속 진실이 터져 피가 주르륵 흘러나왔다.

"······우스페히 씨가 이건 못 고친댔어······."

안스의 얼굴이 굳었다. 일그러졌다.

"오트카저트 그 개새끼가—"

"그러지 마!"

그녀는 비명처럼 소리 질렀다.

"관계없다니까! 그 사람은 내가 죽였다고!"

오트카저트를 세상에 다시 꺼내는 그 목소리를 더 이상 듣기 싫었다. 이미 죽어 벌레에게 먹힌 사람이 마치 현실에 무슨 영향력이라도 있는 듯이, 자신에게, 무엇이라도 되는 듯이······.

티티라는 성큼성큼 걸어가 문을 열어젖혔다. 문을 닫기 전에, 우물쭈물 말했다.

"미안해."

"······."

"그런데 오트카저트 얘기는 하지 마. 하면 나 죽을 거야. 하지 마."

그녀는 떠났다.


이후 티티라는 지나치게 차분한 며칠을 보냈다.

일은 그 어느 때보다 잘되었다. 방 안에 처박혀서 백 금을 벌었다. 짜릿했다. 잘못된 계산을 발견하고 정정해서 좋은 상로를 보전하기도 했다. 뿌듯했다.

그러나 방 안에서 한 발자국도 안 나갔다는 사실은, 그녀가 생각해도 조금 이상한 것 같았다.

하지만 나갈 일이 없기도 했다…….

그렇게 일주일이 지났을 때, 여기에 계속 식사를 올려 줄 순 없다고 화를 내는 마린카 씨에게 끌려 나갔다. 일도 좀 돌아다니면서 하렴!

티티라는 결국 서류를 들고 돌아다니게 되었다. 주전부리 한 바구니를 들고 이 나무 아래 앉았다, 저 나무 아래 앉았다. 자신을 향해 '사마귀'라고 부르는 애들한테 무례한 손짓을 해 보였고, 휘파람도 불었다.

그녀는 잠자는 시간만 빼고 모두 바깥에 있었다. 아니, 하루는 아예 바깥에서 잠들기도 했다. 시계탑 앞, 긴 의자 위에서. 누군가가 깨워 정신이 번쩍 들었다. 안스였다. 그녀가 일어서려 할 때 그가 억지로 업었다. 아니, 괜찮다니까. 그는 무시했다.

안스는 그날에 대해 아무 말도 하지 않았다. 대신, 항해를 일절 금했다. 그는 부두 근처에도 가지 않았다. 그렇다고 그녀를 따라다니지도 않았고, 그저 항상 상관에 있었다. 마치 누군가 자신을 찾아야 한다면 나는 항상 거기 있다고 알려 주려는 듯이.

티티라는 보이지 않는 안스에게 의지했다. 안심이 되었다. 그녀는 아직도 호흡이 틀어막혔을 때 처음 생각난 사람이 안스였다는 사실을 기억하고 있었다. 그녀는 정말 안스가 좋았다.

오며 가며 가끔 우스페히 씨를 만나거나, 그와 대화할 일이 있었다. 그는 안스와 자신에 대해서, 혹은 오트카저트나 그녀의 건강에 대해서 전혀 묻지 않았다.

티티라는 우스페히 씨가 막돼먹게 안스를 매도하기 전에 먼저 조금쯤 자신에 대해 궁금해해 주었으면 좋겠다는 생각을 했다. 항상 그녀 혼자 그의 기대에 부응하기 위해 버둥거렸으니 그 정도 보답은 받을 수 있지 않을까 서운했다.

그러나 하늘땅이 뒤집히지 않는 이상 우스페히 씨가 갑자기 그렇게 변할 일은 없었다. 그녀도 알고 있었다. 그래서 어느 날 지나가듯, 그러나 누구도 지나가는 말이 아니란 것을 알 수 있는 투로 말했다.

"우스페히 씨, 지난번에 숨을 못 쉬는 병이 재발했어요."

"그러냐?"

"그런데 겨우 두 번째라 그런지 어떻게 해야 할지…… 빨리 움직이질 못하겠더라고요."

"당연히 그렇겠지. 익숙해져야 한다."

티티라는 그의 어조에서 이상한 것을 느꼈다.

"무슨 말씀이세요? 우스페히 씨도 그런 경험이 있으세요? 아니, 그러실 리가……?"

"그래. 나도 있다."

"……어떻게요……?"

"그리 드문 병세는 아니야. 아마 황금 돛 상주도 하나 가지고 있을 텐데."

"대체 정체가 뭔가요?"

"나 같은 경우는 압박감이 심할 때 온다. 내가 내린 결정이 끔찍한 결과를 낼 때, 혹은 그 상황이 닥치기 직전."

티티라는 입을 벌린 채 그가 하는 이야기를 들었다.

"내가 책임지고 있는 것들이 많은데 흔들리면 끝장이라는 그런 감각이 있지. 한 이십 년 되었다."

"왜 말씀해 주지 않으셨어요!"

우스페히 씨는 약간 당황한 눈이 되었다.

"중요하지 않잖아. 어차피 나도 다루고 있을 뿐이다. 그런 불유쾌한 소식을 전달해야겠나?"

"저한테는, 고칠 수 없다고만 말씀하셨어요."

"못 고쳐."

티티라는 다시 철렁 내려앉는 기분을 느꼈다. 우스페히 씨도 같은 증세가 있다는 사실에 잠시 기뻤는데 곧장 땅으로 처박혔다. 뒤늦게야, 사실 그의 말을 처음부터 끝까지 제대로 들었으면 당연히 이해했어야 하는 내용이라는 점을 깨달았다.

"그냥 같이 사는 거지. 소아마비 같은 거야."

"……."

"문제가 되나? 나는 네가 별일 아닌 것으로 여기는 줄 알았는데."

티티라는 처음으로 속을 쥐어짰다. 안스의 말을 기억했다. 어떤 한 문장이 아니라, 그날 밤의 안스를 전부 기억했다.

"문제가…… 돼요. 저는 이게 사라지지 않는다는 게 싫어요. 혐오스러워요."

"음……."

"제가 약하단 증거 같아요."

우스페히 씨가 살짝 웃었다. 티티라는 제 말인즉슨, 우스페히 씨도 약하다고 한 것과 진배없다는 사실을 깨달았다. 그녀도 실실 웃음이 나왔다. 소조폴에서 세 손가락 안에 드는 상단의 주인이 약하다니.

"사람은 약하지."

웃음이 멈췄다. 나는 약하기 싫은데.

"견디는 것뿐이야."

티티라는 음울하게 대답하려 했다. 그러나 우스페히 씨가 먼저였다.

"네가 '남들보다' 약할까 걱정된다면 그건 걱정하지 마라. 다들 엉망이니까 이렇게 인정하는 편이 차라리 낫다. 아니, 인정하지 않으면 나아갈 수도 없다."

"……다들 있다니 다행이에요."

하지만 그의 말을 듣고도 그녀는 여전히 우울했다. 우스페히 씨는 정말 대단해서 저런 말을 할 수 있는 것 같았다. 아니, 이미 성취한 게 명확해서 그걸 지주 삼아 견뎌 나가는지도 몰랐다.

티티라는 생각했다. 나도 무언가 눈에 보이는 것을 성취해야겠구나. 그래야 이게 제 피부병처럼 항상 함께하는 사소한 질병이라고, 진심으로 선언할 수 있겠구나.

그녀는 우스페히 씨에게 꾸벅 인사를 하고 떠났다.


티티라는 목표점을 찾으니 한결 나아진 기분이 되었다. 우스페히 상단을 물려받든, 자신의 상단을 새로 꾸리든, 무언가 눈에 보이는 완성품을 세상에 보여 주면 되는 것이다. 그러면 스스로 뛰어난 한 구석은 증명이 되니까, 조금 모자란 부분이 있더라도 인정할 수 있을 터.

그녀는 '해결책'을 찾자마자 곧바로 안정되었다. 닫혔던 둑의 수문이 열리듯 극적인 변화였다.

티티라는 그 근사한 결과를 보고하기 위해 안스에게 갔다.

제 방 침대에 누워 책을 읽는 안스에게 그대로 달려들었다. 습관처럼 그의 배 위에 앉았다. 그는 잠시 숨을 참는 듯하더니 곧 그녀의 허리를 받쳐 주었다.

"티."

"우스페히 씨랑 말씀 나눴어. 난 이제 문제없어!"

그는 의심스러운 듯 눈썹을 치켜세웠다.

"어떻게 문제가 없게 됐는데?"

"우스페히 씨의 비밀은 안 알려 줄 거야. 아무튼 해결책은 있어. 내가 성공한 상단을 만들면 돼."

그의 얼굴이 극적으로 일그러졌다.

"뭐?"

"열심히 일해야겠다. 그럼 이만."

티티라는 다시 일어서려 했다. 그러나 안스에게 팔을 붙잡혔다.

"결론이 뭐 그래? 정말 우스페히 씨가 그랬어?"

"정확히 그렇게 말씀하신 건 아니지만 비슷하지, 뭐."

"나는 못 믿겠다."

그녀는 엄격해졌다.

"안스, 내 인생이야."

"넌 그날―"

"그날 얘기 하지 마."

"……."

티티라는 손을 탈탈 털었다. 고개 숙여 그의 양 뺨을 감싸곤 꾹 눌렀다.

"아무튼 내 제안은 항상 살아 있어."

그의 눈이 가늘어졌다.

"꺼져."

"너 이러다 내가 다른 사람을 찾으면 어쩌려고? 난 상관없는데."

그녀는 이죽거리다, 그의 표정을 보고 멈췄다. 정말이지 온전히 친구였을 때처럼 장난칠 수가 없었다. 그는 화가 치밀었다가, 맥이 빠졌다가, 마침내 불안한 눈을 하고 있었다. 저런 얼굴에 어떻게 농담을 하겠어……

"안스, 안스."

그의 시선이 확 떨어졌다.

"나는 너보다 좋아하는 사람 없어. 내 주변에 너보다 잘생긴 사람 없어. 너보다 착한 애도, 너보다 말 잘하는 애도 없어."

"……"

"그러니 난 너만 기다릴 거야."

안스는 침대 한구석만 뚫어져라 노려보았다. 그의 뚜렷한 입술이 열렸다가, 마침내 내뱉었다.

"나도 너만 기다려."

그녀는 '그럼 허락하는 거야?'라고 하다가 침대로 내팽개쳐졌다. 낄낄거리며 왼쪽으로 오른쪽으로 뒹굴었다.

안스는 몇 번 그녀를 잡으려 하다가 포기했다. 두 손을 들고 다시 책을 쥐었다. 티티라는 그 옆에 누워서 책 제목을 읽었다.

"「교국에 대한 진실된 보고 – 표류자의 고백서에 의거」. 이상한 책을 읽네."

"재밌어. 바다 건너에 '교국'이란 엄청 큰 나라가 있는데, 북쪽과 동쪽은 빽빽한 산맥으로 막혀 있어서 도무지 넘어갈 수가 없대. 근방에 부동항25)이 있기는커녕 얼음이 꽉 차선 넘어갈 수도 없고. 그래서 사실상 나라 하나가 하나의 대륙으로 여겨지나 봐."

"아, 그래?"

티티라는 무관심하게 대답했다.

"표류해 온 사람들은 하나같이 신을 믿더래. 척박한 곳이라 취미가 그것밖에 없나 봐."

"재미없는 인생이네."

"그리고……."

그는 팔락팔락 종이를 넘겼다.

"음…… 그 신의 대리자가 있대. '법황'이라고……."

"'법황'? 그 번역은 누가 한 거야? 웃기게 들리는데."

"번역한 거 아냐. 우리랑 언어가 비슷해."

티티라는 처음으로 흥미가 솟아 그를 올려다보았다. 한순간 책을 빼앗으려 했지만, 그가 잽싸게 피해 실패했다.

"아, 쫌!"

"걔네들 경전이 있는데, 우리말로 되어 있대."

"어떻게 그럴 수가 있어! 바다를 넘어가지도 못하는데!"

"선지자가 이쪽 출신이라더라. 아무튼 윗사람들이 경전에 있는 시노드 신넬 언어를 쓰기 시작하자 결국 모두한테 전파됐대."

"그럼 우리가 거기 가면 귀족 대접 받을 수 있는 거야? 완전 고급 언어를 쓰는 거잖아."

"아니……. 우리 억양을 보곤 '불신자'래. 만나면 죽인대."

"……."

"교국도 시노드 신넬이 있다는 걸 알지만 신경 안 쓴대. '불신자

---

25) 일 년 내내 해면이 얼지 않는 항구.

놈들의 쓰레기 땅'이라나. 그래도 쟤들은 넘어오기로 마음먹으면 언제든 넘어올 수 있다는데?"

"허풍은. 웃기고 있네. 그 바다는 넘어간 사람이 없어. 그 유명한 아펭글로도 죽었어. 지들도 겨우겨우 살아 떠내려왔으면서 말이 많네."

안스는 동의하듯 고개를 끄덕였다.

"전반적으로 표류자가 자랑을 해 둔 글이긴 해. 대체 왜 '진실'이란 제목을 붙였는지……. 아니, 포砲를 자기가 원하는 데 정확히 명중시킬 수 있대. 어떻게 하는지 설명도 못 하면서 아무튼 자기네 나라는 그럴 수 있다는 거야. 길이가 9미터에 달하는 대포가 300킬로그램짜리 돌을 날려 보낸대. 그만 한 철구鐵球도 날린대. 이게 말이 되냐?"

티티라는 어이가 없어 웃었다.

"재밌다면서……. 소설을 읽고 있어 그랬나 봐."

"신기하잖아. 바보도 아니고, 자기네 지도자가 진짜 신의 대리인이라고 믿는다니까? 시노드 신넬뿐만 아니라 이스티크바로 가도— 아니, 서국西國으로 가도 다들 배 잡고 뒤집어질 거다."

"그 바보들은 어떻게 생겼대?"

"우리보단 하얗다는데. 아무래도 추운 곳이니까."

티티라는 문득 떠올렸다.

"너도 희한하게 생겼잖아. 사실 알고 보면 교국 사람 아냐?"

안스가 고개를 돌렸다. 투명한 조약돌 같기도 하고, 흐르는 물 같기도 한 눈이 빛났다. 정말이지 아름다웠다. 그의 눈썹은 누군가 그어 놓은 칼자국처럼 완고하고 진했다. 그토록 강렬한 인상은 콧대를 향해 찍혀 내려왔다. 그 얼굴에 항상 깊은 그림자를 만드는, 가장 용맹한 배도 세상의 끝을 향해 뚝 떨어지게 만들 것 같은 콧날. 부드럽게 위로 비껴 올라간 입매와 활짝 웃을 때마다 파이는 뺨. 마지막으로 그 모든 것을 깜빡 잊게 만드는 강인한 턱.

티티라는 한 번 더 감탄했다.

"아니다. 희한한 게 아냐. 확실히 잘생겼어."

"시끄러워."

안스는 시선을 피했다. 티티라는 재미있었지만 벌집을 굳이 건드리지 않기로 했다.

"근데 네가 진짜 교국 사람일 수도 있어. 교국에서 표류해 온 애를 노예상들이 잡은 거지."

"기억이 나면 좋을 텐데."

티티라는 그의 어조에서 오랜만에…… 그에게도 결핍이 있다는 것을 깨달았다.

"전혀 기억이 안 나?"

"응. 황금 돛 선실의 천장이 내 첫 기억이야."

"허전하겠다……."

"별로. 가끔 이상하단 기분은 드는데 별거 아니야."

"난 술 마시고 기억이 없어도 철렁하는데, 그럴 리 있나."

안스의 눈이 가늘어졌다.

"술 마셨냐?"

"아니."

티티라는 거짓말을 했다.

"누구랑 마셨어?"

"안 마셨다니까. 아차, 너랑 블리조 씨랑 한 번."

"웃기지 마. 그때 기억 끊길 만큼 먹은 건 나밖에 없어."

사실 그녀는 궁금한 나머지 몰래 술을 훔쳐 혼자 마셨다. 그리고 다음 날 오후 늦게야 비척비척 깼다. 무슨 일이 있었는지 기억나지 않았는데, 아무튼 바닥에는 빈 병이 굴러다니고 제 옷 위로는 포도주가 잔뜩 묻어 있었다.

"누구랑 마셨냐고."

"과보호하지 마."

티티라는 투덜댔다.

안스가 몸을 돌려 엎드렸다. 침대 너머로 책이 툭 떨어졌다. 그가 있는 쪽으로 몸이 푹 쏠리자, 쟤는 말 한 마리를 삼켰나 불평했다. 그녀가 데굴 굴러가니 그들의 숨은 단 두 뼘 거리였다.

"누구야?"

티티라는 눈을 깜빡였다. 아, 너무너무 장난치고 싶다. 크러거트? 카자? 아니면 파라반이라고 할까? 하지만 그러면 안 될 것 같았다. 아, 그렇지만.

"나 혼자 마셨어……."

"어디서?"

"내 방에서."

"왜 그딴 짓을 해?"

"네가 뭔 상관이야?"

어이가 없었다. 그래, 그나마 자신이 바깥에서 코가 비뚤어지게 마셨으면 불안한 마음이 이해가 되었다. 하지만 방 안에서 고이 혼자 마셨다는데 왜 저래?

"그런 건 안 좋아, 티."

티티라는 건성건성 그의 속눈썹을 세고 있었다.

"난 선상에서 나쁜 기억을 잊기 위해 술을 마시는 선원들을 너무 많이 봤어. 그런데 술을 마신다고 상황이 나아졌을 것 같아? 전혀."

그녀는 그의 말을 이해하지 못했다.

"오히려 더 생각난대. 미칠 것 같다고 하더라. 혼자 마시는 사람들이 특히 더 그래. 자기가 그런단 게 부끄러우니까 혼자 마시는데, 그게 스스로를 더 비참하게 하거든. 그러지 마."

서서히…… 서서히 깨달았다.

그녀는 대뜸 말했다.

"너 지금 내가 뭐 정신이 이상해서 술을 마셨다는 거야?"

"그런 말 안 했어!"

"방금 '나쁜 기억을 잊기 위해 술을 마시면 안 된다.'면서? 잊으려고 술을 마신다면 그건 미친 사람 아냐? 너 지금 날 미쳤다고 하는 거지?"

"티."

"내가 무슨 오트카저트 때문에 술을 마신 줄 알아? 그냥 궁금해서 먹어 봤어. 네가 술 취하고 하도 개판이길래."

"……."

그녀는 기어이 금기의 단어를 내뱉었다. 그러나 '그날' 밤처럼 화가 치솟지는 않았다. 그녀는 이미 우스페히 씨한테 극복하는 방법을 배워 왔다. '문제를 해결'했다. 그러니 안스의 말이 불쾌하기는커녕 안타까울 뿐이었다. 티티라는 거의 달래듯 이야기했다.

"안스, 네가 그러는 것도 병이야."

비슷한 말을 예전에 내뱉었던 것 같기도 했다. 그녀는 말을 좀 더 발전시켰다.

"내가 걸린 것보다 더 심한 병 같다."

"……."

안스의 손이 뻗어 왔다. 제 짧은 뒷머리를 쓰다듬고 허리를 감싸더니…… 부드럽게 끌어당겼다. 그녀는 영문을 모른 채 그의 가슴팍에 묻혀 기침을 했다.

"티."

"켈록, 켈록!"

그는 손을 더듬어 더 안정되게 그녀를 안았다. 티티라는 그의 가슴팍을 느낄 수 있다는 게 신기했다. 뿌리가 꿈틀거리는 것 같았다. 징그럽기도 했지만, 동시에 멋지기도 했다. 안스는 수영을 잘하니까.

"티."

"바보가 다 됐나?"

안스의 품에 힘이 들어갔다. 그는 더 이상 말하지 않았다. 조용히, 조용히 숨을 쉬었다. 그가 숨을 쉬는 순간에는 자기까지 부풀어 오르는 것 같았다. 그에게 안긴 몸은 둥실 떴다, 다시 푸시시 가라앉았다.

귓가로 그의 심장이 쿵쿵 뛰었다. 팽팽하게 당긴 천에 돌을 와르르 쏟았다가, 위로 쏘아 올렸다가, 다시 쾅 하고 떨어졌다가…… 머리칼로 스며드는 숨이 부드럽고 따뜻했다.

"티……."

티티라는 어정쩡한 기분으로 안겨 있었다. 할 얘기가 있으면 해.

"……."

그러나 그는 한마디도 하지 않았고, 동시에 꿈쩍도 하지 않았다. 비스듬하게 누운 채 자신을 껴안고 있을 뿐이었다.

티티라는 문득 우스페히 씨가 이러지 말라고 경고했던 것 아닌가 생각했다. 그의 손가락은 제 허리를 꼬집다시피 했다. 그는 일부러 인 듯 제 살을 쥐었다. 아프진 않았지만 기분이 이상했다. 제 목덜미에 닿은 손도 마찬가지였다. 포옹한다기보단 쓰다듬고 있었다. 목덜미에 솟은 솜털을 가볍게 눌렀다가, 아슬아슬하게 어루만졌다. 정말 이상했다.

티티라는 발끝을 바짝 세웠다. 긴장했다. 여차하면 안스를 걷어 찰 준비를 마쳤다. 다리는 자유로우니까 이렇게, 조금만 뒤로 당겨서 무릎으로 가랑이를 차야지.

"내가 너를 좋아해서…… 미움받을 짓만 하게 돼……."

그녀는 멈칫했다.

"너랑 먼 나라 이야기를 하고 있다가도 금세 부서져. 너무 작은 것에도 걱정이 돼."

티티라는 단호하게 대답했다.

"병이야, 그거."

"맞아……."

그러나 그를 뿌리치진 않았다. 티티라는 콧김을 내뿜고는 그저 가만히 있었다. 부풀어 오르는 몸과, 천둥처럼 쾅쾅 울리는 맥박과, 뜨끈한 숨. 그렇게 기분 나쁠 것은 아니었다.

"안스, 나도 내 병을 치료했으니까, 너도 치료해야 해."

그의 어깨가 느릿느릿 내려앉았다.

"네가 치료하면…… 나도 그럴게."

안스는 내가 멋진 상단을 차리는 날, 나를 포기할 건가 봐.

티티라는 마음속 공책에 새긴 뒤 그의 품에 뺨을 묻었다.

티티라는 마침내 라요나를 만날 수 있었다. 그날 이후 무려 닷새 만이었다. 그나마도 총독에게 '나는 이제 잡종 개처럼 팔팔하다. 더 이상 날 이 방에 가두고 감시하지 말라.'며 항의했기에 얻어 낸 결과였다.

총독의 방에서 나가면 꼼짝없이 바깥 그물 침대 행일 테니, 그것을 용납하지 않는 그에겐 선택의 여지가 없었다. 결국 안스카리우스가 직접 뒤를 따라와 선실 문을 열어 주었다.

파르훈 오피오라는 작자는 여전히 한자리에 앉아 있었다. 그는 '마침 잘 오셨다.'면서 라요나가 많이 호전되었다고 전달했다.

티티라는 어이가 없었다. 권력자가 행차하면 갑자기 병이 낫나? 너희 미개한 신앙에 딱 걸맞은 행동이로군.

티티라는 그녀가 괜찮아졌으면 제발 우리 둘만 내버려 두라며 둘을 내쫓았다. 문을 쾅 닫고, 바닥 판자를 뜯어 가로막았다. 그리고 파르훈 오피오가 앉았던 의자를 질질 끌어 침대 옆에 놓았다.

"순 돌팔이 아냐? 어떻게 볼 때마다 자고 있게 만들어?"

중얼거렸다.

그 순간, 라요나가 빼꼼 눈을 떴다. 그녀의 검은 동공이 확 커졌다.

"나갔어요?"

티티라는 인상을 찌푸렸다.

"너, 아파서 자고 있던 거 아냐?"

"쉿! 쉿!"

"왜 이래?"

라요나는 조심조심 일어나더니 이불을 들추었다. 제 머리를 파묻고는 들어오라고 손짓했다. 티티라는 얼떨떨하게 서 있다가, 결국 무릎을 꿇고 기어갔다. 이불 속에 머리만 쏙 들이밀었다.

햇살이 들어오는 벌건 이불 안. 라요나가 급박하게 말했다.

"전쟁이 벌어질 거래요."

티티라는 눈만 되록되록 굴렸다.

"며칠이나 아팠는지 모르겠어요. 지, 진짜 아팠어요. 밤중에 눈을 떴는데, 작은 불 아래 두 사람이 있었어요. 아니, 저기, 어, 어떻게 저를 혼자 두고 나가실 수 있어요? 네?"

그녀는 말하다 사무치는 듯 억울해했다. 티티라는 변명하려 했지만, 그간 무얼 했느냐 하면 ―아무리 따가운 눈초리 아래서라지만― 총독 침대를 독차지하고 잘 잤다고밖에 할 말이 없어 그만두었다. 더불어, 자신은 내쫓고서 다른 사람과 나눈 의사의 이야기가 궁금하기도 했다. 경청했다.

"아무튼 깜짝 놀라서 다시 자는 척을 했는데…… 다가올 이즈버르 해, 해, 해상전에 대해 이야기를……. 의약품은 얼마나 준비되었는지, 예상 사상자 수량, 준비된 진찰실은 어느 정돈지…… 그런 이야기를 했어요."

"그 해상전이 언제쯤이래?"

"다섯, 다섯 밤 자면…… 그리고 이제 사흘 지났어요. 제가 알아요……."

티티라는 세어 보았다. 소조폴을 떠난 지 십사 일. 사실 이미 이즈버르에 도착하고도 남을 시간이었다. 정상적인 항해 시간에서 벌써 나흘이나 초과했다. 그러고도 두 밤을 더 가야 한다고?

물론 이유는 알 것 같았다. 지난번 안스카리우스가 '배 아래 돌리기' 형을 당한 사람을 해임할 때, 그가 말했다. '위도를 60도 돌린다.'고.

교국은 이즈버르보다 더 위로 가서 남하할 예정인 듯했다. 또 그들이 배 열 척을 나란히 데려가고 있다는 사실도 잊으면 안 되었다. 그러니 도합 십육 일.

"일단 진정해 봐. 몸은 괜찮아? 비 맞았던 건, 폐렴은 회복되었고? 고작 일주일밖에 안 지났는데."

"아직, 기침은 나요. 그치만 괜찮아요. 저기, 이것보다, 의사한테 태연한 척하는 게 더 힘들었어요. 우리 어떡해요! 흡, 아니, 쉿, 죄송해요……."

라요나는 얼마나 긴장하고 얼마나 놀랐던지, 그렇게 감쪽같이 자는 척을 하고 있던 애가 이 한 겹 이불 아래선 부들부들 떨고 있었다.

하긴, 배에서는 도망갈 곳이 없다. 전쟁이 벌어진다면 바로 이 자리였다. 그런데 이런 꼬마를 내 시중을 들어 주게 한답시고 굴려 넣다니, 빌어먹을 총독 놈.

"라요나, 너 여기 올 때 총독이 뭐라고 했어?"

라요나는 눈을 크게 떴지만 항의하지 않았다. 티티라는 그 작은 순간으로, 그녀가 총독을 완전히 믿지는 않게 되었다는 사실을 깨달았다.

"소조폴 상단 상주님이 이즈버르에 용건이 있어 동행한다고 하셨어요. 그치만 굳이 떠들진 말라고요."

"뭐?"

날카로웠다.

라요나는 갑작스럽게 공격당해 눈을 크게 떴다.

"문제가 있나요? 아, 아무튼 그런데 지금, 해상전이라니요…….
이즈버르를, 그 큰 도시를……. 우리는 단 열 척인데……. 총독님
은 무슨 생각이신지 모르겠어요……."

티티라는 머리에 찬물을 끼얹은 느낌이 들었다. 라요나는 말 그
대로 그들이 있는 이 배가 두 동강이 날까 두려운 것이었다. 그리
고 상대가 함께 걱정해 주길 바라고 있었다.

그러나 티티라는 그따위 것에는 관심이 없었다. 그보단 교국이 이
즈버르를 공격하는 자리에 자신이 있다는 사실이 끔찍했고, 또…….

"다시 말해 봐. 내가 이즈버르에 용건이 있다고?"

"네? 네."

"무슨 용건?"

"저는 그런 것까진 잘 몰라요. 돈이 많이 오갈 거라 교국군이 직
접 호위한다고 했어요. 총독님께 들은 말씀은 이게 끝이에요."

그들은 이불 속에서 벌겋게 부풀어 있었다. 바다로 내리꽂히는
해가 이불을 지글지글 태웠다.

정적.

"저기, 전쟁이 일어날 걸 미리 아셨어요? 그래서 제게 첫날에 이
즈버르로 간다느니, 갑판 위에 사람들이 많다느니 한 거예요?"

티티라는 생각하는 침묵 속에서 침대에 기댔다. 철퍼덕 주저앉았
다. 그녀 위로 이불이 떨어져, 뿌얀 먼지처럼 스르르 미끄러졌다.

"저희 어떡해요……. 저, 저는 배에 군인이 많거나…… 군인들이 저한테 엄격했던 건 그저 총독님께서 계신 배라 그런 거라고 생각했어요……."

티티라는 멍하니 읊조렸다.

"너는 이게 나 때문에 출항하는 배라고 생각하면서 나를 그렇게 막대했어?"

머리 위에서 라요나의 당황한 기침 소리가 들렸다. 아니, 그것만으로도 어린애를 읽기엔 충분했다. 오히려 내가 지위가 높다고 생각했기 때문에 총독의 권위를 빌려 툭툭댔겠지. 재미있었을 거야. 나이도 젊고, 만만하고.

소녀를 탓하고 싶진 않았다. 아니, 오히려 감사했다. 그녀는 새로 얻은 소식을 짜 맞추느라 머리가 팽팽 돌아갔다.

티티라는 사역관의 개집에 갇히기 전, 이즈버르의 계약 서류만을 공란으로 두고 왔다. 그 건은 오뱀에게 거절하라고 이야기했으나, 그녀가 끝끝내 상관에서 도장을 찍어야 한다기에 어물쩍 넘어갔다. 심지어 자신이 이 배에 들고 온 서류는 전부…… 이즈버르와 관련된 서류였다.

불쾌한 의심이 들었다.

티티라는 그 옛날 교국이 소조폴에 입성하기 전, 소조폴과 어떠한 대화도 시도하지 않았다는 사실을 아는 사람이었다. 그들은 전조도 없이 수평선 너머에서 나타났다. 사절을 보내기는커녕 작은 쪽배에 담은 편지조차 없었다. 그리고 철 포탄을 두드려 하루 만에 성벽을 무너뜨렸다. 그것이 교국이었다.

그런데 지금 이 상황은, 아무리 생각해 봐도 이즈버르 침략을 그녀의 상단과 엮겠다는 심보로 보였다. 선전 포고 사절 한 명 안 보내던 사람들이 굳이 상단을 태워 변명할 거라고는 정말 죽었다 깨어나도 생각하지 못했다.

교국인들이, 전쟁의 핑계를 만들기 위해 고민했다니! 그냥 걸어가도 밟은 풀을 모두 죽일 인간들이 세간의 평판을 고려했다니!

티티라는 불쑥 물었다.

"그것밖에 못 들었어? 의사한테."

"네? 네……."

"그럼 내일모레 도착하는 것은 확실해?"

"그렇게 얘기했어요."

그녀는 이불을 던지고 문으로 향했다. 막아 두었던 판자를 들어 내팽개친 뒤, 문을 열어젖혔다.

아니, 열어젖히려 했다.

그러나 문고리는 꿈쩍도 하지 않았다.

티티라는 여러 번 덜걱거렸다. 체중을 실어 부딪쳤다. 여전히 열리지 않았다. 그녀는 뒤로 여러 걸음 물러났다가, 달려들었다. 굳건했다.

그녀는 단서를 찾기 위해 두리번댔다. 마침내 책상 위에 보란 듯이 올려진 물과 건량을 발견했다. 어이가 없어 라요나를 노려보았다.

"저건 뭐야?"

"아까 아침에 선의께서 들고 오신 쟁반인데요……."

"지금 우리한테 저거 먹고 이틀간 버티라는 거잖아?"

"네?"

라요나의 검은 눈이 동그랗게 뜨였다.

"저렇게 많은 양을 가져다주는데 다 너 먹으라는 건 줄 알았다고? 물도 마시다 죽을 정도로 많네!"

소녀는 대답하지 못하고 움츠러들었다.

"저기, 저는 무슨 문제가…… 있는지…… 잘…….."

"지금 우릴 가둬 둔 거 아냐! 아…… 됐다. 미안해. 네가 무슨 잘못이 있겠어."

티티라는 애와 실랑이를 벌일 여유가 없었다. 다시 한번 문에 매달렸다. 정말로, 문고리를 잡고 대롱대롱 매달렸다. 물론 그따위 것이 통할 리 없고, 문고리가 몹시 튼튼해서 손이 아프기도 했다. 결국 '쿵' 하고 바닥에 엉덩방아를 찧었다.

그녀는 포기한 채 넓은 선실을 돌아다니기 시작했다. 문을 부술 수 있는 것이 필요했다.

"저…… 저희를 왜 가둬요?"

"안 그러면 내가 귀찮아지니까."

"왜요? 뭘 하시려 했는데요?"

"나를 이 침공에 끼워 넣는 데 반대한다고 하려 했지."

소녀는 혼란스러운 표정으로 머리끝을 돌돌 꼬았다.

"전쟁이 일어난단 걸 미리 아셨어요? 어떻게 당신을 '끼워 넣을' 수가 있어요?"

"라요나, 넌 교국의 배가 소조폴과 도이도흐에서 떠난 적이 있다고 생각해? 지난 구 년간."

"……모르겠어요. 전 잘 몰라요. 심부름만 해요."

티티라는 자신이 소녀를 비웃는 투였는지 돌아보았다. 그녀에게는 이해가 빠르지 못한 사람을 채찍질하는 버릇이 있었다. 제 신체의 일부와 같아서 잘라 내지도 못하는 못된 병이었다…….

"네가 모른다고 탓한 건 아니야."

"전…… 편지를 나르고 옷이나 물건을 사 와요. 그래서 셈은 조금 할 줄 알지만…… 역사 같은 건 몰라요."

"아니야, 미안해. 설명해 줄게."

"전 그냥 얻어듣고…… 그게 진짜 일어날까 두렵기만 했다고요. 전 전쟁을 몰라요."

전쟁을 모른다는 그녀의 말에 멈칫했다. 라요나의 둥글게 어린 얼굴을 뜯어보았다. 구 년 전에는 여덟 살이나 되었을까.

"저, 저희는 열 척밖에 안 되는데 어떻게 이즈버르를 공격하나요? 말도 안 돼요……. 심지어 이즈버르에도 소조폴 같은 순찰선, 방어선이 있을 텐데…… 바다 한가운데에서 죽을까 너무 무서워요……. 어, 어떡—"

"하나만 말해 줄게, 라요나."

"네, 네?"

"소조폴은 교국 배 열 척에, 단 하루 만에 함락되었어. 교국의 피해는 없었어."

"……."

"그러니 우리는 여기서 고기밥이 되진 않을 거야. 이제 안심이 돼?"

"……."

제 가장 끔찍한 추억으로 어린애를 달래려니 기분이 이상했다.

"우리가 걱정해야 하는 건 이 배가 아니라 오히려 이즈버르야. 이프루이우호는 작은 편이지만, 나머지 배들은 지금 시노드 신넬에 존재하는 어떤 배보다 클 테지. 그러니 인원이 상당하겠고."

"……."

"대학살이 벌어질 거야."

티티라는 주먹을 꽉 쥐었다 펴며 말을 더했다.

"이놈들은…… 효율적일 테니까."

라요나가 한숨을 깊이 내쉬는 모습이 보였다. 교국이 그 정도로 잔인하다는 사실에 놀란 것 같았다.

"그러니까 일단 여기서 나가야 해. 물론 내가 총독 놈 엉덩이를 붙들고 엎어져도 전쟁은 일어나겠지. 하지만 총독에게 무슨 일인지 자초지종을 듣고, 난 거기서 떨어져야겠어. 왜 개집에서 잘 생활하던 날 불렀나 했더니 이런 수작이었군. 미리 알았어야 했는데 내가 멍청했어. 아니, 억울해. 알았어도 솔직히 무슨 수가 있었나? 발버둥 치다 붙잡혀 끌려왔겠지."

"……저흰 안전해요?"

문을 부술 것을 찾던 티티라가 움직임을 멈췄다. 시선으로만 뒤를 바라보았다.

"저희는 안전하다고 하신 거 맞죠? 일단 배가 안전하면…… 안전해지면…… 언젠가는 총독님께서 내보내 주지 않으실까요?"

아까의 '한숨'은 안도하는 한숨이었던 것 같다. 교국인들의 잔인성에 대한 한숨이 아니었다.

티티라는 잠깐 멈추었다가, 대꾸하지 않고 또다시 방을 서성였다. 무언가 날카로운 게 필요해. 책상을 뒤집어엎고 책을 하나하나 떨어뜨렸다. 옆 공간으로 넘어가 식탁 옆 궤짝들도 모조리 뒤졌다. 그러나 아무것도…….

편지 칼을 찾았다!

그녀는 반쯤은 의심에 찬 채로, 반쯤은 의지에 찬 채로 다시 문에 덤볐다. 제 검지보다 작은 칼을 문에 박았다. 겨우 끄트머리가 살짝 파였다. 온 힘을 다해 내리치자 더 파였다. 용기를 얻었다.

그녀는 문고리 주변을 편지 칼로 찍어 눌렀다. 더 이상 이 방에 있는 누군가와 대화를 시도하지 않고 문을 열기 위해 고군분투했다. 뒤에서 누군가가 아연하게 지켜보는 듯했지만, 무시했다. 나는 이 문을 열어야겠어.

문에 달려들고, 내리찍고, 베고, 치고, 가르고, 썰고, 도려내고…….

약 한 시간 뒤, 그녀는 땀을 뻘뻘 흘리며 바닥에 드러누웠다. 눈만 돌려 결과를 확인하자 문고리 주변이 작게 파여 있는 것이 보였다. 이래서야 이틀 안에 문을 열 수는 있을까?

"……저, 배고프시면 드세요."

티티라는 무시했다.

"드세요. 힘을 많이 쓰셨어요."

그녀는 벌떡 일어났다. 창가로 달려가, 촘촘한 나무 창살 사이로 작은 창을 깨 볼까—

라요나는 갓 폐렴에서 나온 몸이었다. 티티라는 맥이 빠져 편지 칼을 내려놓았다.

"저기…… 그렇게 나가고 싶으세요? 나가셔도 이 배들은 어차피 이즈버르를 공격한다면서요?"

"넌 몰라."

티티라는 딱딱거렸다. 숨을 고르며 책상에 기댔다.

"저도 그때 어떤 일이 일어났는지 정도는 알아요. 그렇게 무시하지 마세요."

"여덟 살이 뭘 알아?"

"다들 세상이 망했다고 짐 싸서 도망가던 기억은 있어요. 거지 구역은 도망가기는커녕 아무것도 못했지만……."

"……너…… 거지 구역에 있었어?"

"부모가 없는데 어떡해요. 어떤 할아버지가 주워서 구걸시켰어요."

"……."

"아무튼 그랬는데, 교국이 들어온 이후 제 인생은 바뀌었어요. 인생 폈죠. 거지 구역을 밀어내고 정돈하고, 바깥에 움막이라도 지어 주고. 치워진 자리로는 으리으리한 건물들이 올라가고 수로도 확장되었어요."

"……상단들도 매일매일 음식을 배급했잖아."

"추운 날에 한 시간, 두 시간씩 버티고 서서? 남들이 끼어들면 저는 애니까 밀쳐져서 제일 끝으로 다시 가야 하고요? 그러다 시간 끝나면 닫고? 하루에 딱 한 번?"

"그럼 어떡해? 교국은 달라?"

"말린 음식이지만 지나가며 공평하게 모두에게 뿌리잖아요. 저는 그게 더 좋았어요. 애초에 제가 먹을 걸 주우러 나갔다가 사역관의 관료에게 선택된 거기도 하고요. 나이가 어리고 남들을 위해 본인 음식을 나눠 주는 성품을 지녔으니 사역관에서 키우겠다고. 사실 안 주면 한 대 맞아서인데……. 그 인간들, 너무 고맙죠."

티티라는 입을 다물었다. 항상 소조폴 시민은 대상단과 보호 귀족의 몰락을 고소히 여길 거라 생각해 왔지만, 직접 듣는 것은 아무래도 기분이 이상한 일이었다.

"그렇지만 한 달에 한 번은 큰 축제로 누구든 풍요로울 수 있게 베풀었잖아……."

"그러니까 그걸 위해서 한 달 내내 굶으라고요? 말씀드렸잖아요. 말린 빵 조각을 줘도 규칙적으로 공평한 게 낫다고요."

"추울 땐 옷도 줬고……."

"그 쓰레기 잡동사니들."

"……."

"물론 보통 시민들은 좋아했겠지만요. 그 사람들이 교국이 더 낫다고 하는 건 위선적이고요."

"……."

"그리고 저도, 제 상황이 교국 아래 더 낫다는 것이지, 그들이 잘했다는 뜻은 아니에요."

티티라는 바닥을 내려다보았다. 라요나를 옛 소조폴의 무지한 꼬맹이로 취급했다가 호되게 맞고 있었다. 그녀가 지식이 짧을 수는 있으나, 삶을 비교하지 못하는 바보는 아니었다.

"저도 시계탑이 무너지는 것은 봤으니까요. 물론 거지는 한 번도 시계탑에 올라가게 해 주지 않았지만……."

"……."

"그리고 부두에 매달린 시신들도 봤고……. 모두가 나쁜 사람들은 아니었을 텐데. 어쨌든 소조폴은 즐거운 도시였으니까. 굶어 죽기 전에 상관 앞에 엎어지면 빵이라도 챙겨 줬으니까……."

느리게 숨을 쉬었다. 소녀는 옛 소조폴, 자신이 아는 사람들, 죽은 잔해를 무감동하게 추억하고 있었다. 내게는 인생의 전부였는데.

"이렇게 이야기할 수 있는 건 저뿐이에요. 거지 구역 출신 저뿐이요. 잘 먹고 살던 21구역 안쪽 사람들이 그러면 안 돼요."

"……."

"사실 그 사람들도 조금은 후회할걸요? 상단이 있을 땐 그 부잣집의 단맛이라도 가끔 맛볼 수 있었는데. 그러니까 화물 양하연 같은 데서요. 선물도 주고 그랬으니까. 그런데 지금은 아무것도 없이 근면하게 일해야 하잖아요. 물론 그보단 자기보다 잘사는 사람들을 미워하는 감정이 먼저겠지만."

"시신을 봤니?"

목소리가 떨렸다. 사실, 라요나의 다음 말들은 귀담아듣지 않고 있었다. 소조폴로 돌아온 뒤에는 사적인 대화를 나눌 만큼의 인간관계를 쌓지 않았다. 적당한 거리를 둔 사람들에겐 아무것도 말하지 못하게 했다. 그러니 이렇게 코앞에서 시신을 직접 봤다고 당당하게 이야기하는 이는 라요나가 처음이었다.

티티라는 깨달았다. 그간 아무도 이야기하지 못하게 한 것은, 자신이 듣는 순간 흔들릴 것을 이미 알고 있었기 때문이다.

"네."

"……어쩌다가?"

"구경 갔어요."

"……."

"부두를 가로질러 빼곡하게 있었어요. 한 줄에 백 명씩. 썩는 냄새가 고약했어요. 바닷새들은 시체를 안 먹어서 어리둥절하게 돌아다니고요. 그러다 까마귀들이 살판났다고 멀리서 여행을 오면 죽어라 싸우고 그랬어요. 새 소리만 '깍깍', '끼에엑'……."

"……."

"목이 매달린 시체 앞에 누가 누군지 푯말을 붙여 주지는 않았는

데, 그 앞에서 사람들이 혀를 쯧쯧 차면서 이름을 이야기하더라고
요. 무슨 유적 감상하듯이……. 옷을 멀쩡하게 입고 살도 통통하게
오른 것들이……. 그래서 전 21구역 안쪽 사람들을 아직도 싫어해
요. 죽은 사람들 이름을 다 알 정도면서 구경을 왔다 이거 아니에
요? 너무해."

"……."

"시체는…… 그냥 시체였어요. 모두 옷을 입고 있었고요. 총칼
에 죽은 사람, 멀끔하게 죽은 사람, 다양했어요. 긴 나무 들보에 서
로의 어깨가 가까스로 닿지 않을 정도로 촘촘하게 나열되어 있었
어요. 한 줄에 백 명을 끼워 넣으려면 또 얼마나 붙여야 했겠어요?
아무리 소조폴 부두가 넓고 길다지만요. 그걸 교국 군인들이 느긋
하게 감시하고 있었고요. 시체 열 구당 한 명씩."

"……."

"전 그냥 그렇게 멀리서만 보고 왔어요. 냄새를 견딜 수 없었어
요. 나중에 그 시체를 불태우는 것은 이틀 밤낮이나 걸렸죠."

티티라는 괜찮았다. 견딜 만했다. 묘사를 들어도 그뿐이었다. 아
니, 오히려 위로되는 부분도 있었다.

결국 우스페히 씨와 많은 사람들은 차별 없이 떠날 수 있었던 것
이다. 더 유력한 상단이었다고 더 '특별한' 대우를 받지는 않았다.
반란군의 괴수처럼 가시 왕관을 씌우거나 벌거벗은 몸에 그림을
그려 넣었을까 걱정했는데, 다행이었다.

그러면 이제 그들이 존엄하게 죽었다고 해도 될까?

티티라는 우스페히 씨가 죽음에 대해 어떻게 생각하셨을지 모르
겠다고 생각했다. 그 사람은 너무도 태연했다. 호흡 곤란이 올 정

도로 책임에 짓눌려 있었으면서도 이런 상황이 닥친 이상 할 일을 한다는 태도였다.

어떻게 그렇게 노력했으면서도 실패했을 때 태연할 수 있지? 당신은 낙관주의자도 아니었잖아? 솔직히 다 잘될 거라고 생각 안 했잖아?

"……돔니니 씨? 티티라 돔니니 씨? 저기, 티티라 씨?"

티티라는 흠칫 놀라 몸을 일으켰다.

어딘가에 쓰러져 있었나 걱정했지만, 단지 책상에 기대어 있었을 뿐이었다.

"티티라 씨!"

그녀는 시선을 돌려 라요나를 바라보았다. 그 애는 맨발로 바닥에 내려와 있었다.

"추워. 올라가."

"진짜 오랫동안 가만히 계셨어요! 사람 놀라게 해 놓곤!"

"올라가라니까."

티티라는 모든 불씨가 꺼진 방을 둘러보았다. 교국의 배답게 단단히 짜 맞춰져 단열이 되었지만, 나무로는 한계가 있는 법이다. 썰렁한 기운이 돌았다.

"내가 불을 지를까 봐 꼼꼼하게 다 끄고 갔네. 그 의사 놈은 의사 질을 할 게 아니라 연기를 해야 해. 소조폴 극장에 자리를 잡아 줘야겠어."

"으휴."

"총독 놈도 마찬가지야."

"으휴……."

티티라는 자신과 닷새 동안 침묵을 겨루었던 총독을 떠올렸다. 침묵 사이사이로 끼어든, 이상하게도 편안했던 대화를 떠올렸다. 그 모든 게 자신을 안심시키기 위한 비책이었을지 모른단 생각에 괘씸해졌다.

"그러고 보니, 총독님 선실에 계셨다면서요?"

"그렇지."

"어디서 주무셨어요?"

"총독 침대."

라요나가 눈을 휘둥그레 떴다. 무언가 생각할 겨를도 없이 튀어나오는 모양이었다.

"두 분께서 잠자리를 가지셨어요?"

"아니, 나 혼자 잤어. 걔는 소파에서 자더라."

"……."

"응접실도 있는데 감시하겠답시고, 가관이다."

"저, 티…… 아니, 아무튼 바깥에서 그러시면 진짜 죽어요."

"그거 좋던데. '티티라 씨'. 계속 그렇게 불러."

소녀의 얼굴이 살짝 붉어졌다. 아까 전 그녀를 부를 때 외쳤던 단어를 들었을 줄 몰랐나 보다.

"아, 아무튼. 총독님이 아무리 티티라 씨에게 투옥형을 내리셨다고 해도 최소한의 예의는 지켜 주셔야죠."

"'그' 총독이 지금 나를 이용하려고 이 배에 가둬 놨는데?"

"확실하지 않잖아요."

"나는 확신해."

"그리고 그렇게 잘해 주시는데 왜 조금도 숙이지 않으시는 건가요?"

"네가 육 년 동안 공물을 뜯겨 봤어? 아니면 한 달 동안 군용 견사에 투옥당해 봤고?"

"딱히 그분이 개인적인 악의로 한 건 아니잖아요. 올해 오신 분한테 육 년은 무슨 육 년이에요? 또, 티티라 씨께서 먼저 총독님을 공격하셨다면서요."

티티라는 제 말을 듣고서도 동요하지 않는 라요나에게 입을 쩍 벌렸다.

"라요나, 너 혹시 총독을 좋아해?"

라요나의 얼굴이 벌게졌다.

티티라는 ─스스로도 미치고 팔짝 뛸 노릇이지만─ 당장 나가지 못하게 된 것보다 갑작스레 이게 더 재미있어졌다. 어디 도망가지도 못하는데, 잘됐다.

"걔를 왜?"

"그…… 게 아니라…….."

"진짜?"

"아니, 진짜 안 좋아해요."

"정말?"

"……잘생기셨잖아요."

마침내 토로한 라요나는 축 처진 토끼 같은 얼굴이었다. 티티라는 그녀의 한숨 섞인 고백에 웃음이 터지는 것을 느꼈다.

"진짜 뭘 좋아하고 말고예요. 말도 안 돼."

"잘생겨서 좋은 것도 좋은 거지."

"제가 직접 그분과 뭔가를 하고 싶은 것과는 달라요. 그냥 보면 좋잖아요."

티티라는 총독 놈을 봐서 좋았던 일이 있나 곰곰이 생각해 보았다.

"그 전의 총독님들이 얼마나 시커먼 분들이었는 줄 아세요? 거대하고, 매부리코에, 흉터가 나 있고, 목소리엔 가래가 껴 있고. 지금 총독님하고 같은 교국인이란 증거는 매끈한 턱밖에 없다고요. 교국분들은 수염을 기르면 안 되니까."

"하하하⋯⋯."

"올 초에 총독님이 오셨을 때 전 진짜⋯⋯ 좋았어요⋯⋯."

그녀는 웃느라 책상 위로 엎어졌다.

"너무너무⋯⋯. 한 군데 흠잡을 곳도 없으시잖아요. 그리고 사제 왕분들 특유의 눈동자하고요. 예전엔 그냥 도마뱀 같구나 하고 말았는데, 사람 생김새에 따라 보석 같기도 하단 말이에요."

"하하!"

"그리고 기본적으로 좋은 분이세요. 저나 다른 사환들에게도 나쁘지 않게 대해 주시고, 휴일에는 선물도 주시고. 맞다, 보세요. 저희를 마스트에 내걸었던 사람도 벌했잖아요. '대대장'이면 엄청 중요한 사람인데! 그리고 저희를 치료해 주시기도 했고요."

"그건 걔가 먼저 잘못한 거잖아. 부하 관리 못 하고, 넌 폐렴까지 걸렸는데 어디서 그걸 착하게 봐주려고 해?"

"그게⋯⋯ 어때서요?"

라요나는 이불을 둘러썼다.

"돌이킬 수 없게 다친 것도 아니고요. 고작해야 며칠 앓은 건데 그럴 수도 있죠. 그리고 뭐, 제가 잘못을 했으니까 벌을 받았을 거고요."

"⋯⋯."

"아무튼 총독님 괴롭히지 마세요. 진심이에요."

티티라는 그녀와 자신 사이에서 이어 붙이지 못하는 끝없이 꺼진 벼랑을 발견했다. 정말 작은 틈인데도 너무도 깊어 쉽사리 넘어갈 수가 없었다.

라요나는 교국 치하에서 교국의 도움을 받고 자라난 새로운 세대였다. 고작해야 십 년 차이였지만 간격은 명확했다.

교국은 공평하고 선진적이다. 그렇기에 일을 열심히 하고 합리적인 총독은 존경받을 만한 지도자인 것이다. 그러니 '괴롭히지 말아'라.

"내가 그럼 뭘 했으면 좋겠어? 조용히 앉아서 명령을 들어?"

"아니에요. 총독님께서 이렇게 하시는 이유가 있으실 테니 우선 기다리시고, 나중에 만날 수 있을 때 항의하시면 되죠. 그리고 호칭은 잘 써 주시고요."

티티라는 들은 체 만 체 하며 문으로 걸어갔다.

아까 전 떨어뜨렸던 편지 칼을 다시 주워 들었다. 그 작은 칼을 양손으로 쥐고 문고리 주변을 힘주어 찍었다. 뒤에서 라요나가 들으라는 듯 크게 한숨을 쉬었다.

편지 칼은 총 두 시간 동안의 사투 끝에 못 쓸 정도로 휘어 버렸다. 티티라는 또다시 방 안을 뒤져 청동 촛대의 손잡이로 문고리를 파기 시작했다. 약한 청동은 고작해야 삼십 분을 버텼다. 그다음으론 미리 뜯어 두었던 나무판자로 쾅쾅 내리쳤고, 그마저 부서지자 장식용으로 진열되어 있던 회중시계 뚜껑을 사용해 긁어냈다.

그러다 어느 순간에 진이 빠져 바닥에서 잠들었다.

눈을 떴을 때는 한낮이었다. 급히 달려가 좁은 창문 밖을 바라보았으나, 여전히 망망대해와 뒤를 따라오는 교국의 배 몇 척뿐이었다. 너무도 평온했다.

그녀는 건량을 주워 삼킨 뒤 다시 무기를 들고 방문에 덤볐다.

"……언제까지 하실 거예요?"

"문고리가 빠질 때까지."

회중시계도 부서졌다. 이제 돋보기를 들고 와 살짝 뾰족한 손잡이 부분으로 쳤다. 지금에 이르러선 자신이 단순무식하게 힘을 쓰는 것인지, 인간으로서 도구를 쓰는 것인지 잘 모르겠단 생각이 들었다.

"좀!"

그녀는 쾅 하고 주먹으로 문고리를 세게 내리쳤다.

그리고 바닥에 엎어졌다. 코를 찧었으나, 그 순간 깨달았다.

티티라는 바닥에 떨어진 문고리를 의기양양하게 들었다.

"부쉈다!"

티티라는 뻥 뚫린 자리에 팔을 넣어 아래 잠금쇠를 풀려 했다.

그러나…… 자물쇠가 걸려 있었다.

티티라는 화가 나서 문고리를 내던졌다. 뻥 뚫린 공간에 입을 대고 왁 소리를 질렀다.

"아무나 이리 와! 문 열어!"

바깥은 정적이었다.

"문 안 열어? 문 열어! 문 열어! 여기 문 안 열어?"

누군가가 어깨에 손을 얹길래 돌아보니, 겁먹은 듯한 라요나였다.

"'그러면 큰일 난다' 어쩌고 하려면 물러나 있어. 큰일 나도 내 일이야."

"……."

"문 열어! 문!"

티티라는 한 팔을 뻗어 자물쇠를 어떻게든 열어 보려 애썼다. 동시에 문을 마구 흔들었다.

다음 순간, 바깥 갑판 쪽 문이 열리는 소리가 들렸다. 왜 조용한가 했더니 갑판 문을 안 열어 두어서 그랬군.

티티라는 기회를 놓치지 않고 외쳤다.

"문 열어!"

팔을 들여놓은 채 구멍으로 바깥을 보려 애썼다. 다리밖에 보이지 않았는데, 교국 군인 복장이었다. 저벅저벅 걸어온다. 몸을 숙인다. 자물쇠에 열쇠를 꽂았다……!

티티라는 뒤로 물러났다.

문이 열렸다. 아니나 다를까, 평범한 군인이었다.

그녀는 잽싸게 그를 피해 나가려 했지만, 정중한 경고에 걸음을 멈추었다.

"총독께선 바깥에 계십니다. 해가 강합니다. 모자를 쓰십시오."

티티라는 존댓말이 이상하다는 생각을 하면서도 모자를 들고 있는 그에게 가까이 갔다.

그 순간, 제 입가에 차갑고 쓴 천이 덮였다.

그녀는 거칠게 기침을 터뜨리며 몸을 숙였다.

"뭔, 크, 무슨……!"

순간적으로 중심을 잃은 그녀를 남자가 감싸 안아 제압했다. 그리고 그녀의 입속에 무언가를 넣었다.

티티라는 약이라는 것을 직감하고 뱉어 내려 했지만, 상대가 능숙하게 명치를 때렸다. 기침을 내뱉는 순간…… 티티라는 자신이 그것을 삼켰음을 깨달았다.

이내 군인이 그녀를 놓아주었다. 멀쩡하게, 모자도 씌워 주었다. 망토를 덮고, 목 아래를 멋들어진 장식으로 고정해 주었다. 티티라는 기분이 즉시 흐려지는 것을 느꼈다.

"바, 바, 방금 무, 무슨 짓을 하신 거예요?"

라요나……?

"잠깐 나른할 뿐이야. 걱정하지 마라."

티티라는 느가 미는 대로 서먹서먹 섰다. 섰는 데에는 문제가 없었다. 시야도 멀쩡했다. 그러나 무언가가…… 꽹장히 느렸다. 제 머릿속에서 논리적인 생각을 이어 나갈 수 없었다.

티티라는 군인에 앞서 걷다가, 마침내 팔랑팔랑 흔들리는, 갑판으로 나가는 천 앞에 다다랐다. 남자가 걷어 주었다. 또 걸었다. 가는 길에 누가 의자를 뒤로 빼 주기에 털썩 앉았다. 내가 뭘 하고 있는 거지? 잘 모르겠다.

티티라는 의자를 빼 준 사람을 돌아보았다. 안스였다. 그는 제 눈을 바라보다가 냉정하게 고개를 돌렸다. 너, 그런 애 아니었잖아.

주위를 보자 큰 갑판 위였다. 큰 갑판……? 그렇지. 나는 배에 탔지……. 의자에는 자신과 안스만 앉아 있는 것 같았다. 주변에는 무장한…… 그래, 무장한 교국 군인들이 서 있었다. 교국? 아, 그러면 얘는 안스가 아니군. 안스카리우스군. 망할 총독 놈.

시야 멀리에는 웬 도시가 보였다. 크고 멋졌다. 언젠가 방문했던 것 같기는 한데, 내가 목격한 도시가 한둘이어야지. 이름이 기억나지 않았다. 하지만 항구를 앞두고 불뚝 솟은 중앙의 언덕이 신기했다. 자신이 저 도시의 주인이라면 언덕에 멋들어진 이름을 붙인 뒤 그 위에 살고 싶을 것 같았다.

코앞에는 근사하게 차려입은 남녀가 있었다. 그들은 한결같이 불안한 눈으로 티티라를 바라보았다. 누군데 날 저렇게 쳐다봐? 불만 있나?

그들 중 눈썹이 찢긴 남자가 입을 열었다.

"왜 교국의 배가 직접 행차하셨는지 감히 짐작하기 어렵습니다. 무례하지만, 교국 통치하에 있는 곳은 소조폴과 도이도흐, 두 개 항구 도시뿐입니다. 남부 전반이 교국 관할하에 있다고 보기는 힘들뿐더러, 설사 교국에서 남부 대농들과의 계약을 모두 관리하신다 한들 저희에게도 합리적으로 제안할 권리가 있습니다."

정확히 무슨 소리를 하는진 모르겠는데…… 아무튼 익숙한 상단의 궤변이라 좋았다. 빙그레 웃었다.

"너희 이즈버르의 입장을 경청했다. 하지만 아직도 왜 소조폴과 도이도흐의 유력 상주들에게 교국의 허락 없이 협력하길 제안했는지에 대해선 소명이 되지 않는다. 심지어 몹시도 불리한 조건이었지. 각 상단의 이윤에 도움이 되지 않을뿐더러, 교국 치하의 도시를 전반적으로 착취하려는 혐의가 보인다."

"상인 간에 '착취'는—"

"교국은 상단이 아니다."

안스 놈은 정말 이상할 정도로 권위에 차 있었다. 무감정하고, 무관심하고, 낮았다. 의자의 팔걸이 위로 보란 듯이 거칠고 큰 손이 올라와 있었다. 다리는 느긋하게 벌어져 있다.

대체 어딜 가서 저런 태도를 배워 온 거야? 혼자 질문하다가, 다시금 그가 안스카리우스라는 사실을 깨달았다.

티티라는 제 머리가 이상해지고 있다고 생각했다…….

"우선 불균형한 제안은 아니었음을 거듭 강조합니다. 이 부분에서 절대 오해가 있으시면 안 됩니다. 저희는 남부 사탕수수 농장의 임대권을 대가로 소조폴, 도이도흐의 상단들이 이즈버르 및 중부에도 뻗어 나갈 수 있는 교두보를 제공하기로 했습니다. 도시 창고와 운반책 제공은 물론, 기존 저희의 거래처를 쪼갤 수 있다고도 이야기했습니다."

"하지만 그 결과로 남부의 사탕수수를 독점하고자 한 것은 사실이다."

"독점이 아니라, 단기간의 융통책이었습니다."

"왜 교국에 보고하지 않았나?"

"상단끼리의 거래를 왜 공개해야 합니까? 저희는 시노드 신넬의 호국경에게 세금 외에 어떤 것도 제공하지 않습니다."

"너희 미개한 통치 제도에 대해서는 알 바 아니지."

군인 몇이 웃음을 터뜨렸다.

계속 말을 잇던 남자가 이를 악물었다. 그러자 옆에 있던 여자가 한숨처럼 말을 받았다.

"총독, 함선 열 척을 끌고 오시니 두려울 게 없으시겠지요."

한 번에 수십 개의 칼날이 보였다. 반쯤 빠져나온 날들. 더 말을 잘못 놀렸다간 배의 손님이고 뭐고 베어 버리겠다는 뜻 같았다.

티티라는 흥미진진하게 바라보았다.

"하지만 저희에게는 잘못이 없습니다. 만일 전쟁 명분을 만들고자 소조폴 상단을 핑계 삼으셨다면 잘못 선택하신 겁니다. 시노드 신넬의 어떤 인간도 이번 사유가 전쟁까지 이어져야 한다고 생각하지 않습니다.”

안스의 얼굴에는 표정 변화랄 것이 거의 없었다.

“그건 교국이 판단한다.”

“…….”

“내일까지 너희가 소조폴과 도이도흐에 건넨 제안을 검토하도록. 또한 어떤 조항이 불합리했는지를 살피고 그런 모욕적인 제안이 교국의 부두를 넘게 한 죄를 사죄할 것.”

“그러면요?”

안스는 입을 다물었다. 그다음에 나올 말을 알고 있기라도 한 모양인지 그 얼굴에는 전혀 궁금한 기색이 없었다. 단지 그녀에게 마지막 기회를 주려는 듯, 자비에 가까운 침묵이었다.

“총독, 그러면 침공하지 않으실 겁니까?”

“너희 답변에 따라 달라지지.”

“저희는 이 배에 단둘이 왔습니다. 또한 만일 승리하신다면 이즈버르 내 유력 상단을 학살하실 것을 모두가 알고 있습니다. 그러니 어차피 증인은 남지 않습니다. 사형 선고는 차라리 직접 말씀해 주시지요.”

“오해가 있다. 우리는 학살하지 않았다.”

티티라는 크게 숨을 들이켰다. 이유를 모르겠는데, 등에 식은땀이 흘렀다.

“점령지에서 고발을 받아 순리대로 처리했을 뿐이다. 교국은 도시를 발전시키고 시민의 복리를 보장하기 위해 항상 노력하고 있다. 이를 위해서는 기존의 폐단을 뿌리 뽑아야 한다. 이즈버르가 시민에게 ‘고발’당하지 않을 정도로 ‘건강’하다면 문제없을 거다.”

"개 짖는 소리보다 의미가 없군요."

칼이 튀어나왔다. 그러나 안스가 손을 들었다.

"우리 요구 사항은 전달했다. 가서 검토하고, 내일까지 가져와라."

여자가 무슨 말을 더 하려 했으나 남자가 저지했다. 그는 어두운 기색으로 고개를 저었다. 뒤를 돈다. 여자는 힘이 빠졌는지 절뚝거렸고, 그런 그녀의 팔을 남자가 붙들었다. 연인 같지는 않았다. 그보다는 시간에 힘입은 신뢰가 보였다. 서로 무언가 속삭인다. 여자의 걸음은 회복되지 않았다. 그러나 끝까지 걸어갔다.

그들은 밧줄을 잡고 뱃전 너머로 사라졌다.

그동안 티티라는 바다 멀리 있는 도시를 보며 앉아 있었다. 소조폴보다 짧은 부두에 더 뚱뚱한 후면 도시가 비대칭적으로 아름다웠다. 성벽은 그다지 튼튼해 보이지 않지만 적어도 멋지긴 했다.

그러다 누군가 제 팔을 잡았다. 잡히는 순간 경계했던 것보다 훨씬 약한 힘이었고, 따뜻했다. 그러나 그것에 기대어 일어설 정도의 힘은 되었다. 그녀는 고분고분 일어선 채 고개를 들었다.

이런, 안스.

"얼마나 먹인 거야?"

"호룬 한 알, 키클로포룬을 조금 뿌렸습니다."

그가 찡그렸다.

"그럴 필요까지 있나."

"원체 팔팔해서 어쩔 수 없었습니다. 갔더니 문짝을 부숴 놨더군요."

티티라는 안스가 자신을 부축해 줄 필요가 조금도 없다고 생각하곤 그를 밀쳐 냈다. 그런데 그의 몸에 힘이 들어가더니, 버텼다. 그녀는 어이가 없었다. 내가 싫다는데? 야!

하나 말이 나오지 않았다. 갑판 위로 나온 뒤 처음 무언가 말할 의욕이 들었는데 혀가 굳기라도 한 것처럼 힘들었다.

"아…… 에……."

침도 제대로 삼킬 수 없었다. 이상했다.

"들여보내."

"예. 부선실에 넣어 두겠습니다."

"선장실로…… 보내려면 내가 가야 하는군."

안스는 멍청이처럼 말을 하다 바꿔 치웠다. 그의 실수를 지적하고 싶었으나 여전히 혀를 움직일 수 없었다.

그가 팔을 끌어당겼다. 그녀는 충분히 걸을 수 있었지만, 그에게 끌려가기 싫었다. 그래서 그 자리에 주저앉았다.

안스는 한순간도 주저하지 않고 그녀를 들어 올렸다. 티티라는 그의 어깨에 걸린 채 둥실 떴다.

미친놈! 안스의 뺨을 치려 했다. 그러나 저지당했다. 그를 마구잡이로 쳤다. 모두 막혔다. 심지어 상대는 걷고 있었다. 몸을 숙이나 싶더니, 겨울 햇살이 따뜻하던 갑판 위에서 천장이 막힌 곳으로 들어왔다.

"아, 어……!"

몸은 생생하게 움직이는데 말만 안 나왔다. 미칠 것 같았다. 그녀는 계속 안스를 치고 걷어차고 꼬집고 온갖 수를 다 써서…… 마침내 빠져나왔다!

그녀는 침을 퉤 뱉고 달아나려 했다. 그러나 손목을 꽉 쥐였다. 안스는 다른 쪽 손으로 방의 자물쇠를 풀고 있었다. 문이 부드럽게 열리는 순간, 그가 자신을 안으로 밀쳐 넣었다.

"아……!"

티티라가 달려들었지만, 문은 순식간에 닫혔다.

생각났다. 저놈은 안스가 아니었다. 안스카리우스였다. 그녀는 자기가 같은 사실을 벌써 수십 번이나 떠올렸다는 것을 기억해 냈다. 갑자기 맥이 빠졌다. 내가 어떻게 된 거지? 머리가 빙빙 돌았다. 나른했다가, 빨라졌다가, 확 죽었다.

티티라는 시험 삼아 방문을 열어 보았다. 당연하지만 잠겨 있었다. 응접실의 바닥에 주저앉았다. 조금 기어가서 의자 다리를 잡았으나, 일어설 의욕이 들지 않았다. 누가 나한테 약을 먹인 것일까?

그녀는 멍하니 의자 다리에 기대어 앉았다. 시간이 화끈거리고 몸이 빠르게 지나갔다. 바깥에 있다가 실내로 들어오니 답답한 공기에 더욱 힘들었다.

정신을 차리기 위해 주먹을 여러 번 쥐었다 폈으나 소용은 없었다. 머리를 식탁 다리에 박았다. 여전히 별 소용이 없었다. 발을 의자 다리 아래에 끼워 넣곤 쾅 떨어뜨렸다. 아! 너무 아파! 하지만 감각은 한순간일 뿐, 나른한 기분은 타고난 기질처럼 붙어 떨어지지 않았다.

그녀는 바닥에 엎드렸다. 어지러웠다. 이러다 병이 재발하면 어떡하지? 심각하게 걱정했으나, 몸은 그녀를 비웃듯이 쌩쌩했다. 당장 일어설 수 있어도 아무것도 하기 싫은 것이 문제였다.

생각을 가라앉히려 노력했다…….

그녀는 뜬 눈으로 잠들지도 못했다.

그저 방바닥에서 먼지를 들이켜며 멍하니 있었다. 일어날 수 있는데 일어나고 싶지 않았다. 그렇다면 일어날 수 없는 것과 무슨 차이일까?

그렇게 몇 시간이나 지났는지 모르겠다. 선실 문을 지분거리는 소리가 들렸다. 여전히 '일어날 수 없었'다.

문이 열렸다.

발자국 소리가 가까워졌다. 누군가 제 어깨를 툭툭 두드렸다. 그녀는 반응하지 않았다. 결국 물고기처럼 뒤집혔다. 안스구나. 그는 얼굴을 찡그리며 곧장 그녀를 안아 올렸다. 그다웠다. 목을 끌어안았다.

웃음이 났다. 자신이 이러면 그는 항상 짜증을 내곤 했다. '너는 손발이 없냐'는 둥, '나도 다친다'는 둥. 그러나 결국 옮겨 주었다. 주로 자신이 그를 밟고 올라가야 하거나, 위험한 장소를 넘어가야 하는 경우 쓰던 수법이었다. 그럴 때마다 안스가 아닌 척하면서도 무척 긴장해 있어서 웃겼다.

이번엔 어디로 올라가야 하나?

그러나 푹신한 것이 등에 닿았다. 위험한 곳이 아니라 안전한 곳으로 떨어진 것 같았다.

티티라는 빙그레 웃었다. 이렇게 귀여운 짓을 한다 이거지. 오늘 한 번은 봐줄게. 그녀는 안스의 넓은 침대에서 이불 속으로 파고들었다. 자신이 감탄했던 침대답게 푹신하고 따뜻했다. 바다와 햇볕에 말린 냄새도 났다.

안스가 떠나려는 듯 몸을 돌렸다. 티티라는 팔을 뻗어 그를 붙잡았다. 너는 절대 나를 뿌리칠 리 없다. 그런 자신감으로, 아주 살짝. 당연히도 안스는 다시 그녀를 바라보았다.

여전히 말이 나오지 않았다.

하지만 사실, 그게 필요한 것도 아니었다.

티티라는 소리 없이 입 모양으로만 말했다. '고마워.'

그가 멈추었다. 제게서 멀어지려 애쓰던, 팽팽하게 당겨진 팔이 느슨해졌다. 티티라는 쌩긋 웃었다. 사실 안스만 보면 웃음이 나서, 정확히 어떤 시점에 웃는다고 표현하는 것이 불가능했다. 항상 웃는 가운데 어느 순간에 더 특별히 즐거운 것뿐이었다. 지금이 바로 그랬다.

그녀는 그의 팔을 놓아주었다. 이불 속으로 파고들었다.

안스의 얼굴을 보자 드디어 잠이 쏟아졌다.


티티라는 깨어났다.

자신에게 무슨 일이 생겼는지 잠깐 고민했다.

하나, 나는 약을 먹었다. 둘, 나는 이즈버르 사절이 굴욕을 당하는 모습을 보았다. 셋, 나는 총독에게 들려 선장실 안에 갇혔다.

하나하나 떠올릴수록 머리끝까지 화가 났다. 그녀는 일어나려 했지만 몸이 천근만근 무거웠다. 당황하지 않고 발끝부터 움직이려 했다. 꿈틀. 이제 손끝을 움직였다. 꿈틀.

그러자 제 몸 위로 불쑥 누군가의 얼굴이 나타났다.

티티라는 기겁을 해서 몸을 홱 돌렸다. 그대로 굴러떨어지려는 것을, 상대가 붙잡았다.

그녀는 한숨을 쉬며 말했다.

"뇌."

안스카리우스는 그녀를 제대로 눕힌 뒤에야 놓아주었다. 그리고 나시 사리로 돌아가려 했다.

저놈이 지금 시치미를 뚝 떼고…….

"안스카리우스."

"……."

"날 덜 떨어진 팔푼이로 만들었군."

"……."

"왜 나한테 약을 쓰면서까지 이즈버르 사절 앞에 데려다 놓았지?"

그는 무시했다. 걸음 한 번 흐트러트리지 않은 채, 익숙한 안락의자에 앉았다.

"너 지금 대답 안 하지? 그럼 내가 얘기해 줄게. 네놈들 머리가 왜 돌았는지는 모르겠지만, 드디어 전쟁에는 개전 명분이란 게 필요하단 걸 깨달았군. 그래서 이즈버르가 소조폴 상단들에게 보낸 제안을 듣고 옳다구나 싶었지? 응?"

그는 여전히 무시했다.

"아, 생각해 보니 우리 집 지하실에 '티티라 돔니니'가 있더군! 기억이 났지? 그래서 일부러 이즈버르 서류를 안겨 주면서 이 배로 끌고 온 거지? 응? 쓸데없는 이유로 마스트에 묶으란 것도 네 명령이었지? 기절시킨 뒤 일부러 네 선실에 넣어 놨지? 서류를 마련해서 증거 삼은 것까진 좋아. 하지만 소조폴 상주가 혼자 차분하게 들고 온 이즈버르 서류들을 훑어보다가 '어, 이상한데?' 느끼는 건 싫다는 거지? 라요나가 그렇게 아팠나? 난 모르겠다. 의사를 경비병처럼 둬서 못 들어가게 하는 행동은 확실히 희한하더군. 그렇게 이 열흘 동안 절대 딴생각 못 하게 한 거지? 어쩐지 친절하다 했다."

그는 귀머거리처럼 모른 체했다.

"하도 징징대니까 서류가 있는 선실로 보내 줬는데 그건 어차피 기일이 다 되었으니 상관없어서였지? 하루만 버티면 되니까. 이즈버르 앞에 멋지게 열 척을 도열해 놓고 애들 겁을 줬지? 그래서 불쌍한 사절 둘이 와서 어버버거리는데 소조폴의 모자와 망토까지 씌워서 날 총독 옆에 앉혀 둔 거지? 그 사람들은 맹렬하게 의심했을걸. 어제 집에 들어가자마자 소조폴 상주 중에 총독과 함께 떠난 사람이 있느냐 묻고, 모든 것이 전광석화로 교류되겠지. 나, 티티라 돔니니가 총독과 협력했다."

티티라는 더 이상 그가 자신을 무시하도록 두지 않았다. 맨발로 바닥을 짚고 내려왔다. 아직도 소조폴의 망토를 두르고 있군. 뜯어서 총독에게 던졌다. 그의 얼굴 위로 천이 덮였다.

안스카리우스는 망토를 걷어 냈다.

그녀는 증오에 차 그를 노려보았다.

그는 여전히 그녀를 바라보지 않았다. 그러다 마침내 입을 열었다.

"포격은 저녁에 시작된다. 그때까지 쉬어라."

티티라는 그에게 달려들었다.

죽일 거야!

무기도 없이 뛰어들어 그의 목을 움켜쥐었다. 목울대를 정확하게 눌렀다.

잠깐 그에게서 엿보였던 인간다움과 친절함이 모두 거짓이었다는 게 화가 났다. '미안하다.'는 말이, '나도 너를 찾았다.'는 고백이, 안락의자를 두고 친구라도 되는 듯 주고받았던 질문과 답이.

한순간, 티티라는 자신이 소조폴을 조금도 떠올리지 않았다는 사실에 충격을 받았다.

손에서 힘이 빠졌다.

안스카리우스는 그녀의 손목을 잡은 채 부러뜨릴 준비를 하고 있었다. 그녀가 힘을 풀지 않았다면 필시 저질렀을 것이다. 그러나 이제 그녀의 손이 같은 무게의 낙엽도 못 되었기에, 그들은 그저 서로에게 맞닿아 있을 뿐이었다.

티티라는 안스카리우스 위로 무릎을 벌리고 앉아 있었다. 목을 조르던 힘이 빠지자, 영락없이 안스를 놀리던 자세였다. 그러나 그 사실을 알아차릴 여유조차 없었다.

그녀의 맑은 갈빛 눈에 눈물이 찼다.

세상이 흐려졌다.

세상이 떨어졌다.

다시 가득 차올랐다. 짠 파도처럼 그녀를 아프게 했다. 또 한 번, 후드득 떨어졌다.

"나한테……."

티티라는 스스로에게 이러지 말라고 속으로 수십 번 부탁했다. 네 앞에 있는 사람은 총독이야. 네가 알던 사람은 없어. 이 바닷속으로 잠겼어.

소리 없이 울었다. 제 세상이 무너지는 잔해에 깔렸다.

자신은 짧은 대화 속에서도 그가 안스처럼 될 수 있다고, 그에게서 안스의 모습을 찾을 수 있다고 희망을 가졌다. 제게 사람처럼 구는 모습만 보면 순식간에 녹아들었다.

언젠가 우스페히 씨가 했던 말이 맞았다. 나쁜 일은 그냥 지나가고 말지만, 희망은 너를 죽지 못해 살아가게 만든다고.

그를 예전처럼 좋아하고 싶었다. 세상을 등져도 너만은 내 앞에 있었으면 했다.

그녀는 친구가 아닌 누군가를 앞에 두고 울었다.

이제는 안스카리우스보다 이런 스스로가 끔찍하게 싫었다. 물러 터져서 혐오스러웠다. 그러나 딱딱하게 굳고 싶지도 않아서 옴짝달싹 못 한 채 모든 것을 증오했다. 내가 굳어 버리면 안스가 돌아올 자리가 없잖아. 떠나는 것이 내 결정이었다면, 최소한 기다릴 의무도 내 것이어야 하잖아.

방 안은 가라앉는 천보다 조용했다. 눈물은 안스카리우스의 모습에서 맺히는 결정 같았다. 그녀는 꿈쩍도 할 수 없었다. 차라리 그가 나를 뿌리쳐 주었으면 좋겠다.

그는 그녀에게서 서서히 떨어져 나갔다. 제압하던 힘은 어느새 흔적도 없었다. 이제 티티라는 언제든 다시 그의 목을 조를 수 있었다.

하지만 그녀는 그에게 힘을 주지 못했다. 죽일 거야. 죽일 거야. 그런 생각과 달리 아무것도 할 수 없어 머리가 아찔했다. 그가 너무 싫은데도 희망을 버릴 수 없었다. 희망을 버리지 못해 그가 너무 싫었다. 병에 걸려 죽어 가는 와중 포기하지 말라는 말을 들은 느낌이었다. '포기'란 대체 뭘까?

그녀는 미세하게 떨었다.

그때, 따뜻한 손이 등에 닿았다. 티티라는 그 순간 벼락에 맞은 것처럼 물러났다. 그대로 머리부터 바닥에— 그가 단단히 붙들어 주어 떨어지지 않았다. 물론 그렇겠지. 너는 착한 척을 하고 싶어 하니까.

티티라는 그를 떨쳐 낸 채 바닥으로 기어 내려왔다.

엎드려 엉엉 울었다.

"차라리 널 보지 못하게 해 줘……."

그의 발치가 보였으나, 수치심은 들지 않았다.

"말했잖아……. 그냥 모른 척 살자고……."

내가 너를 너무 사랑해서 눈물이 나.

안스와 안스카리우스를 가른 것은 아주 얇은 종이에 불과했다. 그 종이에 물이 배어들어 찢어질 즈음, 자신이 나서서 미친 듯이 손으로 막았다. 또 다른 곳이 뚫리면 발을 댔다. 그러다 우수수 난 구멍에 손쓸 수 없이 무너졌다.

"그냥…… 놔줘……."

안스카리우스는 일어섰다.

그는 떠났다.

티티라는 바닥에서 아주 오랫동안 울었다.

그가 떠나자 마침내 소리를 내서, 꺽꺽거리며 감정을 터뜨릴 수 있었다. 이래서 그가 자리를 비우길 바랐다. 그 앞에서 부끄럽기 때문이 아니라, '안스'가 앞에 있으면 아무 생각도 할 수 없었기 때문이다.

그렇게 얼마나 울었을까. 눈이 아파 앞을 제대로 볼 수 없을 지경이었다.

그러다…… 선체가 크게 흔들렸다.

쾅!

티티라는 작게 웅크린 채로 진동을 느꼈다. 딸꾹질을 했다.

'휘이이' 휘파람 소리가 났다.

등골에 소름이 돋았다.

티티라는 더 작게 웅크렸다. 얼마나 떨었으면, 무릎이 계속 다닥

다닥 양탄자에 부딪쳤다.

선체가 느릿느릿, 그러나 최대한 빨리 움직이는 것이 느껴졌다. 장전을 외치는 희미한 소리, 삐걱거리고 덜걱거리는 소리.

배는 미끄러지는 썰매처럼 움직이다가 완전히 반대편으로 돌았을 때 덜컥 멈추었다. 선체가 전부 울릴 정도로 큰 음성이 났다. 그것을 신호로 다시 '쾅!' 하고 포탄이 터졌다.

휘이이.

티티라는 귀를 막았다. 덜덜 떨었다. 그녀는 포격이 시작되는 소리보다, 무언가 터지는 소리보다, 그 사이 휘파람 소리가 더 무서웠다. 잠깐 동안의 고요 속에서 수만 가지 끔찍한 상상이 지나갔다. 그 상상들이 한 번에 하나씩 자신을 찢어발겼다. 그러니까 그녀는 짧은 시간 동안 수만 번 죽는 셈이었다.

티티라는 낮은 탁자 아래로 기어들어 갔다. 부들부들 떠는 통에 자꾸만 탁자 아래에 머리를 박았다. 탁자 위에 있던 시계가 도르르 굴러떨어졌다. 카펫 위로 엎어진 시간이 눈에 들어왔다. 9시.

그녀는 너무 떤 나머지 바닥을 제대로 짚지도 못했다. 탁자가 너무 흔들려 가볍다는 느낌이 들었고, 또 자신을 보호해 줄 수 없다는 공포가 엄습했다. 결국 응접실로 기어가 큰 식탁 아래에 자리 잡았다. 휘파람 소리가 들릴 때마다 식탁 다리를 꽉 쥐었다.

휘이이.

아무리 교국이라도 대포가 이렇게 빨리 장전될 리 없는데. 머리칼이 쭈뼛 솟았다. 배가 움직이지 않을 때에도 포탄 소리가 났다. 혹시 이 배도 공격받고 있는 것일까? 선장실은 바닥에서 까마득히 위지만, 벌써 아래에 구멍이 나지 않았을까?

티티라는 자신을 향해 날아오는 포탄을 상상하곤 귀를 막았다. 교국이 쏘았든, 이즈버르가 쏘았든 그녀는 그 무기로 공격당하는 것이 너무 두려웠다. 휘이이. 유령 소리 같았다.

휘이이.

휘이이.

티티라는 벌벌 떨며 식탁에서도 기어 나왔다. 이번에도 총독 놈이 문을 잠가 두었을까 무서웠다. 지금 그녀에게는 사람이 필요했다. 라요나라도 만나고 싶었다. 나를 여기 혼자 가둬 놓았으면 정말—

천만다행으로 문은 쉽게 열렸다.

그녀는 엎드린 채로 고급 카펫에서 벗어났다. 기어서 주춤주춤 계단을 내려갔다. 방에서 나오자 포격 소리는 아주 가깝게 들렸고…… 그녀는 남자들이 우렁차게 소리 지를 때마다 덜덜 떨며 웅크렸다.

대포를 터뜨리는 충격에 측면으로 밀리는 배, 데구루루 굴러가는 묵직한 대포 바퀴, 모든 것이 생생하게 느껴졌다.

어느 순간부터 움직이는 것은 배가 아니었다. 그녀 홀로 거대한 인간이 되어 이 바다 위에서 이리저리 흔들리고 있었다. 얼굴이 파랗게 질렸다. 괴로웠다.

그녀는 겨우겨우 아래층에 다다랐다. 온몸에 묻은 먼지를 떨치고 제 선실 문을 보니, 자신이 뜯어 놓은 문고리의 빈자리가 보였다. 손을 넣어 문을 열려 했다. 그러나 열리지 않았다. 다시 보니 바깥에 자물쇠가 걸려 있었다.

"티, 티, 티티라 씨?"

문고리 공간 사이로 어두운색 눈이 보였다.

"괘, 괜찮으세요?"

티티라는 아무 말도 못 했다. 선실 문에 기대는 여유조차 부릴 수 없었다. 그저 줄어들고 움츠러들어 작은 공처럼 멈추어 있었다.

"티티라 씨! 위험하니까 들어가세요……. 선장실에 계시다 나오셨죠? 들어가세요, 제발. 무슨 일이 나면 어떡해요……."

티티라는 부들부들 떨며 문고리 사이로 손을 넣었다. 라요나가 무서운 가운데서도 당황한 듯한 소리를 냈다.

"저기, 안에서도 못 열어요. 교국군이 저를 가두었어요."

아무 말도 못 했다. 대신 '악수'하는 자세로 손을 내밀었다. 잡아 달라는 말도 못 했다. 부끄러워서가 아니라, 너무 두려웠기 때문에.

자신이 팔로 틀어막았기에 문 너머는 보이지 않았다. 그러나 느낄 수 있었다. 라요나는 자기가 옳게 해석했는지 몰라 주저하고 있었다. 그녀를 위해 손을 한 번 더 흔들었다. 제발, 잡아 줘.

라요나가 보이지 않는 곳에서 조심스레 손을 맞잡았다.

티티라는 그제야 크게 숨을 내쉴 수 있었다. 아직, 아직, 괜찮았다. '그' 절벽의 코앞까지 갔으나, 라요나가 손을 잡아 주어서 겨우 뒷걸음질 쳐 나왔다.

그녀는 어린 소녀의 따뜻한 손을 느끼며 안도했다. 상대가 아파할까 봐 꽉 잡지도 못했다. 웃기는 일이었다. 라요나에게 도움을 받고 있는 처지인데, 힘이라곤 제가 무식하게도 더 세다니.

티티라는 팅팅 부은 눈으로 바닥을 내려다보았다.

휘이이.

라요나의 손을 꽉 잡았다.

소녀가 아파할 줄 알았으나, 그녀는 반대편에서 속삭였다.

"괜찮아요."

쾅!

"티티라 씨도 말씀하셨잖아요. 교국은 질 수가 없어요. 이 배는 안전해요."

배가 삐걱거리며 움직였다. 이제 좀 더 잘 들을 수 있었다. 배의 모든 층에서 일제히 포탄 안쪽을 청소하는 요란한 소리, 충격에 밀려난 대포를 다시 원래 자리에 고정하는 소리, 무시무시한 정적 후 찢어지는 듯한 포격 소리, 과열된 대포 위로 쏟아져 순식간에 증기를 내뿜는 물소리, 그 사이사이 군인들의 외침까지.

모든 것들이 아주 느리게 이루어졌다. 그래서 그녀를 더 고통스럽게 고문할 수 있었다.

"라요나……."

그녀는 아주 오랜만에 말했다.

"혹시…… 바깥이 보여?"

"네."

라요나는 재빠르게 말했다.

"창은 작고 창살은 많지만, 그래도 충분해요. 이프루이우호가 몸을 돌릴 때마다 이즈버르가 보여요. 그리고 다른 함선도 보이네요. 번갈아 가면서 포격해서 장전 시간이 되게 빠른 것처럼 느껴져요. 이즈버르도 아주 가까워요. 부두에는 움직이는 게 하나도 없어요. 다들 검은 성벽 안에 있어요. 대신 부두에 있는 배들이 불타고 있어요……. 공격할 때까지 만 하루나 줬는데, 미처 철수하지 못했나 봐요. 부두에 기름도 안 치웠나 봐. 포탄은 그냥 부술 뿐인데요."

티티라는 울음 섞인 어조로 말했다.

"어떻게 그 멋진 배들을 하루 만에 치울 수 있겠어……."

"다른 함선들도 계속 몸을 돌리며 포격하고 있어요. 이제 좀 더 보이는데…… 이프루이우호가 혼자 조금 작아서인지 가장 뒤에 있는 것 같아요. 벌써 뭍에 가까이 간 교국선도 있어요. 앗! 성벽에 맞았다! 저건 맞았네!"

다시 온몸이 미세하게 떨리기 시작했다. 라요나에게 그만 말하라고 하고 싶었지만, 눈가리개를 한 채 공포에 떠는 것보단 차라리 듣는 게 나을 것 같았다.

"진짜 맞았어! 가까이 간 교국선들이 작은 배들을 바다에 내려두기 시작했어요. 뭐지? 엄청 작은데. 사람이 탔나? 아! 짚단이 들어 있구나. 불을 쐈네요. 부두를 완전히 불태울 건가 봐요."

티티라는 소조폴의 불타는 부두를 떠올리며 부르르 떨었다.

"오늘 밤은 바람이 완벽해요. 따로 무얼 안 해도 부두로 가겠네요. 부두랑, 저건 엄청 크니까 상단 연합 건물처럼 보이는데……. 저건 창고 같고……. 완전히…… 불에…… 불에 타네요. 이제 대낮처럼 밝아요. 이프루이우호도 뱃머리를 돌려 가까이 가고 있어요."

눈을 꽉 감았다.

"몇몇 배는 이미 부두에 있어요. 꺅……! 성벽에서 드디어 포탄을 쐈어요! 드디어 우리 배가 공격 거리 안쪽에 들어갔나 봐요. 어떡해……. 정확히 교국선에 떨어졌어요! 큰 돌이 돛에, 돛에 파묻혀서…… 버티네요……! 역시 튼튼해요. 돌만 풍덩 빠졌어요. 다시 쏘는데…… 이제 교국 배들이 슬금슬금 피하고 있어요. 맞아, 교국 사정거리가 훨씬 긴데, 그래야지. 아아, 일부러 간 거구나. 어차피 위협받는 수준일 테니 거리가 얼마나 되는지 보려고요……. 정말 똑똑해요!"

티티라는 하얗게 질리면서도 차라리 다행이라고 생각했다. 이제 라요나의 끔찍한 말에 귀를 기울이느라 바깥 소리가 잘 들리지 않았다. 조금씩 진정되었다. 물론 이프루이우호가 포격을 그만둔 덕분이지만, 그럼에도 이즈버르에 더 가까이 가고도 안정되었다는 것은 라요나의 도움 없이는 불가능한 일이었다.

그녀의 고개가 점차 기울었다. 문에 머리를 박았다. 이프루이우호는 잠잠했다.

"성벽에서 돌을 또 쏴 보내는데…… 아슬아슬하게 안 닿네요. 다들 그 위치로 이동하고 있어요. 엄청 빨리요. 역시 대양을 넘어온 배다워요. 윽, 우리도 그쪽으로 움직여서 잘 안 보이기 시작했어요. 그래도 나란히 서려는 것 아닌가 하는 생각이 들어요……. 공격이 멈췄네요."

라요나는 공격이 멈추자 지루해진 기색이었다. 티티라는 헛웃음과 함께 눈물이 찔끔 났다. 애가 무서워하지 않아서 다행이란 마음이 대부분, 아주 조금은, 혼자 아프다는 사실에 대한 슬픔.

아니야. 그래도 얼마나 다행이야? 라요나가 태연하게 위로해 주어서, 제 손을 잡아 주어서 가까스로 버틸 수 있던 것이다. 아니었으면 어림도 없었지.

"아, 다시 쏴요! 나란히 서서 쏘고 있어요!"

어린 개구쟁이 같은 목소리에 웃음이 났다. 그녀는 우는 듯한 웃음과 함께 눈을 감았다.

티티라는 그 불편한 자리에서 제대로 잠들지 못했다. 앉아 있었기 때문이기도 하고, 이프루이우호가 끊임없이 포를 쏘아 댔기 때문이기도 했다.

그녀는 아주 찰나 잠들었다가, 꼬박꼬박 깼다. 온 갑판이 천둥처럼 진동하는 와중에 곤히 잠들기란 불가능한 일이었다. 한 번 깨면, 잠들었는지 깨어 있는지 모를 라요나의 손을 느끼며 다시 눈을 감곤 했다.

그렇게 등불 속에서 몇 시간이 지났는지 알 수 없었다. 꾸벅꾸벅 조는 올빼미가 된 듯했다.

티티라는 어느 포탄 소리에 깨어나, 이제는 온몸이 배길 뿐 더 이상 졸리진 않는다는 사실을 깨달았다. 그녀는 라요나의 손을 조심스레 놓아주었다. 상대는 완전히 곯아떨어졌는지 힘없이 스러졌다. 문구멍 너머로 멀리 길게 뻗은 다리와 발만 보였다. 나 때문에 불편한 바닥에서 고생이구나.

그녀는 라요나가 깨지 않도록 조용히 자리에서 일어섰다. 방금 전 포탄이 울렸으니 앞으로 한동안 고요할 것이다. 드디어 냉정히 생각할 여유가 되었다.

티티라는 그러나, 갈 곳이 없었다. 선장실로 돌아가기는 너무 싫었다. 하지만 이 선미루 갑판 아래, 훌륭한 마가목 장식으로 가득한 고급 선실은 단 두 개뿐이었다. 선장실과 부선장실. 그중 하나는 문고리가 부서지고 자물쇠가 달렸지만.

그녀는 바닥을 디디고 선 채 복도의 그물 침대들을 바라보았다. 몇 개를 더듬어 걸어갔다.

그렇게 그물 침대 세 개를 넘어가자, 갑자기 눈앞에 주갑판으로 나가는 문이 보였다. 넓은 천과 작은 창 너머로 아침 햇살이 보였다. 발끝이 자리자리하게 떨렸다.

한 걸음.

그녀는 해가 보고 싶었다.

해가…….

티티라는 천을 걷었다. 문고리를 잡았다. 열었다.

눈부셨다.

한동안 햇살에 빛나는 돛밖에 보이지 않았다. 교국의 배들은 아름다운 공식으로 이루어진 빈틈없는 계산 같았다. 완벽한 각도와 높이의 기둥들, 촘촘하게 붙들린 돛과 밧줄. 그 사이로 흘러 들어오는 해.

티티라는 고개를 돌렸다. 갑판에는 많은 사람들이 머스킷[26]을 들고 정렬해 있었다.

그 순간, 이곳을 이끌고 있는 것처럼 보이는 누군가가 걸어왔다.

도망가지 않으면 저자에게 뺨을 맞겠다는 직감이 들었다. 그녀는 절대 얻어맞지 않을 작정이었다. 누구보다 빠르게 움직여 반갑판으로 달려 올라갔다. 타륜에 기대 있던 군인이 기가 막힌다는 시선으로 그녀를 돌아보았다. 반갑판 뱃전에 있던 이가 곧장 그녀의 팔을 붙들었다.

"놔!"

티티라는 버둥대다가— 먼바다를 바라보았다.

아침 햇살 아래 이즈버르의 부두는 폐허가 되어 있었다. 전부 타고 남은 잔해만이 을씨년스럽게 연기를 뱉어 냈다. 한참 들어간 성벽 역시 군데군데 무너진 모습이었다. 시민의 모습은 보이지 않았다.

티티라는 복잡한 생각을 하지 않으려 했다. 그저 호흡하는 데 집

---

26) 화승총.

중했다. 그녀는 또다시 숨이 막힐 거란 사실을 확신하고 있었다. 안 돼! 절대, 절대, 이 멋진 태양 아래, 바다 위에서 숨이 막히지 않을 것이다.

군인이 팔뚝을 바스러뜨릴 듯 꺾어 차라리 다행이었다. 티티라는 신음과 함께 바닥에 무릎을 꿇었다. 너무 아파서 정신이 번쩍 들었다. 괜찮아. 나는 아직 어떻게 숨 쉬는지 알고 있어…….

"아페—!"

누군가 한 사람이 크게 소리를 질렀다. 그러자 자신을 쥐었던 군인의 힘이 풀렸다. 그녀는 도망갈 생각도 못 한 채 멍하니 이즈버르를 바라보았다.

"—난!"

갑판의 모두가 외쳤다. 아니, 모든 배가 한목소리였다. 첫 포갑판[27], 두 번째 포갑판, 그 아래, 또다시 아래…….

쾅. 쾅. 쾅. 쾅.

대포는 위에서부터 터졌다. 목소리처럼. 위에서, 아래로, 아래로, 아래로 한 층씩. 귀청을 찢을 듯한 소리가 났다. 자신을 뺀 모두가 귀를 막고 있었다.

티티라는 멍하니 갑판 위로 쓰러졌다. 웅크렸다. 끔찍한 소음에 견딜 수가 없었다. 바들바들 떨며 손가락을 찾았다. 갑판 사이를 뜯어낼 듯이 쥐었다. 손톱이 뒤집어지며 피가 났다. 귀를 막기 위해 얼굴 한쪽 면을 갑판에 문질렀다. 진동에 나무가 웅웅거렸다. 정신이 하나도 없었다.

멀리 이즈버르가 보였다. 포탄은 정확히 그들의 성벽으로 떨어

---

27) 포가 실려 있는 갑판.

졌다. 어느 운 나쁜 자리에 세 번의 포격이 연달아 닥쳤다. 첫 번째에는 표면이 파이고, 두 번째에는 위쪽이 와르르 무너지고, 마지막으로 닥친 포탄은 벽을 완전히 박살 냈다. 이 멀리서도 이즈버르의 벽 한 줄이 무너지는 소리가 들렸다.

이즈버르는 대응 사격을 하지도 않았다. 사거리 자체가 나오지 않는 것이다. 아니, 사람이 없어서일까? 모두 어디 갔을까? 이미 도망갔나? 제발……. 제발, 도망…….

티티라는 바닥에 누운 채 버르적거렸다. 숨이 잘 쉬어지지 않았다.

"커, 큭……."

그때, 누군가가 자신을 걷어찼다.

"왜 이래?"

"허어억……."

차라리 배 쪽을 걷어차지, 등을 맞아 아무 도움이 안 되었다.

"숨……."

"뭐―"

"물러서."

그 목소리는 제가 아는 사람인 듯 모르는 사람인 듯했다.

"유리병."

"예?"

"없으면 단단히 막힌 철구鐵球[28)를 들고 와."

"예!"

티티라는 숨 쉬려 애쓰며 엎드렸다. 바닥을 후벼 팔 지경으로 긁어 댔다.

---

28) 중앙이 빈 포탄.

숨. 숨. 안정된 생각. 숫자들. 깨끗한 종이. 따듯한 찻잔과 내 상관. 약탈당해 폐허가 된 우스페히 상관. 낙서가 되어 있던 참나무 가구와 불에 탄 서류들…….

그녀는 바닥을 두드렸다. 마지막 발악처럼 느껴졌다. 앞이 하얬다가 확 어두워졌다. 너무 오래 숨을 못 쉬고 있었다.

순간 누군가가 그녀를 뒤집어 안았다.

비릿한 쇠 냄새가 났다. 직감적으로 단절된 공기라는 것을 깨달았다. 후욱, 후욱 숨을 뱉어 냈다. 제발, 숨을, 쉬게 해 줘.

"천천히……."

티티라는 안스의 말대로 해 보려 했다. 그는 규칙적으로 제 어깨를 두드렸다. 느리게. 그녀는 어지러운 머리로 이해하지 못하다가, 정말 죽겠다 싶어서 번뜩 알아차렸다. 그가 두드려 주는 박자대로 들이마셨다.

조금 뒤 숨이 터져 나왔다.

너무 오랫동안 숨을 못 쉰 탓에 눈물이 주르륵 흘렀다. 상대의 무릎 위로 누워 있어, 눈가로, 귀로 차가운 물이 타고 내려갔다. 마침내 메마른 갑판 위로 뚝 떨어졌다.

안스카리우스는 그녀를 부축해 일어섰다. 티티라는 경황이 없어 그에게 기대 있었다. 힘이 하나도 없었다.

"너, 선장실에 데려다 놔. 문은 열려 있다."

"예."

한쪽 팔을 잡혔다. 티티라는 그 순간 악을 썼다.

"들여보내지 마세요!"

총독이 인상을 찌푸렸다.

직전에 호흡 곤란을 겪고, 상황이 조금도 나아지지 않았는데, 벽이 있는 좁은 장소로 들어가는 것은 자살 행위였다. 어차피 선장실에 들어가 봤자 어마어마한 창문 크기에 이즈버르가 한눈에 들어올 게 뻔했다. 바깥에서 공포에 떠는 것이, 안으로 들어가 소리 소문 없이 죽는 것보다 나았다.

"제발, 여기 있게 해 주세요."

티티라는 급하게 무릎을 꿇으려 했다. 저 오만한 총독은 이렇게 빌면 도와줄 거란 생각이 들었다.

그러나 그는 그녀가 무슨 짓을 하려는지 눈치챈 순간 팔뚝을 꽉 쥐었다. 티티라는 주저앉기는커녕 아픔에 바짝 일어서야 했다. 그의 의도를 깨달았다. 무릎 꿇어서 쓸데없이 이목을 집중시키지 마라.

"의자."

"저, 포격은 앞으로 열여섯 시간 동안 이어질 겁니다. 이 자리에 여자라니, 적절하지 않습니다."

총독은 부드럽게 대답했다.

"'여자'가 아니라 소조폴 상단의 상주다. 비록 잘못을 저지르기는 했어도 유용한 정보를 고발했으니 이 자리를 만든 일등공신이라 해도 좋을 것이다."

상대는 주춤했다.

그 대신, 누군가 재빠르게 의자를 들고 와 반갑판에 놓았다. 티티라는 힘없이 의자에 주저앉았다. 안스카리우스는 티티라가 빈 철탄을 껴안는 모습을 바라보더니 그녀 옆 뱃전에 기대어 섰다.

의구심 가득한 시선이 총독에게 머물자, 주갑판에서 한 사람이 주의를 요한다는 듯 외쳤다.

"아페—!"

잔뜩 풀어졌던 공기가 돌아왔다. 다시 갑판— 아니, 모든 배가 웅웅거렸다.

"에키—나!"

티티라는 부들부들 떨면서 귀를 막았다.

그러나 포탄이 터지지는 않았다. 단지, 그들 아래에서 아주 많은 사람이 뛰는 듯 덜덜거리는 진동이 닥쳤다. 귀를 막은 채 주변을 둘러보았다.

안스카리우스는 느긋하게 서 있었다. 머스킷을 든 사람들이 절도 있게 움직였다. 또한 열린 갑판 계단 안쪽에서 철 포탄이 올라왔다. 대포를 관리하던 일부가 달려가 포탄을 나무틀에 담았다.

그 의식은 한참이나 계속되었다. 옆 배들이 연달아 포화를 뿜어 성벽을 강타하는 와중, 이 자리는 목가적이기까지 했다. 물론 그녀는 숨이 막힌 이후 절대 이즈버르를 보지 않기 위해 고개를 숙이고 있었기에 모두 추측한 내용이었다. 부르르 떨었으나 적어도 안전했다.

"아페—!"

다시 그 소리였다. 티티라는 귀를 막은 손에 힘을 준 채 움츠렸다. 발끝을 바라보았다.

"난—!"

세상이 합창하는 소리.

대포는 천둥처럼 시끄럽게 떠났다. 배가 여러 번 흔들렸다. 충격에 목이 위로 턱 꺾였다. 가까스로 보호하던 시선이 꺾였다. 다시 한번, 다른 자리의 성벽이 무너지는 것을 목격했다. 이번에는 가장 단단한 중앙이었다. 그것이 무너지면서 마침내 이즈버르의 언덕이 노출되었다.

이즈버르 사람들이……. 상단 사람들은…….

티티라는 의자 아래로 미끄러졌다. 그녀는 호흡을 여러 번 들이 켰다. 안스카리우스가 급하게 그녀를 끌어당겼다.

티티라는 그를 거칠게 뿌리쳤다. 바닥에 웅크려 버렸다. 아직 숨을 쉴 수 있었다.

아주 오랜만에, 우스페히 씨가 안스와 자신을 함께 불렀다. 티티 라는 벌써 짜릿하게 긴장되는 것을 느꼈다.

"무슨 일이실까? 짐작되는 거 있어?"

안스는 어깨를 으쓱였다.

"난 잘못한 거 없는데. 네가 있는 거 아냐?"

"똑같이 돌려주지."

티티라는 그의 등을 '짝' 소리가 날 정도로 세게 때렸다. 그 매운맛에 안스는 세 걸음이나 도망갔다. 그는 아파 죽겠다며 짜증을 냈다.

"약해 빠져선!"

"네가 날 죽일 만큼 센 거거든?"

그녀는 코웃음 치며 그를 스쳐 지나갔다. 먼저 우스페히 씨의 업 무실 문을 열어젖혔다.

"안녕하세요!"

우스페히 씨는 기다렸다는 듯이 자리에서 일어났다. 이런 모습이 확실히 드문 탓에 그녀는 당황했다.

"무슨 일이세요, 우스페히 씨?"

우스페히 씨는 안스에게 마저 들어오라는 손짓을 했다. 그는 눈을 휘둥그레 뜬 채 들어와 문을 닫았다.

"저희한테 하실 말씀이 있으십니까?"

"앉아, 앉아."

티티라와 안스는 잽싸게 앉았다. 얌전한 남매 같았다.

"너희가 몇 살이지?"

그들은 서로를 바라보았다. 정말 무슨 일이야?

"열일곱이요."

"스물입니다."

"안스는 열아홉……. 당장 상비로 올라가야겠군."

"네……?"

"저는, 저는요?"

"너는 1조장으로. 나이가 어려 상비는 어렵다."

티티라는 함박웃음을 지었다. 세상에! 이게 웬일이야? 그녀는 신이 나서 안스의 손을 꽉 잡았다. 그러나 옆을 돌아보자니 안스는 지나치게 진지했다.

"우스페히 씨, 전 지금 1조장이 되어야 그나마 말이 됩니다. 상비는 한참 멀었어요. 일개 8조장에서 바로 상비로 올라간다고요? 사람들도 절대 안 받아들일 거예요."

"거절할 수 없다. 오늘 안에 문서를 작성하여 내보낼 예정이다. 둘 중 하나는 반드시 상비가 되어야 하고, 네가 나이가 찼으니 우선 너를 임명할 거다."

안스는 아연한 표정으로 입을 다물었다. 티티라는 1조장이 된 기쁨에서 살짝 벗어나 보았다. 물론 안스 성격상 당황스러울 법도 했다. 스무 살에 대상단의 상비라니, 소조폴 역사상 그런 일은 없었다. 그 무게를 지는 부담감이 클 것이다.

"자초지종이라도 말씀 주시면 안 될까요……?"

우스페히 씨는 양손으로 미간을 짚었다.

"마주두 제일섬에서 연락을 받았어."

"……."

"엊그제 동쪽에서 배가 한 척 왔다더군."

"와—"

"티, 제발 조용히 해."

"해류를 잘못 탄 상선인 체해서 항구가 받아들였다. 희한하게 생긴 배라 보통 사람들은 정확히 읽어 내기 어려웠다는 것 같다. 그러나 여러 척의 배를 건조한 노예상은 포구로 추정되는 구멍이 총 사십 개라고 하더군."

배 한 척에 대포가 사십 문.

티티라는 서서히 멈추었다.

"동쪽에서 그런 배를 건조할 능력이 된다손 치더라도 일반 상선에 그만한 전력을 투자할 이유가 없다. 그들은 마주두에서 물과 식량을 챙겨 다시 동쪽으로 떠났다. 잠시 '표류'했다면서."

"억류했어야죠!"

"안스, 고향으로 돌아가려는 표류선을 겁박하는 건 세계 어느 곳에 가도 목 매달릴 짓이다. 항구에서 그렇게 인륜을 저버린 놈은 내가 직접 죽일 거다."

"하지만 표류한 게 아니었다면서요!"

"군함이 표류했을 수도 있지."

"군함은 공격해야죠!"

"이야기가 빙빙 도는군."

티티라는 경청하며 지식을 주워 모았다. 대화의 끝에서 요약했다.

"……마주두 제일섬에 자기가 난파당했다고 주장하는 상선이 도 착했다. 그런데 무장을 보면 상선인 것 같지는 않더라. 어쨌든 표 류했다고 주장해서 돌려보냈으나, 아무래도 찜찜하다. 하여 이 사 실을 우스페히 상주에게 부침? 그래서 우스페히 씨께서는 혹시 닥 칠지 모르는 공격에 대비해서 저희에게 급하게 '후계자'직을 넘기 시는 거고요?"

"정확하군."

"그러면 결론은 저희가 잠시 이 도시를 떠나 내륙으로 피해야 한 다는 것 같은데요? 만약의 사태가 발생해서 우스페히 씨가 잘못되 어도 저희는 남아 있으니까요?"

우스페히 씨는 전광석화 같은 결론에 미소를 지었다. 그의 손이 뻗어 왔다. 티티라의 머리를 짧게 헝클어뜨리더니, 돌아갔다.

"맞아."

티티라는 방금 전 요약한 것이 오히려 이것을 위해서였다는 듯 불을 뿜었다.

"말도 안 돼요!"

우스페히 씨는 몸을 뒤로 뺐다.

"전 동의할 수 없어요! 오히려 도망가려면 우스페히 씨가 가셔야 죠! 저희는 너무 조무래기들이라 소조폴에 있어도 아무도 모르거든요? 저희가 여기 있을게요. 우스페히 씨가 라주마 산맥에 금 때문에 간다고 하세요."

"라주마 산맥의 금은 이 년 전에 바닥났잖느냐."

"그게 문제가 아니잖아요……."

"안 돼. 신용 문제다."

"……."

"어려운 순간에 자리를 피한 상단은 모두의 기억에 남지."

"다 같이 피하면 누굴 탓할 수도 없어요!"

"티티라."

우스페히 씨가 안스를 향해 눈짓했다. 그녀를 말리라는 신호였다. 티티라는 민감하게 눈치채곤 눈에 쌍심지를 켰다.

"말마따나 저희가 고작해야 스무 살, 열일곱 살인데 이 상단을 어떻게 이끌어요? 우스페히 씨가 계셔야 해요. 저는 빨라 봤자 서른에나 물려받을 줄 알았단 말이에요. 앞으로 십 년도 더 뒤에요."

"누가 너보고 하래? 아니, 누가 죽는다고 했나?"

티티라는 얼굴이 벌게졌다.

"그, 그치만, 그런 식으로 말씀하셨잖아요. 위험을 무릅쓰시는 것처럼……."

"혹시 모르니까 보험을 들어 두는 거지. 티티라, 내가 지금까지 은행에 쏟아 넣은 보험료가 얼마인 줄 알아? 그중에 얼마나 회수했는지는 알고?"

안스가 몸을 기울였다.

"언제 떠나야 합니까?"

"한 달 안에."

"······너무 빠르지 않아요?"

"아젠치로 가 있어. 오늘부터 준비해서 아무리 늦어도 한 달 뒤에는 소조폴에 둘 중 누구도 없어야 한다."

"······."

티티라는 우스페히 씨가 두 번 말하지 않는다는 이유로 그동안 많은 걸 포기해 왔다. 그러나 이런 중요한 이야기까지 상의 없이 처리하고 있다는 데 처음으로 화가 났다.

"우스페이 씨, 망남에서야 저희한테 어떤 직위를 줄지 결정하셨잖아요. 엄청 급하셨다고요. 그러니 일주일만 더 고민하시면 안 될까요?"

"인사 건은 오늘 발령한다. 나머지는······ 문서화되지 않겠지."

"그러면 안스가 소조폴에 있고, 우스페히 씨가 내륙으로 가실 수도 있다는 거죠?"

안스가 불쑥 끼어들었다.

"그럼 티, 너는?"

"보고 결정해야지."

"난 너랑 움직일 거야."

티티라는 상황 파악 못 하는 안스에게 짜증이 났다.

"지금 그런 말을 할 때야?"

우스페히 씨는 그들을 빤히 바라보았다. 그녀는 왠지 얼굴이 벌게져서 더 화를 냈다.

"같이 갈지 아닐지는 서로 얘기해야지. 무슨 도둑놈처럼 쫓아오게?"

"나랑 가기 싫어?"

"그만. 나가서 떠들고 우선 갈 길을 준비해라."

"더 생각해 보신다면서요!"

우스페히 씨는 무시했다. 그는 이번에도 우리를 설득할 마음이 없는 것 같았다.

우스페히 상단의 주인은 이 거점 도시에 남아 있어야 한다. 논의 끝.

묵묵한 꼴을 보자니 안스는 이미 우스페히 씨에게 설득된 모양이었다. 그녀는 패배를 깨닫고 일어섰다. 승산이 없었다.

티티라는 인사하지 않고 몸을 돌려 나갔다. 계단을 뛰어 내려갔다.

"야!"

티티라는 흘끗 돌아보곤 천천히 속도를 줄였다. 안스가 한달음에 달려왔다. 그에게 화가 난 것은 아니었다. 단지 그가 무슨 생각으로 조용히 수긍했는지 물어보고 싶었다.

"티, 일단 준비해야 해."

"넌 뭐가 그렇게 신났어?"

"내가 신난 것 같아?"

"완전히!"

"'교국'의 공격이 닥칠지, 아닐지 지금은 몰라. 그러니 벌써부터 신경 쓰지 마. 마주두 제일섬에 왔으면 목표가 이즈버르일 수도 있고 도이도흐일 수도 있는데, 왜 가장 아래에 있는 우리가 제일 긴장해야 되냐? 그보다 우린 지금 우스페히 씨께 배우고 있는 거야. 이런 상황이 닥쳤을 때 어떻게 해야 하는지."

"뭐? 셋 중에 어딜 먼저 공격하든 무슨 상관이야? 셋 다 엎어지면 닿을 거리인데 넌 머리가 좀—"

"알겠어! 정말 만에 하나 공격이 닥칠 수도 있겠지. 하지만 소조 폴이 사십 문 대포 함대에 저항할 수 있겠냐? 못 해. 그럼 세상에 어느 군대가 별 피해 없이 점령한 도시의 권력자들을 해치겠냐고. 심지어 걔들이 바다를 건너온 이방인들이라면."

안스의 두 번째 말에는 일리가 있었다.

"걔들한텐 도시를 꽉 잡고 있는 협력자들이 필요할 거야. 그 대가로 엄청 뜯어 가겠지만, 그거야 그때 일이고. 오히려 '교국'이 거지꼴이라 소조폴에 유입이 더 많아질 수도 있어. 모두에게 좋은 거지."

"하지만 전쟁은……."

"'진생'노 뭐 수순이 맞아야 한다니까? 못 들었냐? 대양을 건너온 사십 문의 대포라고. 그게 적게 잡아 다섯 대 온다고 생각해 봐. '쾅쾅쾅' 일주일이면 소조폴도 활짝 문을 열겠지. 그렇게 항복한 다음부턴 정치잖아."

티티라는 입을 꾹 다물었다.

"우스페히 씨는 어떤 결과가 나오든 열심히 하실 거야. 그리고 지금까지를 봤을 때 '잘'하실 거고. 넌 그걸 믿어야 해."

"……."

"그동안 우리는 우스페히 씨의 보험이 되어 금고로 들어가 있으면 된다. 우스페히 씨는 안심할 수 있고, 우리는 쉴 수 있고. 생각해 보니 얼마 만에 쉬는 거야? 난 네 원래 집에도 가 보고 싶어. 아젠치면 가깝잖아."

그녀는 경악한 눈으로 안스를 올려다보았다.

"가서 뭘 하게? 뭐 그것도 부모라고 인사드리고 싶어?"

안스의 얼굴이 순식간에 새빨개졌다.

"넌 무슨 모든 말을……. 그냥 궁금해서 그런다. 넌 그래도 어디 출신인지 아니까."

"안 돼. 난 소조폴로 오고 그 사람들한테 연락 한번 한 적 없어. 그리고 굳이 시궁창을 보고 싶지도 않아."

"정 싫으면 그냥 아젠치 주변에 놀러 가자. 마린카 씨한테 채소 스튜랑 소고기찜 요리를 배웠으니까 해 줄 수 있어."

"진짜 태평하긴⋯⋯."

"네가 좋아하잖아."

티티라는 그의 말에 조금씩 불안하던 마음이 풀렸다.

안스는 티티라를 뒤에서 살짝 안았다. 그녀는 그러려니 하며 안스를 업고 질질 걸어갔다.

"근데 꼭 같이 갈 필요는 없는 거야. 알지, 안스?"

"난 너랑 가고 싶어. 위험할 수도 있잖아."

"우스페히 씨가 상단 호위를 붙여 주실 텐데 뭐 어때. 난 이제 1조장이라고."

"그래도 몰라."

"마치 그런 일이 벌어지길 바라기라도 하는 것처럼 말한다?"

"그딴 말 하지 마."

화가 난 목소리였다.

물론 티티라도 지지 않았다.

"네가 날 걱정하는 게 싫다고 했잖아. 계속 이러면 진짜 같이 안 갈 거야. 난 진지해. 농담 아니야."

"⋯⋯."

"언제라도 병에 걸릴 사람인 듯, 남자한테 당하기라도 할 것처럼 보는 거 지긋지긋해. 그동안 내가 착하니까 말 안 한 거지, 네가 날 그렇게 보는 시선이 가끔은 날 더 움츠러들게 해. 도움이 안 된단 말이야."

"……."

"같이 가. 같이 갈 건데, 다시는 위험하니 어쩌니 그딴 소리 하기만 해 봐. 친구고 뭐고 난 내가 더 소중하니까."

"……."


여행 준비는 순식간에 이루어졌다. 자신은 평소 중요한 것만 챙겨 두어 몹시 빨랐는데, 안스는 난장판으로 살아서 힘들었다. 새 방으로 이사 간 지 한 해밖에 안 지났는데 어떻게 이만큼이나 잡동사니를 쌓은 건지 그의 정신 상태가 궁금했다.

그녀는 그를 도와주며 가차 없이 버렸다.

"쓰레기, 쓰레기, 쓰레기……."

"그건 안 돼!"

티티라는 웬 작은 장갑을 빼앗겼다.

"뭔데?"

안스는 대답하지 않고 다른 궤짝에 넣었다. 다 창고에 넣을 거라고 중얼거리기만 했다.

티티라는 신경 쓰지 않고 다시 '쓰레기'를 찾아냈다. 유리 볼, 펜, 어렸을 때 입었던 외투, 꼬맹이였을 때 바다에서 찾아낸 희한한 조약돌. 일 년 전 방을 옮길 때 이딴 걸 하나도 안 버렸다니, 정말 스무 살이나 먹은 게 맞는지 의심스러웠다.

"넌…… 문제가 있어."

"옆에서 자꾸 그러면 도움 안 된다."

"대체 누가 여덟 살 때부터 스무 살 때까지의 물건을 전부 보관해?"

"……."

"안스, 네가 다시 기억을 잃어버릴 것 같아? 이런 잡동사닐 안 모아 둬도 너는 너잖아."

"그런 거 아냐."

"습관도 이유가 있는 거야. 얘도 쓰레기, 쓰레기, 쓰레기—"

"나가."

안스는 그녀가 쓰레기통으로 던지는 것들을 모두 궤짝에 몰아넣으며 짜증스레 말했다.

티티라는 자신이 정확히 지적했다고 생각했다. 안스는 어렸을 적 기억이 없어 추억 섞인 물건을 잘 못 버리는 것이다. 예전부터 어딜 가기만 하면 기념품을 사 오고 물건을 주워 오는 데에서 조금은 눈치챘다. 그러나 방 안에 이 정도로 쌓아 두었다는 것을 확인하자 안스는 확신범이 되었다.

티티라는 엄격하게 말했다.

"너는 '버릴 걸' 찾으면 안 되겠다. 일단 옷 다섯 벌, 배낭, 혹시 모르니 항해 도구, 부싯돌, 무기만 챙겨. 나머진 하나도 필요 없으니까 궤짝에 밀어 넣어. 나는 버리라고 하고 싶지만 너는 마흔 먹고도 쓰레기를 줍고 있을 테니 뭐 도울 수가 없네."

안스는 그 덩치에 어울리지 않게 쭈그린 채 짐을 정리하고 있었다. 엊그제 그렇게 담담하게 자신을 설득하던 침착이 안스는 대체 어디로 사라졌는지 모르겠다.

"나는 준비 다 되었으니 우스페히 씨한테 다녀올게. 이제부터는 계속 내륙으로 안 가겠다고 설득해야지. 계획이 맘에 안 들면 다 때려치울 거라고."

그녀는 빠르고 완벽하게 여행 준비를 하고도 선언했다.

티티라는 상대의 대답을 듣지도 않고 건물에서 튀어나왔다. 누가 보면 벌이 날아간다고 할 정도로 맹렬하게 달려갔다. 그리고 서류에 집중하고 있는 고요한 업무실을 파괴했다.

문을 벌컥 열고 외쳤다.

"준비 다 했어요!"

우스페히 씨는 턱짓했다. 문 닫아.

그녀는 날을 따른 뒤 송송걸음으로 소파에 다가가 앉았다.

"우스페히 씨, 전 준비 다 했는데요. 그렇다고 가고 싶다는 뜻은 아니에요."

"그래도 가야 한다. 안전제일이지."

"우스페히 씨가 여기 꼭 계셔야 하는 건 위험한 순간에 근거지를 떠난 상인은 몰락하기 때문이라고요?"

"그래."

"전 상단이 망하면 다시 세우면 된다고 생각하는데요? 그치만 사람은 죽으면 끝이잖아요."

"티티라, 상단이 망하면 내 사십 년도 사라지는 거야. 그게 죽는 것과 뭐가 다르지?"

"……"

"내가 이 순간에 소조폴을 떠나면, 상단은 재기할 수 없다. 말인즉슨."

우스페히 씨는 단호하게 말을 끊었다. 그러나 하지 않은 말이 더 잘 들렸다.

티티라는 그제야 입을 다물었다.

우스페히 씨는 상단을 지키는 것이 아니었다. 그 스스로를 지키고 있었다. 그렇다면 우스페히 씨가 소조폴을 떠나지 못하는 건 너무도 당연한 일이었다…….

'일단 위험하면 피해서 살고 보자.'는 제 생각은 너무 짧았다. 티티라는 무슨 일이 있어도 그렇게 살아남았겠지만, 우스페히 씨는 아니었다. 그 가치관을 비난할 순 없었다.

티티라는 그것을 깨달은 순간 설득을 포기했다. 그간 진득했던 것을 생각하면 무섭기까지 한 일이었으나, 도저히 반항할 수가 없었다. 그녀 또한 누군가 제 인생에 간섭하도록 두지 않았기 때문이다.

대신 그녀는 애처롭게 희망을 찾았다.

"그럼…… 그렇게까지 나쁜 일이 생기진 않겠죠?"

"그래. 물론 나는 공격한다면 소조폴이 먼저라고 생각하고 있다. 최북단에서 내려오는 게 아니라면 최남단부터 올라가는 것이 합리적이니까."

"그렇지만 아예 안 올 수도 있고요……."

"온다면 보호 귀족들이 목숨 걸고 막겠지. 그게 그들의 의무니까. 하지만 저 성벽 같지 않은 성벽으론 얼마 못 버틸 거야. 차라리 빠르게 항복하고 협상하는 편이 낫다고 설득해야지."

"'교국' 사람들이 어떤 인간들인지 알고요……."

"나는 인간의 이기심을 믿는다."

"그치만 저 사람들은 신을 믿는다잖아요."

"다 똑같아."

티티라는 걱정스럽게 우스페히 씨를 응시했다. 그도 처음 만났을 때와 달리 많이 늙어 있었다. 사십 대를 넘어 쉰에 가까워지는 주름이 보였다. 나이가 들었다고 그가 변한 것은 아니었지만, 그래도 눈에 보이는 시간이 사람을 약하게 만들었다.

"티티라, 너도 혼자 결정하는 걸 두려워하면 안 돼."

그녀는 눈을 동그랗게 떴다.

우스페히 씨는 언제나 가까이 오지 않는 사람이었다. 십 년 동안 그의 열기를 느껴 본 적이 드물었다. 그런 이였기에, 그런 충고를 하면서도 저 멀리 책상에 기대 서 있었다.

"안스가 너랑 같이 간다고 우겼을 때 나는 별말 안 했지. 그간 안스가 믿음직스럽게 굴었느냐 하면 잘 모르겠다. 하지만 이 시점에 와서까지 네게 이러쿵저러쿵 제안할 수는 없다. 만일 무슨 일이 생긴다면, 이번이 마지막이니까. 나는 마지막까지 '명령'할 생각은 없어."

"그런 이야기 하지 마시라고요."

"네가 잘 판단했으면 좋겠다."

"아, 그냥 아예 말씀을 하질 마세요. 듣기 싫어요."

"나중에 후회할 텐데?"

티티라는 울컥해서 그를 노려보았다. 위태로운 마음을 도닥여 달라니까 오히려 더 불안하게 만들고 있었다.

"티티라, 네가 나에게 잘 보이기 위해 많이 노력했단 걸 알아. 지금까지 정말 수고했다."

"장난 그만 치세요! 그런 건 미리미리 말씀하시라고요! 지금 얘기해 봤자 기쁘긴커녕 불안해지기만 해요."

우스페히 씨가 웃었다.

"미안하다. 사실 내가 더 불안할 거다. 나는 너를 처음 내보내잖아."

“……..”

“안스 녀석은 남자애라서가 아니라, 이상하게 여유가 있어 걱정이 안 된다. 최악으로 잘못되어도 털고 일어날 힘이 있는 애지. 봐라. 너를 그렇게 오래 좋아하고 심지어 고백하고도 관계를 유지하는 힘은 여간한 게 아니야.”

티티라는 그가 실수한 수백 번을 고자질하고 싶었다. 안고 치대고 웅얼거리고 투덜대고 질투하고……. 걔가 뭘 관계를 유지할 힘이 있어? 그 관계를 유지해 주는 것은 자신이었다!

“그런데 너는 걱정이 돼.”

“안스가 얼마나 엉망인 줄 아세요? 왜 저만요?”

“너는 엉망도 못 되잖아. 그게 문제야.”

그녀는 이해하기 어려웠다.

“티티라, 예전에 네가 말했지. 내가 어떤 재주를 피웠어도 넌 오트카저트 이야기를 안 했을 거라고. 너는 그 뒤로 내내 그 말을 증명해 왔다. 넌 안스보다 훨씬 더 스스로를 채찍질하는 사람이지. 반드시 성공할 거다. 안스와는 다른 재능이다.”

“저는—”

“너는 나 같아.”

남부인 특유의 검은 눈이 자신을 뚫어져라 바라보고 있었다. 모두가 같은 색 눈을 가졌는데도 깊이가 천차만별이라는 건 정말 신비로운 일이었다. 물론, 우스페히 씨는 그중에서 최고고.

“그래서 내 실수를 답습하지 않았으면 좋겠어.”

티티라는 허리를 바짝 폈다.

“나는 항상 명령을 들으며 커 왔다. 이십 대에 홀로 사업을 시작했다 해도, 결국 어린 시절이 성격을 조형하기 마련이란다. 그래서 어린 너희들에게 간여하지 않으려 했다. 나와 다르게 키우면 나와 다른 인간이 나올 거라 믿었지."

"……."

"그런데 너는 참……."

그가 말끝을 흐리는 모습은 극히 드물었다. 티티라는 벌 받는 사람처럼 양손을 무릎에 얹은 채 바닥을 내려다보았다. 내가 우스페히 씨의 실수까지 닮았다고. 왠지 모르게 스스로를 돌아봐야 할 것 같았다. 제게서 부족한 게 무엇인지 찾아내서 그에게 고발해야 할 것 같았다. 긴장되고 초조했다.

"티티라. 너무 긴장하지 마라."

그녀는 그가 제 마음속이라도 꿰뚫어 보았나 해서 깜짝 놀랐다.

"그저 바람이야. 나도 못 고쳤는데 어떻게 너한테 욕심을 부리겠느냐."

"그 문제가 대체 뭔가요?"

"사람을 못 만났지."

티티라는 딸꾹질을 했다. 뭐야? 지금 갑자기 좋은 짝을 만나서 가정을 꾸리란 소리를 하고 계신 거야?

"나 스스로 사람을 못 만나도록 만들었지."

"네?"

그녀의 어조는 거의 윽박지르는 듯했다.

"언제나 무얼 해야 한다는 압박감에 압도되어서 여유가 없었어. 이러면 너를 존경하는 사람과 적밖에 남지 않는다. 같은 자리에는 아무도 없게 된다."

맥이 빠졌다. 티티라는 너무 좋은 일이라고 생각했다.

"저는 작년에 뒷골목 회계 장부를 공부하면서 한 계절 내내 제 방에 혼자 있던 적도 있어요. 전혀 문제가 안 돼요."

우스페히 씨는 그녀를 물끄러미 바라보았다.

티티라는 자못 당당했다.

"그, 우스페히 씨와 닮았단 실수가 중요한 건가 했더니 아니었네 요. 저는 혼자도 괜찮아요. 아니, 정말로, 안스도 없어도 돼요."

우스페히 씨가 살짝 웃었다. 그녀는 그가 어떤 기억을 떠올리고 있는지 깨닫곤 얼굴을 붉혔다.


"안스는 차라리 너한테 죽는 게 나은 순간이 올 텐데."


"아니, 그게 안스를 죽이진 않을 거예요. 제가 걔를 좋아하지 않 는다고 해서 걔가 자살하기라도 하겠어요?"

우스페히 씨는 더 크게 웃었다.

"그야 그렇겠지. 하지만 녀석도 고집이 세서 말이지."

"아직도 진지하게 생각하면 징그러워 죽겠어요. 빨리 포기하기 나 했으면 좋겠어요."

"너답구나."

티티라는 안스의 이야기를 하며 벌 받던 자세에서 벗어났다. 그 가 주제로 흘러나오자 팽팽하던 신경이 부드럽게 풀렸다.

"그래도 일단 같이 가긴 하려고요."

계면쩍게 덧붙였다.

"소고기찜을 해 준대서요."

"그거 중요하군."

"······."

"······."

침묵이 흘렀다. 누군가 말을 한다면 마침내 마지막 문장이 될 것을 알아 고민하는 침묵이었다. 티티라는 여러 번 입을 열었다가 다물었다.

"티티라."

"······."

"어차피 안스에게도 말하겠지만, 내 연락 없이 소조폴로 돌아오지 마라."

"······."

"물론 너희들이 부탁을 어길 거란 확신이 들기에 두 번째로 말한다. 돌아와도 도시가 함락되었으면 절대, 근처에도 오지 마라. 불타는 도시에 들어오는 건 희대의 멍청한 짓이니 내가 굳이 말하지 않아도 잘 이해하리라 믿는다."

"그러지는 않을게요."

"그래."

"저녁 먹을 때 뵈어요."

"알겠다."

티티라는 천천히 일어섰다.

몸을 돌렸다.

멈칫거리다가, 결국 말했다.

"우스페히 씨, 전 제가 우스페히 씨를 닮았단 사실이 좋아요. 힘들어도 재미있고 가치 있는 삶이에요. 물론 나이를 먹으면서 생각이 바뀔 순 있겠지만…… 적어도 지금은 그래요. 감사해요."

우스페히 씨가 미소 지었다.

"자기 아래에서 자란 아이가 자길 닮았다는데 싫어할 사람은 없지."

"……."

"하지만 세상도 그렇듯 항상 오래된 것보단 나아지길 바라는 거야."

"……."

티티라는 꾸벅 인사를 했다.

그를 존경하는 마음으로 돌아 나왔다.


그들은 한 달의 기한 중 이 주도 지나지 않은 시점에 상관의 문 앞에 서 있게 되었다. 두 사람 모두 일 처리가 빠른 사환이었기에, 결정한 후 습관적으로 지체하지 않았다.

마지막 논의 끝에 그들은 어떤 호위도 붙이지 않기로 했다. 어쨌든 안스는 무려 '상비'나 되었고, 그런 그가 특별한 일 없이 요란하게 소조폴을 떠나는 모습은 보기 좋지 않았기 때문이다.

티티라는 망토를 뒤집어쓴 채 블리조 씨, 마린카 씨, 투크 바하 씨와 인사한 뒤, 마지막으로 우스페히 씨에게 고개를 숙였다. 그녀는 일부러 진지하게 작별을 고하지 않았다. 안스는, 아마 진지할 필요도 없다고 생각했겠지? 그는 진짜로 잠시 떠났다 소조폴로 돌아올 거라 철석같이 믿고 있었다.

그들은 그렇게 뒤로 돌았다. 티티라는 봄날이 너무 화창해서 투덜거렸다.

소조폴의 기막힌 성벽을 지나 주변 도시로 나왔다. 흙바닥을 걸어차며 말 보관소로 걸어갔다. 안스와는 한마디도 하지 않았다.

티티라는 꾸역꾸역 말을 잡아탄 뒤 짐승의 목 위로 축 늘어졌다.

"티, 괜찮아?"

그녀의 뒤에서 조심스러운 목소리가 들렸다. 걱정하는 투는 아니었다. 그저 제게 말을 걸고 싶다는 욕심이 과하게 묻어났다.

티티라는 고개를 끄덕이며 몸을 일으켰다. 고삐를 툭툭 쳤다. 잠깐의 침묵 뒤, 안스가 옆으로 붙었다.

"정말?"

"괜찮나니까."

그는 다시 꿀 먹은 벙어리가 되었다.

티티라는 생각할 거리가 아주 많았다. 안스는 그 한나절 동안 더 이상 말을 걸지 않았다.

낮과 저녁을 터벅터벅 가로지른 뒤 플라도스트에 도착했다. 소조폴 근교의 작은 교역 마을이었다. 생각보다 시간이 늦어 나무로 만든 담벼락이 잠겨 있었다.

안스가 말에서 내려 문을 두드렸다. 누군가의 눈만 빼꼼 나오더니 신원을 물었다. 그는 우스페히의 패를 내비치며 '상비 안스카리우스'라고 말했다. 티티라는 망토 아래에서 낄낄거렸다. 어울리지 않는 이름이야.

경비대는 재빠르게 그들을 들여보냈다. 그럴 필요가 없는데도 굽신거리며 말을 데려갔다. 마을 내의 말 보관소는 믿을 수 없으니 자기들이 경비대 말과 같이 잘 먹이고 돌보겠다는 것이다. 심지어 두 사람은 직접 마을 회관으로 안내해 준다고 앞섰다.

그들은 이곳에서 그나마 가장 괜찮은 숙소인 마을 회관의 대손님실을 제공받았다. 이외에는 감히 제공할 수 없는 수준이라며, 우리 둘을 같은 장소에 묵게 하는 것에 머리 숙여 사죄하기까지 했다. 티티라는 우스페히 씨가 이 작은 마을에 돈을 얼마나 뿌렸을까 생각했다.

티티라는 문을 닫고 사라지는 이들에게 인사했다. 그리고 침대 옆에 놓인 빵을 먹었다. 퍽퍽했지만 따뜻하게 데워져서 그들의 성의를 엿볼 수 있었다. 어쨌든 건량보단 훨씬 낫지.

곁눈질을 하자니 안스는 침대에 앉아 배낭을 풀고 있었다. 오늘 아침에 나왔으면서 대체 점검할 게 뭐가 있는 거야? 그는 질문에 대답하듯이 하나하나 무기를 내려놓았다. 총신이 짧은 머스킷, 긴 머스킷, 총 받침대, 휴대용 산탄, 단검 하나, 둘, 셋, 중검, 장검…….

티티라는 허, 하는 감탄사를 내뱉었다.

"전쟁 나면 내가 옆에서 장전이라도 해 줘야 하나."

안스의 귀뿌리가 조금 빨개졌다.

"필요 없어."

"시노드 신녈이 어찌나 게으르고 안전한지 하늘도 땅도 아는데, 내 친구는 전쟁 나가는 병사처럼 무기를 바리바리 싸 들고 왔네."

"……."

티티라는 그만 놀리고 진지하게 말했다.

"나도 무기 있어. 단검은 내가 더 잘 다루잖아. 그렇게 너 혼자 다 죽일 기세로 다닐 필욘 없다고."

"무슨 일이 생기면 내가 널 지켜야 해."

"또 싫은 소리 한다……. 우리한텐 훔쳐 갈 것도 없거든? 모두 어음인데 도둑들이 써먹을 순 있겠어?"

"그래도 넌 열일곱 여자애잖아. 게다가 진짜…… 너무…….."

"안스, 네 눈에 예쁘다고 남들한테도 다 그런 건 아니야."

"그딴 소리 안 했어."

안스의 얼굴이 새빨개졌다.

티티라는 웃음을 터뜨리며 말했다.

"난 네가 잘생겼다고 하루에도 백 번은 얘기할 수 있는데, 너무하다."

"……"

그녀는 그만 놀리고 침대에 누웠다. 쥐똥이 누렇게 달라붙은 천장을 바라보았다. 우스페히 씨는 지금 뭘 하고 계실까? 그냥 평소와 같겠지? 마주두 제일섬에서는 새로운 소식이 왔을까?

"티."

"응?"

"너무 걱정하지 마."

"음."

"오늘 내내 말이 없길래."

"넌 어떻게 걱정을 안 해?"

"별일 없을 거야. 그리고 지금 내 일이 더 바쁘기도 하고."

"네 일이 뭔데?"

안스는 손질을 끝낸 머스킷을 내려놓았다.

"널 데리고 아젠치에 가는 것."

티티라는 코웃음을 쳤다.

"아, 그러셔."

"티, 나는 해적질 당하는 배들을 아주 많이 봤어. 물론 우리 배도 공격당했고. 시노드 신넬은 그렇게 안전하지 않아. 특히 여자가 있을 때는 개자식들이 한 번 더 돌아본다고."

"알겠어. 그러니까 내가 망토를 뒤집어쓰고 다니잖아."

"넌 너무 작아서 그래도 여자 같아."

"뭐, 어쩌라고? 망토도 쓰지 말까?"

"아니야. 벗으면 더 위험해지니까."

티티라는 웬 백기사처럼 구는 안스가 짜증이 났다. 나는 소조폴에 신경 쓰느라 머리가 터지기 직전인데, 얘는 안전한 길에서도 나 때문에 잔뜩 경계하느라 바쁘네. 이 상황에서도 나를 위한다니 그의 인생 자체가 산만한 추가 계약서처럼 보였다. 지금 진짜 중요한 일이 뭔지 몰라?

그녀는 더 말을 걸지 않고 침대로 들어갔다. 머릿속은 온통 소조폴과 우스페히 상단에 대한 생각으로 가득 차 있었다. 아무 일도 없겠지? 고작 하루 떨어져 있었는데도 너무 힘이 들었다. 누가 새를 날려 소식을 알려 주었으면 좋겠다.

안스에게서 등을 돌린 채 눈을 감았다.

"끝나면 불 꺼 줘. 난 일찍 잘 거야."

"그래."

"그리고 날 걱정하는 마음의 백분의 일이라도 소조폴을 걱정해봐. 계속 괜찮냐고 묻는 것보단 그게 나을걸?"

침묵이 흘렀다.

티티라는 어쨌든 착한 애한테 너무 심한 말을 했나 해서 살짝 뒤를 돌아보았다.

그는 조용히 무기를 넣고 있었다. 별일 아닌가 보네. 그녀가 다시 눈을 감으려는 순간—

"사마귀."

티티라는 몰려오던 잠이 확 깨는 것을 느꼈다. 그녀는 침대를 짚은 채 상체를 일으켰다. 날카롭게 말했다.

"뭐?"

그는 대답하지 않았다.

"너 뭐라고 했어?"

"남이 걱정해 주는 게 싫을 정도로 혼자 잘났으면 '사마귀'라 불리는 게 무슨 상관이냐? 신경 꺼."

귀가 조금 멍했다. 안스에게서 그 단어를 들었다는 게 너무 큰 충격이었다. 욕도 턱 틀어막혔다. 갑자기 뜨거운 물에 맞아 얼굴이 벗겨진 느낌이었다.

"말…… 다 했어?"

"어, 사마귀."

충격이 사그라지지 않았다. 그런데 그 사실을 인정할 수도 없었다. 나는 '사마귀'라 불리든 말든 상관없어! 진짜야! 티티라는 이불을 찢을 지경으로 꽉 쥐었다. 얇은 살갗 아래 핏줄이 오밀조밀하게 갈라졌다. 정돈된 길로 흐르던 피가 흉측하게도 살에, 감정에 스며들었다.

"그딴, 그딴 별명으로, 부르지 마."

"상관없다면서. 신경 안 쓰인다며."

"그, 그게 지금 네 불만이랑 무슨 상관이야?"

"내가 널 걱정하는 게 우습냐? 가소로워? 그러면 나도 그만둘게."

아까 전 놓친 피가 눈가로 몰렸다. 아무래도 눈물인 것 같았다. 하지만 도저히…… 죽어도 자존심상 울 수 없다. 애초에 그녀부

터가 안스에게 '사마귀'라고 불려 눈물이 나는 상황을 쉽사리 납득
하지 못하고 있었다. 난 이해가 안 가, 정말, 미쳤나 봐, 이게 왜 속
이 쿵 내려앉고 눈물이 날 일이야……. 그럴 리가 없어.

"……나는 네가 나한테 신경 쓰느라 소조폴에는 신경 안 쓰는 게
싫었어. 그냥 그것뿐이야."

"아니, 핑계 대지 마. 넌 내가 고백한 뒤로 꾸준히 그랬어. 난 널
친구일 때랑 똑같이 대하고 있거든? 그런데 넌 내 감정만 끊임없이
붙잡고 놀려."

"……."

"너 그거 알아? 내가 너한테 —뭐든 간에— 잘해 주려고 하기 전
에, 먼저 너한테 그런 대접을 받아도 될지 혼자 물어보는걸? 그 질
문에 항상 괜찮다고 생각하고 도와주는 걸 알긴 알아?"

"……."

"너랑 자자고? 이런 찢어발길 말이나 지껄이지. 내가 걷어차인
개새끼 같냐?"

그녀는 입을 꽉 다물었다.

"뭐든지 자기는 냉정한 척, 아무 영향 없는 척. 이제 신물이 난다."

"……."

"아, 혼자 도시 밖으로 나온 너는 걱정이 안 되고, 그 안에서 터
지는 화약이라곤 폭죽밖에 없는 소조폴은 걱정이 돼? 나는 네가 진
심으로 그렇게 생각하는 건지, 아니면 너보다 더 큰 것에만 신경
써야 네 자존심이 채워지기 때문인지 모르겠다."

"……."

"'친구고 뭐고 네가 제일 소중'하다면서. 차라리 그 말이나 제대

로 지키든가. 네가 제일 소중해서 살인도 아무것도 아니고, '사마귀'도 아무것도 아니고, 반년 동안의 그 새끼도 아무것도 아니고. 그렇지? 그 기억 때문에 고통받는 게 뻔한데도 인정하기가 죽도록 싫어서 차라리 눈 딱 감고 아무 상관도 없는 남이랑 자겠다는 것도 다 너한테 좋은 거겠지. 숨 못 쉬고 나자빠져도 한 이십 년 뒤쯤 네가 상단을 잘 차리면 해결되겠다, 그렇지?"

"'사마귀'라고 부르지 마……."

티티라는 겨우 벌어진 입술 사이로 내뱉었다.

"네 인생에 중요한 건 일밖에 없다면서. 그러니까 소조폴과 우스페히 씨한테만 끔찍한 거겠지. 그럼 네가 죽든 말든 그거나 계속 끌어안고 살아."

"네, 네가 무슨 상관이야?"

"그래. 그렇게 살아."

"이렇게 살 거야!"

그녀는 이불 속으로 기어들어 갔다. 머리끝까지 덮고도 안스에게서 등을 돌렸다. 손끝이 먼저 차가웠다가, 점차 온몸으로 퍼졌다. 처음에는 감각이라도 느껴졌는데 곧 투두둑 끊겼다. 손발이 사라졌다. 아주 짧은 순간 온몸이 부식되어 사라지는 것 같았다.

마지막으로 남은 감각은 귓가뿐이었다. 그가 무슨 이야기라도 더 할까, 두려움과 희망 사이에서 갈팡질팡하며 남은 다리에 불을 지르지 못했다. 저 너머가 칠흑처럼 어두컴컴하단 사실을 알면서도 끊질 못했다.

귓가. 가장 크게 들리는 소리는 이불이 사각사각 제 귀를 갉아먹는 소리였다. 틀림없었다. 숫돌처럼 귀를 깎고 있었나. 귓바퀴가 모두 사라지고 그의 목소리를 기다리는 구멍 하나만 뚫어 놓은 뒤에야 멈출 것 같았다. 온몸에서, 소리를 듣는 구멍 하나.

그러나 그가 말하는 일도, 귓바퀴가 무르녹는 일도 없었다. 그녀는 하염없이 기대하다 포기했다. 온 신경이 곤두서고 귀가 베여 나간 듯 아팠다.

티티라는 기절했다.

티티라는 얼굴에 닿는 따뜻한 무언가에 정신이 들었다. 머리가 깨질 듯이 괴로웠다.

"티."

눈을 뜨려 노력했으나, 노력하는 도중에 다시 눈을 감았다. 피곤했다.

부드럽게 잠드는 느낌은 아니었다. 무한히 추락했다. 철렁하는 배 속부터 시작해선 머리 꼭대기로 빠져나가는 아찔한 느낌이었다. 끝없이……

"티."

그렇게 떨어지던 바구니가 우뚝 섰다.

티티라는 눈을 떴다. 주변에 무엇이 있는지 볼 겨를도 없이 더듬더듬 침상을 짚고 바닥에 발을 내렸다. 기둥을 잡고 일어서서 두 걸음 걸었다. 그리고 세 걸음째에 삐끗했다.

누군가가 자신을 받아 안았다. 부릅뜬 눈으로 돌아보았다. 안스가 여행 준비를 마친 채로 자신을 내려다보고 있었다.

티티라는 멍하니 그를 바라보았다.

"날 두고 가는 거 아니었어?"

"……무슨 소리야. 짐은 다 챙겨 놨으니 일어나."

"그냥 두고 가."

"헛소리하지 마."

안스는 그녀를 앉혔다. 거기서 멈추지 않고 외투를 가져와 팔을 끼워 맞춰 주었다.

티티라의 눈에서 투둑 마른 눈물이 흘러나왔다. 그녀는 방금 전에 그에게서 '사마귀'란 말을 들은 것처럼 기억이 생생했다. 겨우 박아 누고 있었는데, 벌써 하룻밤이나 지나 버려 마침내 둑을 놓아 버렸다. 쟤는 내가 왜 우는지 모를 거야.

"왜 이래?"

그는 짜증스럽다는 듯이 외투를 놓았다.

"반 시간 안에 식사하고 나와."

그리고 덜걱거리며 무기가 잔뜩 든 짐을 들곤 나갔다.

티티라는 그가 자신을 위로해 줄 줄 알았다가 철렁 내려앉았다. 문이 닫히는 소리와 함께 가슴이 쿵 떨어졌다.

그녀는 어질어질한 머리를 부여잡고 다시 의자에 앉았다. 따뜻한 수프를 몇 번 휘저었다.

안스가 자신에게 냉정히 대하자 정신을 차릴 수가 없었다. 그는 자신이 무슨 말을 해도 친절할 줄 알았다. 항상 애정을 바라는 강아지처럼. 제 품에 그런 강아지 한 마리가 있어 세상이 두렵지 않았다. 제게 쏟아지는 공격을 막아 내고 으스댔다. 나 봤어? 대단하지?

그녀는 스스로 낑낑거리는 강아지를 도와주는 거라고 생각했다. 왜냐하면 그 작은 애가 주인을 존경하고 사랑하니까. 그런데 부드러운 동물이 갑자기 몸부림쳐 떠나자, 제 무기도 함께 떨어졌다.

멍하니 서 있다 쏟아지는 공격에 뺨을 맞았다.

……잠깐 충격을 받은 거겠지.

하지만 그녀는 가만히 앉아 있는 이 조용한 자리에서도 기억에 난자당했다. 모른 척 살았던 것들이 그녀가 약해진 순간을 노려 침묵을 떨치고 일어났다. 더 이상 당당할 수 없었다. 앞으로 내딛는 걸음 하나가 두려워졌다.

'사마귀'라니. 네 입에서, 어떻게 그런 말이 나와? 안스는 제게 파도가 밀고 들어올 수 있는 가장 안쪽 경계선 같은 사람이었다. 지금껏 어떤 공격도 그 선을 뚫고 들어올 수 없었다. 그런데 갑자기 해변의 마른 지대가 물로 얼룩진 것이다.

평온한 침묵 속에 있다가 갑자기 시장통에 내던져진 느낌이었다. 사람이 많았고 소음에 귀가 아팠다. 인파 속에서 갑자기 손이 쑥 튀어나올 것 같았다. 어깨가 섬찟하여 문득 그 얼굴을 돌아보면 자신이 죽인 시체일 것이 분명했다.

정말이지 혼자여도 괜찮았는데, 또다시 살인을 해야 할 처지가 된 것이 생각보다 피곤하고 고통스러웠다. 무엇보다, 제 품엔 개가 없어서 더 이상 경고해 줄 수 없었다.

따뜻한 수프도 속을 녹이지는 못했다. 한겨울에 의미 없이 손을 비비적대는 꼴일 뿐이다. 얼마나 노력하느냐와 상관없이 추위가 뼛속까지 닥쳤다. 이러다간 죽겠다는 생각이 들 정도로.

티티라는 숟가락을 내려 두고 일어섰다.

나가면 절대, 아무 일도 아닌 척해야겠다. 내 품에 강아지는 원래 없었던 척, 아니 사실은 있었지만 떠나도 아무렇지 않은 척을 해야겠다. 네가 그런 말을 해도 내 인생은 똑같이 독립적이야. 너

따위한테 모욕받을 이유도 없고, 그런 만큼 도움받을 필요도 없어.

그녀가 바깥으로 나갔을 때 안스는 말 옆 의자에서 책을 읽고 있었다. 또다시 '교국'에 대한 책이었다. 이 상황에서 그 단어를 보자 다시 어마어마한 불안감이 닥쳤다. 소조폴은 괜찮을까?

"타."

그는 책을 덮곤 말 옆의 짐에 쑤셔 넣었다. 그의 허리춤에 매달린 머스킷과 칼이 묵직한 소음을 냈다.

"빨리 타."

티티라는 입술을 깨문 채 말에 올라탔다.

안스는 말없이 앞장섰다. 어제보다 더 경쾌해 보이기까지 했다.

쟤는 나한테 다 쏟아 내서 마음이 편한가 보다. 나는—

물론 그녀는 아무 영향도 받지 않았다. 티티라는 안스 같은 게 자신을 '사마귀'라 불러도 상관없었다. 자신을 통상적으로 '사마귀'라 부르는 모든 상단 조장들처럼, 그도 여상하게 넘기면 될 일이었다. 나를 좋아한다던 남자랑 자고 죽이는…… 사마귀…….

티티라는 억울해서 목이 탁 막혔다. 오트카저트를 제외하면 제 맨살에 손을 댄 사람도 없었다. 안스를 제외하면 자신을 진짜 좋아한다던 사람도 없었다. 그녀의 십칠 년 애정사는 '빈곤하다'고 표현하면 차라리 과찬이었다.

물론 그녀가 일부러 그렇게 둔 것도 있었다. 그녀는 혼자서도 잘 살기 때문이다. 구태여 옆자리에 냄새나고 뜨거운 무언가를 끼워 두기 싫었다. 고독이야말로 내 힘이야. 그것만이 나를 우스페히 상단에서 살아남을 수 있도록 도왔어.

일곱 살짜리 그녀가 앞에 있었다. 아이는 토할 때까지 뛰었다.

책상에 머리를 박고 쓰러질 때까지 공부했다. 매일 하루를 마무리하는 것이 아니라, 긴 목표 아래 단절을 겪듯 불만스레 기절했다.

가까스로 자신이 가치가 있다고 느끼기까지 일곱 해나 걸렸다. 그제야 안정을 찾았다. 어떻게냐고? 우스페히 씨가 제 살인을 감싸 주었기 때문이다. 그런 것은 거짓말을 못 한다. 우리는 한배에 탔다. 저 사람은 나를 못 버린다. 그제야 항상 쿵쾅쿵쾅 뛰던 심장이 조금 느려졌다.

그녀는 그렇게 일곱 해를 혼자 잘 살아왔다. 오트카저트 '문제를 해결'한 게 바로 부정할 수 없는 증거처럼 느껴졌다. 그렇지만 그 뒤……

사람을 죽인 후유증은 누구에게나 있다. 티티라는 아직 그 난관을 헤쳐 나가는 중이었다. 안스에게 '이십 년 뒤 상단이나 차리라.'고 조롱받을 만큼 무력하게 당하고 있지 않았다. 그녀는 꾸준히 더 앞으로 나갈 작정이었다.

그러니까, 품 안에서 강아지가 뛰쳐나가기까지.

별것도 아닌 약하고 물컹한 생물을 왜 자꾸 떠올리는지 모르겠다. 티티라는 혼란 속에서 말을 몰았다. 그들의 여행길이 빠르지 않은 것이 다행이었다. 그녀는 소조폴에서 멀리 떨어지기 싫었고, 안스는 자신을 보호해야 한다는 마음에 여전히 곤두서 있었다.

한나절 뒤, 어제보다는 조금 이른 시각에 다음 목적지에 도착했다. 이번에도 중간 규모의 마을이었고, 이번에도 그들은 깍듯하게 대우받아 마을 회관으로 가게 되었고, 이번에도 괜찮은 저녁을 대접받았고, 이번에도 방은 하나—

"죄송합니다. 남녀 두 분이 오신다는 말씀을 미처 못 들었습니다……. 필요하시면 침구를 하나 더 드리겠습니다."

─침대도 하나였다.

둘 중 누구도 대답하지 않았다.

주민은 그들이 화가 난 줄로만 알고 재빠르게 새로운 침구를 가지러 갔다.

티티라는 짐을 바닥에 던진 뒤 침대에 누웠다. 자기가 침대를 독차지하려 한다는 의심을 피하려 가장자리에 조그맣게 웅크렸다. 그녀는 웅송그린 만큼 작게 말했다.

"난 신경 안 써."

안스는 대답하지 않은 채 돌아온 사람에게 침구를 받아 들었다.

그는 문 앞 바닥에 침구를 깔았다.

티티라는 그를 훔쳐보곤 턱에 힘을 주었다. 입가가 삐죽였다. 이제는 같이 붙어 있는 것도 싫다 이거지?

안스는 같은 자리에서 어제처럼 무기를 점검하고, 일어서 불을 껐다. 창가의 가는 달빛 한 줄기를 제하면 온통 새까맸다. 이곳에서 한마디도 안 하고 잠만 자겠다는 의지처럼 보였다.

티티라는 고집 세게 침대 한구석에서 몸을 동그랗게 말았다. 거기서 궁상맞게 쭈그린 내가 보이겠지?

그러나 안스는 아무 반응도 하지 않았다. 살짝 눈을 내리까니, 그는 아예 등 돌린 채 문을 보고 길게 누워 있었다.

티티라는 속이 내려앉는 것을 느꼈다. 아니, 고작해야 빵 몇 덩이나 든 제 속이 아니라 바닥이 꺼졌다. 이 건물이, 대지가, 세계가 안으로 접혀 들어갔다. 끝없이 추락했다. 소조폴이고, 뭐고 자기 자신부터 부여잡을 수가 없었다.

그녀는 그가 자신을 외면하는 것을 견딜 수 없었다.

갑자기 온몸에 피가 돌면서 약을 먹은 사람처럼 정신이 말짱해졌다. 그녀에게는 그가 필요했다. 그녀는 제 곁에서 자신을 지켜 주고 걱정해 주는 사람이 필요했다.

그것이 친구였더라면 더 좋았겠지만, 애정이라도…… 어쩔 수 없었다.

티티라는 조심스레 몸을 일으켰다.

안스는 완벽하게 자신을 무시했다.

그녀는 어둠을 디디고 더듬더듬 다가가 쭈그려 앉았다. 그의 어깨를 두드렸다.

그는 돌아보지 않은 채 말했다.

"왜?"

티티라는 눈을 질끈 감았다가, 살아남기 위해 말했다.

"안스, 미안해."

그는 들은 체도 안 했다.

"나도 널 좋아하는 것 같아……."

어깨가 살짝 움직였다.

"네가 그러니까…… 견딜 수가 없어. 난 네가 나한테 잘해 줬으면 좋겠어……. 날 피하지 않고 안아 줬으면 해……."

안스가 몸을 일으켰다. 티티라와 눈이 마주쳤다.

그는 선언하듯 말했다.

"힘들 때 곁에 있는 친구가 필요한 거겠지. 그 짓은 평생 해 왔으니까 걱정 마라."

티티라는 그가 다시는 그 '평생'으로 안 돌아갈 것 같아 무서웠다.

그녀의 손이 미세하게 떨렸다.

그녀는 바닥에 무릎을 꿇고 일어섰다. 몸을 뻗었다. 아니, 팔을 뻗었다. 제 모든 것이 안스에게 향하도록 길게 나아갔다.

티티라는 안스에게 입 맞추었다.

안스는 차가운 석상처럼 키스를 받았다. 티티라는 어떻게 할 줄 몰라 애가 탔다. 한 번 안스가 장난처럼 스쳐 지나간 것을 빼면 키스를 해 본 적도, 그것에 관심을 가졌던 적도 없었다. 그래서 바보처럼 입술을 대고 있기만 했다. 메마른데도 어쩐지 습하고, 크고, 뜨끈하고…….

그녀의 시야는 어두컴컴했다. 안스는 달과 그녀 사이 사각지대에 있었다. 불안했지만, 그가 뿌리치지 않았다는 사실에 희망을 가졌다. 친구를 살짝 붙들어 달빛 속으로 끌어당겼다.

안스의 눈은 평소와 달리 가늘었다. 눈 색을 제대로 볼 수 없을 정도로 휘었다. 시선이 마주치자 놀라 숨을 들이켜다가, 기침을 해서 모든 것을 망칠 뻔했다. 그녀는 호흡을 참느라 빨개진 얼굴로 생각했다. 어떻게 해야 하지? 제 속에서 한 마디, 한 마디가 쿵쿵 울렸다.

어떻게, 해야, 하지?

그때, 차갑고 큰 손이 등을 받쳤다. 티티라는 긴장이 확 풀린 듯 그에게 기댔다. 손은 그녀를 천천히 침구 위로 눕혀 주었다.

안스가 살짝 떨어져 나갔다. 물기가 남은 그릇에서 빵을 떼어 낼 때, 딱 그 정도로 아쉽게 붙어 있다가 떨어졌다.

실패했다는 생각에 그녀의 시선이 절박해졌다. 내 최선이었는데…….

그 순간, 안스의 숨이 턱에 닿았다.

티티라는 놀라서 움츠러들었다.

입 맞추기보다는 매만지고 있었다. 살이 닿지 않았는데…… 자그마한 솜털이 그에게 확신을 심어 주었을 수도 있다. 혹은 긴장한 턱이나, 바르르 떨리는 목이.

꿈틀거렸다. 그의 무거운 몸이 멈칫하더니 이내 안스가 눈앞으로 돌아왔다. 티티라는 아무 말도 하지 못했다.

큰 손이 양 뺨을 감쌌다. 코끝이 마주 닿았다. 더 이상 코가 제 일부로 느껴지지 않았다. 그보다는 소조폴 반대편에서 서로 겨눈 칼 같았다. 아슬아슬하게 닿은…… 긴장감이…… 날카롭게 느껴질 정도로……. 그러나 일 센티미터도 안 되는 곳에서 오가는 뜨거운 숨이 아찔했다. 아팠다. 그 숨 때문에.

안스는 잡아먹을 듯이 키스했다.

무거웠다. 그의 체중이 자신을 밀어붙였다. 벌어진 입으로 혀가 들어왔다. 티티라는 바르르 떨었다. 깊지는 않았다. 희미하게 긁고, 급하게 가져갔다. 빨아냈다. 자신이 세상에 드러낸 모든 끝들이 까마득했다. 손끝, 발끝, 귀 끝, 가장 오래된 머리카락.

그는 숨 쉴 틈을 주었다. 그러나 여전히 난폭했다. 그녀는 헐떡이며 물 밖으로 빠져나왔다가, 다시 붙잡혀 끌려 들어갔다. 수영을 잘하는 안스는 그 반대인 듯 느껴졌다. 그는 티티라에게 잠겨 있을 때 비로소 숨 쉴 공기를 찾아내는 것 같았다. 급하게 들이마시고서야 어지러운 듯 입술을 깨물곤 했다.

욱신거렸다. 힘이 쭉 빠졌다. 이렇게까지 무력하진 않았는데, 그가 달려드는 기세에 가물거리는 시야처럼 무너졌다.

엉키는 혀끝과…… 여린 잇몸이 아릿했다. 하나의 키스가 아니었다. 안스는 수십 번, 수백 번을 입 맞추었다. 그녀가 움츠릴 때마다 턱을 감싼 손아귀 힘이 더 단단해졌다.

티티라의 손이 헛돌며 그의 등에 가 닿았다가, 그의 뺨을 짚었다가, 툭 떨어졌다. 의지라곤 온몸에 얇게 발린 기름 같았다. 움직일 때마다 거추장스럽게 살을 잡아당겼다. 그녀는 어찌할 바를 모르고 그에게 기댔다.

마침내 안스는 티티라를 끌어안았다.

그녀는 알짝지근한 고통에 꿈틀거렸다.

그는 바닥에 해초처럼 늘어진 짧은 머리를 헝클었다. 목덜미를 감쌌다. 티티라의 어깨에 얼굴을 묻고 중얼거렸다.

"티……."

티티라는 눈물이 날 것 같았다. 다시 자신이 아는 안스였다.

다행인데…… 왜 아플까.

누군가 비명처럼 외쳤다. 그가 나를 좋아해서, 돌아갈 수 없는 십 년을 도려내야 하니까!

"진짜든 아니든 난 신경 안 써……."

나는 물건 따위 보관하지 않아. 그건 기억의 모사품일 뿐이지. 그렇기에 기억만이 나를 이루는 진짜고 전부야. 그걸 네가 억지로 뜯어내는 거야.

"하지만 넌 나 없이는 안 되잖아……."

나는 너 없이도…….

"제발……."

티티라는 조금 울었다.

그들은 서로 끌어안은 채 잠들었다.

티티라는 안스가 자신을 깨워 일어났다.

그는 쭈그려 앉은 채 잠깐 고민하는 듯하더니, 키스했다. 그녀는 어깨를 수그렸다. 하지만 반항하지 않았다.

티티라는 그가 들어 주는 외투와 망토를 둘렀다. 어색했지만 그래도 어제보단 나았다. 무언가 다음 단계로 나아간 듯한 느낌도 들었다.

그들은 다시 말을 타고 떠났다. 여전히 느긋한 여행이었다. 안스는 중간중간 멈춰 미리 마을에서 구운 견과류를 건네주었다. 지도를 마구 들여다보더니, 다음에는 드디어 도시에 도착한다면서 '률린'은 언젠가 들어 보지 않았느냐 태연하게 물었다.

원래라면 그보다 더 신이 나서 률린에 대해 떠들어야 했지만, 그녀는 계속 잠잠했다. 그가 마침내 말을 멈추고 그녀를 기다릴 때까지 그랬다.

"티."

"어, 어?"

"무슨 문제 있어?"

티티라는 그의 맑은 눈을 바라보았다. 항상 호의를 담은 시선이었다. 그래서 쉽게 대했는데, 이제는 잘 모르겠다는 생각이 들었다. 저 애도 상처받을 수 있는 인간이란 걸 너무 늦게 깨달았다.

"아니. 소조폴 소식이 걱정돼서."

"……."

"그치만 너한테 걱정하라고 한 건 아니야. 괜찮아."

"률린에 도착하면 물어보자."

"도시 소식조를 사용하게?"

"응. 나흘 뒤에 블라트포르에 도착하는데 그쪽으로 달라고 할게."

그제야 희망이 퐁퐁 솟아올랐다.

"우스페히 씨가 나한텐 귀찮게 묻지 말라고 하셨어. 너한텐 안 그랬어?"

안스가 웃었다.

"당연히 내게도 그러셨지. 하지만 난 너처럼 고분고분하게 말을 들을 생각 없다."

"바보야, 난 고분고분한 게 아니라 물어봤자 대답해 주지 않으실 걸 알아서 안 하는 거거든?"

"우스페히상에 물어보는 게 아니라, 부두에서 가입한 선원 조합에 물어볼 거야. 그 사람들은 굳이 상황을 감출 이유가 없잖아."

티티라는 너무 반가워 말 너머에서 안스를 껴안았다. 이러니저러니 해도 그녀는 안스가 좋았다. 그가 가끔 드러내는 애정만 어떻게든 참아 넘기면 될 것 같았다. 그것은 망망대해에 삐쭉 튀어나온 갤리선 같은 존재였다. 바다에는 댈 것도 안 되지.

"안스, 들르는 도시마다 새를 보낼 수 있을까?"

"가능해."

그녀는 한시름 놓았다. 그런 방법이 있으면 빨리 이야기나 해 주지. 굳이 그걸 가지고 첫날에 그렇게까지 싸워야 했을까? 내가 소조폴에 온 신경이 쏠려 있는 걸 알고 있었잖아?

"뭐라고 쓰지……. '교국' 일이 공개된 정보인지 잘 모르겠네. 게다가 우리가 '도망간' 것도 알릴 수 없을 것 같고. 그냥 소조폴에 특별한 일이 있느냐고 묻자. 아, 이러면 왜 우리가 우스페히 대신 선원 조합에 물어보는지 의심할까……?"

"티, 차라리 그걸 걱정하는 게 낫겠다. 선원들이 '이놈들, 왜 자기네 상단에 안 묻고 여기 와서 난리냐.'고 할까 봐 걱정되지? 너도 그게 더 현실적이라고 생각하네. 그래서 내가 처음에 얘기 안 한 거였어. 나중에 선원 조합 뒷감당이 될까 해서."

티티라는 콧김을 푹 뿜었다.

"그치만 티 네가 그렇게 걱정되면……."

그는 고개를 절레절레 저었다.

티티라는 다시 아슬아슬하게 그를 껴안았다. 그리고 처음으로 용기를 내서, 뺨에 입을 맞췄다.

안스가 얼굴을 붉혔다.

티티라는 그제야 밤부터 이어 온 긴장이 풀려 웃음을 터뜨렸다. 생각보다 이것도 나쁘지 않은 것 같았다.

그들은 조곤조곤 이야기하며 며칠간 처음으로 근사한 시간을 보냈다. 티티라는 연락을 받을 수 있다는 사실에 안도하여 소조폴에 대해 잠깐 잊었다.

밤늦게 률린에 도착하자, 드디어 여관에서 끼니를 챙길 수 있었다. 그녀는 탁자 위로 손가락을 두드리며 양젖 치즈와 후추를 끼얹은 마카로니, 채소와 고기로 속을 채워 구운 빵을 기다렸다.

그간 마을 회관이 열과 성을 다해 그들을 대접했다지만, 음식 수준은 고만고만했다. 좋은 식재료가 일절 안 들어오니 감자나 빵, 멀건 수프 정도가 최선이었지. 그러나 이곳은 작아도 도시는 도시라고 유제품, 향신료와 제대로 된 조리법이 있었다.

티티라는 그걸 어떻게 다 먹으려 하느냐는 안스의 시선을 무시했다. 안스에게 새 모이만큼 시켜서 빼앗아 먹지나 말라고 투덜대기까지 했다.

마침내 음식이 나왔을 때, 티티라는 신나서 두건을 걷어 냈다. 검은 머리칼이 쏟아졌다. 그녀의 머리칼은 짧은데도 부드러운 폭포처럼 흘러내려 언제나 긴 머리를 상상하게 만들었다.

그 순간, 안스의 손이 탁자를 가로질렀다. 그 끝에서 '탁' 하고 패를 내려놓는다. 철과 금으로 이루어진 우스페히의 상징이었다.

티티라는 그러려니 하며 휴대용 포크를 쥐었지만 아무래도 느낌이 이상했나. 안스의 빨은 여선히 탁자를 감싸는 자세였다.

왜, 안 먹고? 시선이 마주쳤다. 그는 무표정했다…… 아니, 조금은 무섭기까지 했다. 무언가를 보호하는 태도였다. 설마 감싼 게 탁자가 아니라 나야? 그녀는 주변을 휙 둘러보았다.

몇몇 남자들이 고개를 돌리는 게 느껴졌다. 그러나 처음부터 피할 생각도 없던 늙은이와 눈이 마주쳤다. 그는 징그럽게 입술을 핥았다. 티티라는 '우웩' 중얼거리며 무례한 손짓을 하려 했다. 안스가 붙잡았다. 참아. 그녀는 꿈틀거렸지만 그의 힘을 이길 수 없었다.

마침내 모든 사람들이 그녀에게서 시선을 돌렸다. 안스는 팔을 걷어 냈다.

"빨리 먹고 올라가자."

티티라는 입맛이 뚝 떨어진 표정으로 포크를 찍어 댔다.

"소조폴에선 한 번도 이런 적이 없었는데."

"소조폴 사람들은 널 건드리면 죽는단 걸 알잖아. 아니, 그, 별명을 이야기하려는 건 아니고……."

방금 전 죽일 기세로 경계하던 사람은 어디 가고, 그는 더듬기 시작했다.

이전의 말싸움이 기억나면서, 아무리 지난 일이라 해도 등골에 오스스 소름이 돋았다. 안스에게서 '사마귀'라는 별명을 듣기보단 차라리 귀머거리가 되는 게 나았다. 그 정도로 아팠다.

"미안해, 티. 다시는 그런 소리 안 할게. 미안해⋯⋯."

"⋯⋯응."

"⋯⋯내가 얘기한 건, 너한테 그랬다간 우스페히 고용 용병들한 테 죽는다 이거였어. 물론 그 전에 블리조 씨가 박살 내셨을 거고."

"난 몰랐어."

"그 전까진 크게 신경 안 쓰셨던 것 같은데, 오트카저트 일 이후 로는 널 건드리면 정말 죽었어. 소조폴에선 모르는 사람이 없다."

그렇게 경계해 왔는데 가장 가까이 있는 놈이 '위험'해졌다 면⋯⋯. 블리조 씨와 우스페히 씨의 짜증이 이해가 될 법도 했다. 그들이 오트카저트처럼 굴지 말라고 엄중히 경고한 것은, 이미 안 스가 그렇게 굴었던 사람들의 말로를 봤기 때문이겠지.

티티라는 결국 너도 나한테 그렇게 굴었다고 농담하려 했다. 그 는 어젯밤 제 위로 엉켜 붙었다. 다른 곳에 손을 대는 것을 두려워 했지만, 적어도 쉼 없이 감싸 안고 입 맞추었다. 그 욕망을 보며, 어느 순간에는 솔직히 그가 손을 더 뻗을까 봐 꺼림칙했다. 친구 안스를 믿었지만 저 사람은 잘 몰랐다.

그녀는 저 사람을 잘 몰랐다.

티티라는 끝내 농담을 꺼내지 못했다.

안스는 잠깐의 정적을 눈치채지 못한 듯 음식에 집중했다.

"륄린은 우스페히상에서 돈을 많이 받고 있어서 안전하긴 해. 미 친놈이 나와도 저기, 여관 주인 얼굴 보이냐? 자기가 먼저 그놈 목을 매달겠다는 양 나와서 노려보고 있잖아. 진짜 그렇게 할걸."

"음."

"그래도 공격에 대비하는 게 나쁘진 않으니까 방은 하나로 요청했어."

그녀의 손이 잠깐 멈추었다. 그저께도 어제도 당연히 한방에서 잤는데, 선택이 조금 더 선명해진 느낌이었다.

티티라는 먹는 둥 마는 둥 음식을 보냈다. 그는 거보라며, 누가 그렇게 욕심을 부리냐고 투덜댔지만 귀 기울여 듣지 않았다.

그들은 짐을 챙겨 위층으로 올라갔다.

티티라는 너무 긴장해서 제 걸음 소리도 제대로 못 들을 지경이었다. 고개를 숙이고 있어, 닳다 못해 매끈한 여관 계단만이 눈에 들어왔다. 차라리 안내하는 여급이 무슨 말이라도 했으면 했지만, 그녀는 손님을 빠르게 처리하는 데에만 집중하고 있어 쓸모가 없었다.

여급이 자물쇠를 따고 문을 벌컥 열었다.

티티라는 안도의 한숨을 내쉬었다. 침대는 두 개였다.

안스는 그녀를 내려다보았지만 아무 말도 하지 않았다. 그는 여급에게 돈을 주고 문을 닫았다. 티티라는 그사이 잽싸게 침대 하나를 차지하곤 누웠다.

눈을 감으려는데, 안스가 시야로 나타났다. 그녀는 흠칫 놀랐다. 그는 엄지로 뒤를 가리켰다.

"물 받아 놨대. 씻어."

티티라는 바짝 긴장해서 침대 건너편으로 떨어졌다. 태연한 척하려 했다.

"응."

그녀는 그가 무슨 말을 했는지 정확히 생각하지도 않은 채 작은 방으로 달려 들어갔다. 문을 닫았다. 뜨끈한 물이, 수증기가 시야를 가렸다.

티티라는 반사적으로 옷을 벗으려다가 멈칫했다.

안전한가?

그 생각이 드는 순간 식은땀이 쭉 흘렀다. 내가 누구를 상대로 그런 말을 하는 거지? 안스. 평생 한 번도 나를 해치지 않은 안스.

티티라는 이를 악물고 옷을 벗었다. 모든 생각을 억지로 억지로 좁은 공간에 욱여넣었다. 배불리 먹었으니 씻기만 하면 이따위 상념은 사라질 거야.

그녀는 단 한 번도 그를 그런 의미로 좋아하지 않았다. 그러니 서로 살이 닿는 것이 부담스러울 수 있는 것이다. 이건 그녀 스스로도 백번 이해가 갔다. 익숙하지 않은 거니까……. 그래도 관계는 좋아하지 않는 사람들끼리도 맺을 수 있고…… 낮에는 뺨에 입을 맞추고도 괜찮았고…… 개선될 수 있다는 희망이 있었다.

하지만 그가 안전하지 못하다고 느끼는 것은─

티티라는 물속으로 잠겨 들어갔다.

─용납할 수 없었다. 그건 안스 자체를 '싫어한다.'는 뜻인데, 티티라는 그를 싫어하는 감정을 도저히 상상조차 할 수가 없었다.

그녀는 단지 소조폴의 멸망을 두려워하듯 안스를 두려워하는 것이었다. 모든 것은 사실이 아니었다. 오로지 제 과대망상만이 눈을 가렸다. 안스는 절대 절대 자신을 해치지 않을 것이다. 그녀는 안스를 싫어하지 않았다.

티티라는 흔들리던 배에서 겨우 균형을 잡았다.

그녀는 폭풍을 버텨 내 단단한 배가 되었다. 소조폴처럼, 그도 괜찮아. 여러 번 다짐했다. 몸을 풀고 나와선 안스에게 들어가라고 하기까지 했다. 너도 냄새난다며, 우리 청결한 여행을 좀 하자. 모든 걸 농담처럼.

그가 김을 모락모락 피우며 걸어 나왔을 때도 시선을 피하지 않을 수 있었다. 안스가 우스페히 상관에서 항상 그랬듯 대충 바지만 걸치고 니은 볼골이있는데노 뭐바도 시나보있나. 낭먼하나. 난 안스가 주방 옆 욕실에서 벌거벗고 뛰어 올라가던 모습도 수백 번은 봤으니까.

안스는 말없이 침대를 빙 돌아갔다. 그녀를 등지고 앉았다. 티티라는 자신이 지나치게 노려보았나 생각했다. 주먹을 꽉 쥔 채 굳어 있었다.

"티."

그녀는 흠칫 놀랐다.

"내가 뭐 잘못했어?"

안스의 목소리는 멀리서 들렸다. 그래서 겨우 돌아볼 수 있었다. 그는 급하게도 셔츠를 입은 모양이었다. 이곳저곳이 물에 달라붙어 있었다.

"아니."

그녀는 너무 빨리 대답했다.

안스는 침대 두 개 너머에서 우두커니 서 있었다.

"티."

그녀는 최대한 자연스럽게 이불을 정돈했다. 고개를 흔들어 어물쩍 대답하는 척했다. 그는 그런 그녀를 바라보며 꿈쩍도 하지 않았다. 그 자리에 굳은 청동상 같았다.

그가 말했다.

"힘들면 안 해도 괜찮아."

티티라는 편집증 걸린 하녀처럼 이불을 정돈하다가 우뚝 멈추었다.

"난 그냥…… 네가 내 감정을 무시하지 않았으면 했어."

'네 감정을 무시한 적 없다.'고 말하는 것은 불가능했다. 티티라는 안스를 받아들일 수 없었다. 그래서 친구의 애정을 일부러 얕잡았다. 모욕받으면 포기할 줄 알았다. 나에게 지쳐 감정이 작아질 줄 알았다.

"티, 너한테 가도 돼?"

티티라는 대답하지 않았다. 대신 꾸물꾸물 기어 침대 건너편으로 갔다.

고개를 들자 안스는 여전히 아름다운 바다 괴물처럼 서 있었다. 그는 바다 괴물처럼 모든 것이 완벽했고, 그녀의 애정 또한 살 수 있었다. 그러나 바다 괴물처럼, 그에게 가까이 가는 것은 같은 크기의 암흑으로 떨어지는 길 같았다.

그러나 티티라는 다가갔다. 침대 산을 두 개나 넘어, 안스의 앞에 무릎을 꿇고 섰다.

"내가 왔어."

안스의 턱에 힘이 들어갔다.

"안스."

그녀는 그를 껴안았다. 잠깐의 침묵 뒤 그가 마주 안았다.

"네 감정을 무시해서 미안해. 너를 바로 보는 게 무서웠어. 진지

하게 생각하기 시작하면 결국…… 네게 뛰어들거나, 네게서 도망
치거나 두 개의 선택지만 남을 것 같아서 두려웠어."

"……."

"너는 이 순간마저 '그 선택지만 있는 건 아니'라고 못 하겠지. 왜
냐하면 넌 내가 네게 뛰어들길 바라고 있으니까."

"티……."

그가 부르는 제 이름에는 고통스러운 욕망이 배어 있었다. 그녀
의 손이 조금 떨렸다.

"나는 아직도 너를 받아들여서 우리 관계가 바뀌는 거라곤 잠자
리밖에 없는 것 같아. 그리고 그건 무서워. 아무리 아닌 척하려고
해도 겁이 나."

안스의 고개가 떨어졌다.

"티, 나는 내가 단지 너랑 자고 싶은 거란 말을 들을 때마다 비참
해진다."

"……."

"나는 물론 네게 키스하고 싶어. 널 만지고 싶고, 네게 닿고 싶
어. 하지만 그건 내가 너를 너무 좋아하기 때문이야. 파도가 있어
야 배도 흔들리는 거잖아. 배는 그 자체론 아무것도 아니야."

"하지만 안스, 난 너를 너무 좋아해. 평생 같이 있고 싶어. 어제
거짓말한 거 아냐. 그럼 우리가 대체 뭐가 다르단 거야?"

그는 한숨을 내쉬었다.

"네가 날 싫어하면 나는 살 이유가 없어."

티티라는 깜짝 놀라 몸을 폈다. 안스는 여전히 그녀를 바라보지
않은 채 고개를 숙이고 있었다.

티티라는 그런 생각은 태어나서 단 한 번도 해 본 적이 없었다. '쟤가 날 싫어하니 콱 죽고 싶다.'고? 무슨 소리야. 날 싫어하는 쟤를 묵사발 내야지. 만일 상대가 소중한 친구라면, 때리는 것까진 무리더라도 나를 좋아하도록 열심히 잘하면 되잖아.

"티, 그러니까…… 그냥 내 감정이 그렇다는 것만 알아주면 안 돼?"

그녀는 혼란 속에서 더듬었다.

"너, 너는 어제도, 오늘도 막, 키스했잖아. 내가 널 좋아하든 말든 상관없다면서. 그냥 말이라도 그러면 된다면서."

"화가 나서……. 너는 바란 적도 없는데 혼자 참다가 선을 넘었어. 하지만 그것 때문에 날 싫어하면 안 돼. 아니, 날 싫어하지 말아 줘. 안 그럴게. 부탁이야. 그냥……."

티티라는 그가 안전한지 생각하던 순간을 떠올렸다. 그 생각을 떠올리자마자 거부감이 일었지만, 또 갈기갈기 찢어 치워 버렸지만, 아마 그런 생각을 했다는 사실은 영원히 지워지지 않을 것이다.

"티, 네가 우리는 서로 자고 싶어 하는지 아닌지만으로 구분된다고 할 때마다 막막했어. 어떻게 해야 설명이 될까. 어떻게 내가 너를 좋아한다고 해야 할까. 입 맞추면 차라리 증명이 되나?"

"……."

"내가 계속 입 맞추고…… 만지고…… 네게 접근하면 선이 명백해지나? 그런데 넌 그걸 싫어하잖아. 네가 싫어하면 난 죽을 것 같다고……. 그래서 다 포기하고 말로만 애원하면 우린 차이가 없다면서, 자꾸만 내 감정이 네 것인 양 무시하는데, 나한테 어떡하라는 거야……."

"……."

"난 그냥 네가 알아줬으면 했어. 내가 널 좋아한단 게 어떻게 생겨 먹었는지라도 알았으면 좋겠어. 나를 위해서기도 하지만, 그보단 네가 그러고 있는 걸 보면 미칠 것 같아서……."

티티라는 네가 왜 나를 동정하냐고 짜증 내지 않았다. 안스를 다시 껴안았다. 그의 몸이 불덩이처럼 뜨거웠다.

"나도 처음이라 아무것도 모르겠어……. 네가 냉정한 게 온전히 오트카저트 탓은 아니겠지. 그저 너일 거야. 그런 널 굳이 좋아해서 힘들어하는 내가 멍청한 거겠지……."

그는 티티라의 어깨를 부술 듯이 턱에 힘을 주었다. 허리를 꽉 껴안았다. 손가락 사이사이가 조여들었다. 그러나 아프지 않았다.

그의 맥박이 쿵쿵 뛰었다. 크고 불안했다. 티티라는 안스가 힘들어하는 것 같아 가슴이 아팠다. 자신은 잘못한 것도, 해 줄 수 있는 것도 없었다. 그래서 안타까웠다.

티티라는 그를 제게 끌어당겼다. 그는 무기력하게 끌려와 침대에 한쪽 무릎을 얹었다. 제 등 위로 뜨끈한 숨을 뱉었다. 헐떡이며 말을 잇는다.

"티, 나는 도저히…… 표현할 수가 없어. 뭐라고 주워 삼켜 놓고 '이게 아닌데' 하면서 계속 말을 붙여. 그러다 엉망진창이 돼. 혀를 잘라 버리고 싶어. 그렇게 헤매다가 갑자기 또 네 앞에 서게 되면 대뜸 말하는 거야. 널 좋아한다고."

"……."

"깨어날 때마다 네가 어디 있는지를 생각해. 네가 행복하게 잘 살고 있다는 확신이 들어야만 일어날 수 있어. 그러고도 네가 더 만족스럽고 기쁘고 즐거운 삶을 누렸으면 좋겠어. 그래서 좋은 걸 보면 항상 널 생각해. 물건은 가져다주고, 풍경은 떼어 가고 싶어. 그게 흑요석 펜이든, 백만 금이든, 북극성이든, 마주두 제일섬의 거대 석상이든…….”

“…….”

“그런데 해 줄 수 있는 게 너무 없어서, 그냥 나를 네게 심고 싶어. 차라리 내 성취가 너의 일부가 될 수 있도록. 난 아무것도 아니지만 네 일부가 되면 조금이라도 괜찮은 삶일 테니까.”

“…….”

눈물이 조금 났다. 티티라는 정말로 그런 감정을 몰랐다. 그가 더듬거리며 설명하는 모든 것이 환상처럼 느껴졌다. 어떻게 그렇게 마음을 쥐어짜 죽일 수 있는 건지, 그러고도 자살이 아니라는 것인지 몰랐다.

티티라는 안스를 지키기 위해 목숨을 걸 수 있었다. 하지만 만일 어떤 신의 힘이 개입해 둘 중 하나만 살아야 한다고 선언한다면, 그녀는 어쩔 수 없이 스스로를 선택해야만 했다. 그를 좋아했지만 이것은 다른 문제였다. 축이 달랐다.

그녀가 건넬 수 있는 답은 얼마 없었다.

“안스, 자고 싶은 거랑은 다르단 걸 알겠어.”

이런 말을 내뱉는 스스로가 바보 같았다.

하지만 안도한 듯 힘이 풀렸다. 티티라는 제게 기댄 안스의 등을 조심스레 쓰다듬었다.

“너만 보면…… 내 단단한 정육면체 방이 흔들려……. 우리는 창문 너머로 손잡을 수 있는데, 너는 망치를 들고 있어. 어떤 게 맞는 건지 난 이제 잘 모르겠어. 같이 방을 부술까?”

티티라는 그를 껴안은 채 침대에 누웠다. 둘은 마법이 풀린 짚단처럼 포실포실하게 쓰러졌다. 이불이 살짝 울었다가, 가라앉았다.

"뭐가 맞는 걸까?"

품에 있는 그를 내려다보았다. 안스는 눈을 감고 있었다. 아직 물기가 남은 머리칼을 헝클어뜨렸다.

"사랑하는 친구……."

그는 여전히 눈을 감고 있었다. 그러나 눈꺼풀 아래 미세한 떨림이 보였다. 눈꺼풀이 떨린 것이 아니다. 그의 멋진 눈이, 빛과 그림자와 궤적이 소용돌이처럼 섞여 시큰거리는 하나의 감정이…….

그들은 해가 중천에 떴을 때에야 깨어났다.

정확히는, 티티라가 먼저 깨어났다. 그녀는 코앞에 누워 있는 안스를 발견하자마자 씩 웃었다. 그의 높은 코를 찔렀다. 그는 흠칫 놀라 그녀의 이마에 머리를 박았다.

"아……."

티티라는 투덜대며 머리를 감싸 안았다.

"넌 머리가 돌이야……?"

안스는 잠에서 덜 깬 채로 그녀를 바라보았다.

티티라는 부상을 회복하곤 벌떡 일어나 외쳤다.

"우편국에 가자!"

그는 비척비척 일어나 멍하니 침대에 앉아 있었다. 햇살이 눈을 찌를 기세이자 그제야 정신을 차린 듯 목을 푸는 모양이었다. 우드득. 좁은 침대에서 자신과 함께 웅크려 자다 보니 몸이 결린 것 같았다.

"배고파?"

"아직은……. 이따 가면서 주워 먹자. 벌써 늦었네."

그는 덜 트인 목소리로 중얼거리며 짐을 챙겼다.

물론 그들은 숙달된 사환이었다. 순식간에 준비를 마치고 덜거덕거리며 편지를 부치러 갔다. 티티라는 한참을 고민하다가 편지에 적을 말을 불러 주었다.

**[부두에 특별한 일이 발생할 시 블라트포르로 연락 바람.**

**안스.]**

안스는 갈매기처럼 늘어진 글씨로 짧은 편지를 완성했다. 동 몇 장과 함께 우편을 접수하는 사람에게 넘겼다.

티티라는 이 정도면 선원 조합의 의심을 사지 않고도 소식을 들을 수 있지 않겠느냐며 만족스러워했다. 안스는 하품을 해 가며 건성건성 대답했다.

그런 그를 위해 티티라는 맛있어 보이는 길거리 음식들을 왕창 샀다. 올리브 튀김, 돼지고기와 마늘 꼬치, 소 내장으로 감싼 허브와 병아리콩까지. 그가 하품을 할 때마다 입에 넣어 주었다.

그들은 배 속이 미어터질 때가 되어서야 륄린을 떠났다. 어제보다 속도는 더 느렸다. 티티라가 조금만 빨리 걸으면 체할 것 같다고 고백했기 때문이다. 안스는 그러게 누가 그렇게 무식하게 먹으라고 했느냐면서도 속도를 한참 늦춰 주었다.

잘 닦인 길에서는 들개 한 마리가 그들을 졸졸 따라왔다. 티티라는 먹다 남은 건량을 던져 주며 짧은 여행길의 친구로 삼았다. 갈색으로 잘생긴 개였는데, 따라오는 내내 웃는 상으로 헥헥거렸다.
티티라는 한순간 확신하곤 감탄했다.

"안스, 너 닮았다."

안스는 짜증을 냈다.

"이건 어쩔 수 없네. 불가항력이야. 네 쌍둥이를 발견했으니 네
음식을 줘야겠어."

그녀는 주섬주섬 배낭을 뒤졌다. 정말로 안스에게 주기 위해 몰
래 남겨 두었던 치즈와 콩, 납작 고기구이를 잘게 떼어 개에게 던
져 주었다.

안스는 먹을 걸 탐내는 성격은 아니었지만, 왜 개가 따라오는지
이제야 알았다며 빨리 처리하라고 엄중하게 경고했다. 길가에서
냄새나는 음식을 들고 다니는 게 얼마나 위험한 줄 알아?

티티라는 경고하는 안스의 입에 주전부리를 넣어 주었다. 그는
똥을 씹은 얼굴로 고기를 씹었다. 티티라는 활짝 웃는 개와 그의
표정이 너무도 상반되어 웃음을 터뜨렸다.

그들은 다음 마을의 나무 장벽에 이르러서야 개와 작별 인사를
했다. 떠돌이 개는 몇 번 돌아보며 서럽게 울더니 제 갈 길을 떠났
다. 그녀가 안타깝게 혀를 차는 동안, 안스는 벽 안쪽 사람에게 딱
딱거리며 상비 패를 보여 주었다.

오늘의 마을은 처음 두 마을보다는 조금 나은 정도였다. 이번에
도 마을 회관의 침대는 하나였지만, 티티라는 대뜸 '괜찮다.'고 말
했고, 안스도 따로 침구를 요청하지 않았다.

티티라는 빠르게 저녁을 해치우곤 이불 속으로 들어갔다. 천장을
바라보다가, 팔로 머리를 괸 채 돌아누웠다. 무기를 점검하는 안스

의 엉덩이를 쿡쿡 찌르면서 빨리 자라고 했다. 안스는 그녀가 찌를 때마다 자리를 옮겨서, 침대 끝까지 내려갔다. 티티라는 그를 따라 조금씩 내려가서 마지막에는 이불에 뒤덮여 아무것도 안 보일 지경이었다.

발가락으로 머스킷을 툭툭 건드려 바닥으로 떨구었다. 안스가 다시 올리면, 또 툭툭 쳤다. 안스가 이불 안쪽의 발가락을 쥐었다.

"하지 마."

"아, 아, 아! 아파! 야!"

티티라는 그가 놓아주자 불평하며 다시 위로 올라왔다. 잠수했던 물에서 올라오듯 위로, 위로, 위로. '어푸푸' 하며 이불에서 빠져나왔다.

안스는 무기를 정리하고 불을 껐다. 그는 침대 위로 올라왔다. 그의 무게 때문에 푹 꺼지는 느낌이 재미있었다.

"안스, 우리 소조폴로 돌아가면 개 한 마리 키울까?"

"그러든가."

"너 닮은 애로 하나 키우자."

"난 개 안 닮았어."

"늘씬하고, 잘 달리고, 항상 웃는 상인 갈색 개로."

"아, 맘대로 해라."

"근데 입이 짧으면 안 돼. 그건 너 닮으면 절대 안 돼. 내가 그 꼴은 못 봐."

"내가 입 짧단 건 네 생각이고. 넌 진짜 내가 얼마나 먹는지 모르는 것 같은데……."

"좋아하는 것만 많이 먹잖아. 아까도 뤼린에서, 내가 너 안 먹는 거 먹이려고 얼마나 애썼는 줄 알아?"

"그게 애쓴 거냐? 뭐 들었는지 안 보여 주고 먹이려고 신나
선······. 너 일부러 올리브 튀김 샀지? 내가 먹고 토하는 거 보려
고?"

"당연하지."

안스가 어깨를 퍽 쳤다. 그녀는 웃으면서 몸을 웅크렸다.

"안스, 너 고기만 먹다간 화장실 못 가. 똥 냄새도 엄청 고약해져."

"그거야 내 문제지."

"나처럼 골고루 먹어야 탄력 있고 날래고 소화도 잘되고 가벼운
몸을 가질 수 있다고."

"너 혼자 그래라."

"나중에 작은 배를 타서, 혼자 화장실 하나를 너무 오래 차지한
죄로 선수에 매달려 봐야 '이래서 채소를 골고루 먹어야 하는구나.'
깨닫겠지."

"작은 배에는 화장실 없어."

"아, 진짜 더러워."

"똥 얘길 누가 먼저 했는데?"

티티라는 낄낄대며 이불을 잡아당겼다. 순식간에 맨몸이 드러난
안스가, 투덜대며 제 쪽으로 이불 끝을 확 당겼다. 그녀는 굴러가
서 그의 등에 뒤통수를 쾅 박았다. 물론 그에 지지 않고 배를 끄는
거인처럼 한 발자국, 한 발자국 이불을 끌어당겼다.

한참의 실랑이 끝에, 그들은 팽팽한 이불을 사이에 두고 잠들었다.

다음 날 아침에는 그가 먼저 깨어났다. 오늘은 일정이 아슬이슬

하다면서, 블리조 씨처럼 그녀를 닦달해 일으켜 세웠다. 티티라는 소조폴 제 방에서 일곱 시간씩 자는 것과, 여행길에서 일곱 시간씩 자는 것은 너무도 다르다는 것을 절감했다.

그들은 몹시 노력했지만, 그날은 결국 길바닥에서 자게 되었다. 안스는 긴장된 얼굴로 삼십 분 동안 잘 곳을 찾았다. 티티라가 폭발하기 직전, 마침내 버려진 헛간을 발견했다.

천만다행으로 그들이 헛간에 들어서는 순간부터 비가 내리기 시작했다. 티티라는 투덜대려던 모든 말을 꿀꺽 삼키곤 입에 침이 마르도록 안스를 칭찬했다.

그들은 말과 함께 헛간 지붕 아래에 들어와, 한참 동안 매달고 다녔던 모포를 꺼냈다. 안스가 작은 불을 피워 돌을 데우고 무기를 손질하는 사이, 티티라는 자리를 깔고 말들에게 먹이를 준 뒤 그들의 건량을 꺼냈다. 그들은 일사불란하게 잡일을 마치곤 거의 비슷한 시간에 따뜻한 돌을 껴안은 채 모포 위로 누웠다.

"누가 보면 훈련했느냐고 묻겠다, 그치?"

"십 년 했지."

"그런가……."

"안 추워?"

"조금. 가까이 가도 돼?"

"붙어 봐."

그녀는 그 옆에 바짝 맞닿아 손을 비볐다. 추적추적 초가을 비가 내려서, 피가 뜨거운 동물이 넷이나 되는 헛간 안에도 썰렁한 기운이 감돌았다.

안스는 단검을 들어 따닥따닥 타오르는 불을 들쑤셨다. 고요했다.

"……바다가 얼었다는 소식을 들었네."

나직한 목소리는 대화가 아니었다. 티티라는 아주 오랜만에 투덜 댈 기분이 들지 않았다.

"세상이 변했나 보오, 겨울 곁에."

자신은 항상, 그가 습관처럼 부르는 노래를 동강 낸 뒤 말 걸곤 했다. 그러나 지금은 아니었다. 우리들이 어느 정도는 옛날 그대로 라는 느낌을 주어 마음이 미지근해졌다.

"우리가 헤엄쳤던 파도, 흔적이 없노라.

얼어붙은 수평선에서 네가 돌아오면

오, 한 줌 남은 기쁨으로 나를 불태워

네게 파도를 돌려주고 잿더미가 될 텐데."

티티라는 멍하니 불을 바라보았다. 일렁인다. 불씨가 점차 꺼져 갔다.

"볕드는 봄이 다시 오지 않아도 좋네.

네게 파도를 돌려주고 잿더미가 되면

일렁이는 파도에 네 웃음이 들리면

겨울 속에 익사해도 미풍 같은 죽음."

노래가 끝났다. 고개를 돌려 안스를 보자니 그도 마찬가지로 불을 보는 모양이었다. 그의 얼굴 위로 어두컴컴한 불그림자가 졌다.

티티라는 그의 잘 내리깐 속눈썹을 빤히 바라보았다. 가끔 이럴 때, 저 애는 어딘가에서 뚝 떨어진 소년 같았다— 그 순간 갑자기 그가 돌아봐서, 그녀는 용건이 있는 척 후다닥 입을 열었다.

"내일도 길바닥에서 자야겠지?"

"아마. 모레 블라트포르에 도착하려면 어쩔 수 없어."

"온몸이 배기네……."

"내 배낭은 베기엔 너무 딱딱한데. 겉옷 뭉쳐서 줄까?"

"아냐. 이 정도야 뭐."

안스는 갑작스레 팔을 뻗었다. 티티라는 제 쪽으로 훌쩍 날아온, 길 잃은 연 같은 안스의 팔을 바라보았다. 뭐, 어쩌라고? 시선으로 물어보자니 그가 목뒤를 가리켰다.

"……팔 아플걸?"

"괜찮아."

티티라는 사양하지 않고 그의 겨드랑이 사이로 파고들었다. 꾸물꾸물 최대한 그를 베려고 하다가, 어쩐지 그의 몸 절반을 깔고 누운 것 같아서 죄책감이 들었다.

"안 힘들어?"

"괜찮다니까."

그녀는 동그랗게 몸을 말아 그에게 기댔다.

잠들었다.


티티라는 생각했던 것보다 훨씬 편하게 깨어났다. 안스와 빠르게 자리를 치우고, 남은 불씨를 짓이긴 뒤 길을 떠났다.

이번만큼은 재촉하는 안스에게 반항하지 않았다. 가는 시간의 절반은 말에 채찍질을 하며 목적지로 향했다.

그러고도 블라트포르를 반나절 남긴 자리에서 새벽달을 맞았다. 티티라는 자포자기한 채 잠잘 곳을 찾기 시작했다. 다행히 다 쓰러져 가는 사냥터지기 오두막을 발견했는데, 어제보다는 시설이 괜찮았고 비도 오지 않아 제법 잘 만했다. 그들은 무려 '벽난로'에 불을 피울 수 있었다. 덕분에 낮에 길거리 상인에게 산 소시지와 감자를 데워 먹고 그나마 따뜻해진 배를 두드리며 잠들 수 있었다.

다음 날, 그들은 오늘에야말로 블라트포르에 도착한다는 희망에 차 벌떡 일어났다. 자리를 정돈하고 뒤이어 올 여행객을 위해 표지를 세워 두었다. 그리고 날아가듯 블라트포르로 향했다. 작은 길들이 모이는 큰길에 다다르자 훨씬 많은 사람들, 말들, 수레와 마차들이 보였다.

그들은 이른 저녁에 블라트포르 성벽 안으로 들어왔다. 티티라가 재촉하여 당장에 우편을 받으러 달려갔으나, 도시의 무슨 무슨 휴가라고 일찍 문을 닫아 실패했다.

그녀는 어이가 없어서 이렇게 제멋대로 쉬면 중요 정보를 놓친다며, 소조폴 재판소에 고발하겠다고 말했다. 직원은 '아, 고발하세요.' 딱딱대며 그녀 앞에서 창구의 나무문을 쾅 닫았다.

티티라는 분노에 가득 차 바깥에서 기다리던 안스에게로 돌아왔다. 그는 눈치도 없이 또 자기가 좋아하는 고기 꼬치를 사 먹고 있었다.

"먹을래?"

"문 닫았대. 내일 다시 오래. 나, 여기에 불 지를까 봐."

"내일 다시 오면 되지."

"불 지를래."

"내일 다시 오자."

안스는 구운 고기와 함께 감자와 채소를 그녀에게 먹여 주었다. 티티라는 그가 일부러 채소를 남겼다는 고약한 의심을 지울 수 없었다.

그들은 여관에 들어서 이틀 만에 배 터지게 인간의 음식을 먹었다. 티티라는 안스에게 '입이 짧다.'고 표현한 것을 다소 수정해야 했다. 그는 며칠 굶자 고래처럼 퍼먹었다.

"차라리 접시를 들어서 그냥 입에 부어. 그게 더 깔끔할 것 같아."

"흘리잖아."

"너 가슴팍에 이미 흘렸어."

안스는 얼룩을 한 번 내려다보곤, 이건 엊그제 비 오던 날 생긴 거라고 우겼다. 티티라는 분명히 끈적한 소스라면서 그와 다투는 데 정력을 허비했다. 그러다 접시를 몇 개나 빼앗겼는지 모른다.

그들은 아침보다 두 배는 무거워진 느낌으로 방에 올라왔다. 티티라는 소화를 시킨다며 침대 두 개 사이를 미친 듯이 뛰어다녔다. 안스는 말릴 생각도 없이 창문을 활짝 연 뒤, 그녀가 추위에 지쳐 둔해질 때까지 기다렸다.

조금 뒤 느려지기 시작한 티티라를, 안스가 끌어다 욕실에 던졌다. 티티라는 겨우 씻고 나와 푹 퍼진 넙치 몰골로 침대에 쓰러졌다. 너무너무, 온몸이 녹아내릴 정도로 피곤했다. 그녀는 처음으로 안스가 무기를 손질하는 모습도 보지 못한 채 잠들었다.

다음 날에도 안스가 깨워 주어서 일어났다. 다행히 오늘 할 일을 뚜렷하게 기억하고 있었기에, 잽싸게 일어나 배낭을 멨다. 그들은 우편국이 열리자마자 들어가는 첫 손님이 되었다.

어제 보았던 직원이 픽 웃었다. 티티라가 급박하게 '내가 오늘 진짜로 여길 불 지를 것'이라고 안스에게 속삭이는 사이, 직원이 창구 뒤로 사라졌다.

잠시 뒤 돌아온 그녀가, 도착한 우편이 하나 있으니 서명을 하라고 했다. 그리고 착불이라고 짚어 주는 것도 잊지 않았다. 안스가 돈을 지불하는 동안 티티라는 괴발개발 서류를 확인했다.

드디어 직원이 접힌 편지를 내밀었다. 티티라는 급하게 종이를 뉘아채 바깥으로 나왔다. 무슨 내용이든 그 재수 없는 직원 앞에서 읽고 싶지 않았다.

그녀를 따라 나온 안스도 궁금한 듯 말했다.

"봐 봐."

티티라는 편지를 열었다.

내용은 없었다.

큰 가위 표시뿐이었다.

그녀는 어리둥절한 채 내려다보다가, 그 비슷한 기억을 발굴해 냈다.


"아니라는 표시잖아. 문제가 있단 거지."

"……."

"바다 건너에서도 볼 수 있겠다, 그치?"


설마 하는 얼굴로 안스를 돌아보았다.

안스의 얼굴이 하얗게 질렸다.

티티라는 아직 숨을 쉴 수 있었다.

'아직'.

그녀는 무언가를 붙잡기 위해 배 갑판을 긁었다. 그러나 부질없이 실패했다. 꺾인 손톱 아래로 피가 나고 있었기에 그저 미끄러지기만 했다. 갑판 위로 갈퀴 모양 핏자국이 남았다.

안스카리우스가 다시 한번 끌어당겼다. 그 힘에는 도저히 이길 수가 없었다. 티티라는 지옥 같은 기분으로 눈을 감았다. 앞을 보면 끝장이야.

갑자기 눈가로 뜨끈한 것이 닿쳤다. 누군가의 큰 손이었다. 티티라는 저를 위한답시고 다가온 온기에 정신이 번쩍 들었다. 착한 척하지 마, 개자식아. 발작하며 그를 뿌리쳤다. 힘으로 부족하자 손을 깨물었다.

그녀는 다시 갑판에 나동그라졌다. 그사이에 잠깐이라도 앞을 볼까 봐 장님처럼 눈을 감은 채 떨어졌다. 끝없이…… 영원히……. 그러다, 쾅! 티티라는 고통을 부여잡은 채 몸을 웅크렸다. 차라리 아파서 다행이었다. 바닥에 배를 부딪쳐 기침과 함께 숨을 터뜨릴 수 있었다.

티티라는 깜깜한 갑판을 보며 귀를 막았다.

온 세상에 나와, 숨소리와, 겨울 바다.

제 숨소리는 얼음을 깨는 송곳 같았다. 비웃듯이 끽끽거리다, 경고하듯 두드리다, 마침내 쩌억 갈라졌다. 처음과 중간과 끝이 있었다. 정신없는 상황에서도 집중할 수 있을 정도로 우악스러운 노래였다.

그녀는 여러 번 숨을 내쉰 끝에 마침내 단단한 껍데기 속에 갇혔다. 생각은 냉정했다. 지금, 이즈버르가 교국에 공격당하고 있어. 앞으로 열여섯 시간을 더 포격하겠다네. 나는 선장실에 들어갈 수도 없어. 들어가면 창 너머 뭉게뭉게 흘러나오는 연기만으로도 벌벌 떨 거야.

무엇보다도…… 티티라는 무너지는 이즈버르를 남의 일인 양 넘길 수 없는 사람이었다.

물론 갑판 위에 머문들, 그녀가 항구의 몰락을 막기 위해 할 수 있는 일은 없었다. 굳이 그들의 분투를 확인할 만큼 의리가 넘치는 사람도 아니었다.

그럼에도 이 자리에 올라오지 않는 것은 꺼림칙한 일이었다.

소조폴을 외면한 죗값. 누군가는 기억할 테니까.

아마, 내가 기억하니까.

안스는 느릿느릿 말했다.

그가 도이도흐로 처음 배를 타고 나갔을 때, 마침 새로 들어온 선원들이 수신호를 정하고 있었다고 한다. 그러다 고민하기가 귀찮아 네 신호를 가져다 썼다고. 그러니까, '네 신호'가 맞아. 위험할 때만 쓰라던 '네 신호'.

티티라는 두 번 생각하지 않았다.

"돌아가자."

그도 조용히 동의했다.

그들은 해가 지기 전 블라트포르를 떠났다. 지금까지의 방향과 반대로. 여행 계획은 세우지 않았다. 단지, 달려가기로 했다.

그들은 숨이 턱에 닿도록 말을 몰았다. 블라트포르에서 새로운 말로 교체했기에 밤새 채찍질을 할 수 있었다. 전력으로 질주한 티티라가 먼저 지쳤다. 그녀는 다른 말에 고삐를 묶어 놓곤 안스의 뒤로 올라탔다. 그렇게 잠시 눈을 붙였다가, 깨어나선 안스와 자리를 바꿔 재워 주었다.

다시 달렸다. 그들은 열두 시간 만에 륨린에 도착했다. 륨린은 떠났을 때와 완전히 똑같았다. 평온하게 왁자한 도시. 그들만이 속이 파먹혀 새로운 이로 대체된 것 같았다. 이곳에서 서로 애정에 대해 이야기하고 무언가 결실을 맺었다는 사실이 믿기지 않았다.

그들은 여관에 들러 딱 네 시간을 쉰 뒤, 동이 트는 것과 함께 새로운 말을 찾았다.

그리고…… 륨린에서 떠난 지 다시 열두 시간.

그들은 소조폴 26구역 언덕에 도착했다.

티티라는 고삐를 꼭 쥐었다.

자신이 일곱 살 때 감탄했던, 오색으로 나부끼는 깃발들. 부두를 점령한 배에 달린 다채로운 표지들. 그래, 길게 늘어선 부두. 바다 위 악기처럼 톡톡 튀어나온 반듯한 부두. 아니, 우중충한 성벽. 수십 년에 걸쳐 천천히 세워진 탓에 이곳저곳이 얼룩덜룩한 성벽. 어쩌면, 사람들. 그 속에 놀이 말처럼 가득 찬 욕심 많은 인간들.

모든 것이 매캐한 연기를 내뿜고 있었다.

소식을 듣고도 한순간 이해할 수가 없었다. 큰 배에서 화재가 났나? 기름이 쏟아져 부두로 흘러나왔나?

바닷가에 맞닿은 성벽이 움푹 파여 있었다.

티티라는 굴러떨어지듯 말에서 내려왔다.

비명처럼 외쳤다.

"안스!"

안스는 배낭을 뒤졌다. 귀한 항해 도구를 와르르 떨어뜨렸다. 아랑곳하지 않고 몇 개를 더 던지더니, 작은 망원경과 함께 일어섰다.

티티라는 급히 망원경을 건네받았다. 허겁지겁 펼쳐 부두를 찾았다.

"……."

안스가 그녀의 어깨를 짚었다.

그녀는 잠시 뒤 그에게 망원경을 넘겨주었다.

그도 오랫동안 침묵했다.

티티라는 흙바닥 위로 굴렀던 안스의 항해 도구를 주웠다. 먼지를 입김과 옷깃으로 잘 닦곤 짝을 맞춰 놓았다. 망원경이 들어갈 자리 하나만 남긴 채 우두커니 서서 안스를 바라보았다.

그녀는 손을 여러 번 쥐었다 폈다. 너무 차가웠다. 10월의 첫날에 소조폴이 추울 리 없다. 그러니 차가운 것은 제 머리와, 그에서 뻗어 나온 울창한 핏줄들일 것이다.

티티라는 불타는 부두를 다시 한번 바라보았다.

갑자기 숨이 안 쉬어졌다.

그녀는 검은 구멍으로 영원히 빠질 수도 있었다. 그러나 그 직전에 안스를 발견했다. 떠듬거리며 안스의 팔을 잡았다. 그는 그녀의 모습을 발견하곤 급하게 놋쇠 잔을 가져왔다.

티티라는 눈을 꽉 감고 입가에 댄 놋쇠 잔과, 안스의 손을 함께 부여잡았다. 싸늘했던 몸이 천천히 돌아왔다. 그녀는 숨 쉬는 법을 다시 깨닫기도 전에 스스로 숨을 쉬고 있었다.

그녀는 조용히 잔을 떼어 냈다. 납덩이처럼 말했다.

"늘어났어."

"……뭐가? 괜찮아?"

"지금까진 오트카저트 때문이었는데……."

티티라는 '오트카저트 때문'이라는 말을 처음 입 밖으로 내뱉고는, 두려워졌다. 그러나 그뿐이었다. 그와 함께 바뀐 것들이 더 공포스러웠다.

"난…….'"

그녀는 주저했다. 이전만큼 극적인 병은 아니었다. 생각보다 쉽게 극복했고 마음도 매정했다. 그러나 오트카저트와 무관한 일에도 불붙었다는 사실이 불안했다.

"……티, 네가 그러는 건 당연해. 소조폴이 공격받고 있잖아."

단단한 선언에 속이 철렁 내려앉았다. 그랬다. 안스의 망원경으로 본 부두와 바깥 성벽은 폐허처럼 무너져 있었다. 그도 그 광경을 본 것이 틀림없었다. 그녀는 초조한 눈으로 안스를 바라보았다. 그 순간—

휘이이.

티티라는 그게 무슨 소리인지 몰랐다.

그러나 안스가 사색이 되어 그녀를 껴안고 웅크렸다.

쾅!

그녀는 소조폴을 등지고 있었다. 그에게 질문하려는 순간, 안스가 급하게 그녀를 나무 뒤로 끌고 갔다.

소조폴은 뚱뚱하고 작은, 과일잼 뚜껑을 닮은 곶串이었다. 따라서 소조폴 끄트머리 언덕에서도 바다는 제법 가까운 위치에 있었다. 거기에 배가 숨어 있었나? 못 봤는데. 그녀가 나무 뒤로 고개를 들이밀자 안스가 재차 끌어당겨 숨겼다. 앉은 채 꼭 품에 안곤 속삭인다.

"나가지 마. 위험해."

"난, 나는 배를 못 봤어."

"방금 옆에서 튀어나왔어. 어떻게 저렇게 빠르게……."

"'휘이이'는 무슨 소리야?"

"사각射角[29]이 큰 대포."

"나도 대포 소리는 들어 봤어. 도시 축제 날에……."

"그건 축포야. 화약을 터트리는 공갈포라고. 이건 아니야."

안스는 그녀를 꼭 껴안았다. 그러나 티티라는 기어이 몸을 빼선—

휘이이.

쾅!

성벽이 주정뱅이처럼 흔들렸다.

소조폴 측벽에는 입항선을 헤아리는 나무판자가 있었다. 멀리서도 알아볼 수 있도록 숫자별로 색이 달랐다. 두꺼운 밧줄로 고정되어 태풍에도 굳건히 버티곤 했다.

그 오색의 나무판자들이 종잇장처럼 쓸려 내려갔다. 쪼개져 부유했다. 성벽이 고꾸라졌다. 바다에 코를 박았다. 연처럼 날아가던 나무판자도 부드럽게 익사했다.

---

29) 총포를 쏠 때, 총신이나 포신이 수평면과 이루는 각도.

티티라는 급하게 안스의 품으로 돌아왔다. 그를 꽉 껴안았다.

"서, 서, 서, 성벽이……."

안스도 두려운 표정이었다. 그러나 자신을 안은 손만큼은 단단했다. 그들은 서로가 서로의 방패막이인 듯 힘을 주었다.

"내, 내가 봤어……. 벼락 맞은 천막처럼……."

"……."

"어떻게…… 한 번에 무너질 수가 있지……? 성벽이잖아……."

"……."

휘이이.

머리부터 발끝까지 소름이 돋았다. 이제 그 소리가 무엇인지 알고 있었다. 누군가 그녀를 찬물에 거꾸로 담근 것 같았다. 그녀는 덜덜 떨었다. 안스의 손을 꽉 잡곤 고개를 숙였다.

쾅!

티티라는 급하게 숨을 몰아쉬었다. 심장이 꽉 조여들면서 폐까지 쪼그라드는 것 같았다. 한 호흡이 너무너무 작았다. 깃털보다 하찮았다. 헐떡였다.

"티, 티, 안 돼, 티……."

그녀는 숨이 가빠 거슬리는 소리로 씨근댔다.

"티, 날 봐."

그가 제 얼굴을 감쌌다. 그녀는 그를 바라보며 온 힘을 다해 숨을 쉬었다. 원치 않는 눈물이 찼다. 주르륵 흘렀다. 고개를 숙였다. 그의 턱이 제 뒤통수에 닿았다. 딱 맞는 조각처럼.

그들은 아주 오랫동안 나무 뒤에 숨어 있었다.

티티라는 그동안 제대로 숨을 쉬지 못했다. 안정을 찾을 때마다 포격이 떨어졌다. 그 순간 애써 올라온 절벽 아래로 미끄러졌다. 악착같이 기어 올라가면, 또다시 쾅. 티티라는 기절할 것만 같았다. 그러나 자신을 꽉 붙든 안스 탓에 쉴 수도 없었다. 너무 고통스러워서, 무거운 추에 깔려 죽는 것만 같아서, 대체 무엇을 위해 노력하는지도 모를 지경에 다다랐다.

그녀는 그렇게 지옥 같은 여섯 시간을 보냈다.

죽을 때까지 잊을 수 없는 여섯 시간이었다. 제 삶을 끊는 단절이었다.

해가 지자 포격은 멈추었다. 소조폴은 불안하게 웅성거렸다. 티티라는 휘파람 소리가 멈추고도 아주 오랜 시간이 지나고 나서야 안스의 품에서 몸을 뗄 수 있었다.

어두컴컴했다. 번영하던 도시에는 누군가 태운 불밖에 남지 않았다. 상관 구역은 죽은 듯이 침묵하고 있었다. 소조폴은 무력하게 쓰러졌다.

우습게도 밤이 찾아온 뒤에야 환하게 뜬 적들의 배가 보였다. 그들에게는 표적이 될 수도 있다는 두려움 자체가 없는 것 같았다. 빛을 열고 소조폴을 물끄러미 응시했다. 모형 도시를 제멋대로 밟은 아이처럼.

티티라는 고통스럽게 말했다.

"우리……."

안스의 낮은 한숨 소리가 들렸다.

"우리도…… 일어서야 해."

"……."

"계속 여기 있을 수는 없어."

"……."

그를 떨치고 일어섰다. 안스는 티티라를 올려다보았다.

"티, 소조폴은 아직 위험해."

티티라는 눈을 깜빡였다.

"무슨 소리야? 난 소조폴로 안 돌아가."

안스는 무언가를 잘못 들은 사람처럼 눈썹을 치켜세웠다. 도시의 울긋불긋 불타는 그림자 덕에 그의 표정을 볼 수 있었다.

"안 돌아간다고?"

"우스페히 씨가 도시가 공격받고 있으면 들어오지 말라고 말씀하셨잖아."

"티, 그런 말은 무시해도 돼."

"너는 내내 소조폴이 공격받지 않을 거라고, 무슨 일이 있어도 우스페히 씨는 괜찮을 거라고 안심시켜 놓고…… 이제 사지死地로 쳐들어가겠다고?"

"그러는 너는? 계속 소조폴을 걱정했으면서 지금부턴 남의 일이란 거야?"

티티라는 그를 아연하게 바라보았다.

"안스, 너도 말했잖아. 우스페히 씨가 잘 처리하실 거라고."

"그때는 그랬지. 하지만 난 돌아갈 거야."

"우스페히 씨가 안심하실 수 있는 금고가 되자면서? 너 예전이랑 완전히 다른 말을 하고 있잖아."

안스는 무슨 말을 이으려다 꾹 참았다. 소리 없이 소조폴을 가리켰다. 어쩌면 그 행동이 말보다 더 많은 것을 알려 주었는지도 모르겠다.

"소조폴이…… 뭐? 공격받는 걸 우리가 어떡해?"

그는 물끄러미 그녀를 응시했다.

"티, 나는 물론 우스페히 씨를 신뢰해."

"그러니까―"

"하지만 저 선상 대포도 믿지. 저건…… 난 저런 걸 소조폴에 두고 갈 수는 없어. 반항하지 않는 도시를 하루 종일 포격하는 것은…… 상륙할 사람 수가 부족하다는 거야. 병사가 적으니 기선 제압을 취실히 하고 들어가겠다는 표시라고. 기선 제압은 단순히 대포일 수도 있고, 피를 보자는 것일 수도 있지. 나는 저것들이 어떻게 행동할지 모르겠어. 그러니 돌아갈 거야."

티티라는 그의 말에 동의했다. 하지만 바로 그렇기 때문에 소조폴에 갈 수 없었다.

"안스, 그러니까 위험하다고. 굳이 우리까지 가서 우스페히 씨의 근심을 더해 줄 필요는 없잖아. 너도 그렇게 말했어!"

"그때랑 지금이랑 같아?"

안스는 정말 의아한 표정으로 물었다.

티티라는 입을 꾹 다물었다.

"티, 나는 소조폴이란 도시에는 아무 감정이 없을지도 모르겠다. 하지만…… 은혜를 알아. 우스페히 씨가 나를 사 주시지 않았으면 나는 꼼짝없이 노예가 되었거나 브즐롬에서 익사했어. 너를 만날 수도 없었다고."

"……."

"그러니 정말 도시가 위험할 때…… 거기서 어떻게 도망칠 수 있겠어? 너는 내가 블라트포르에서 급하게 돌아오는 걸 보고 무슨 생각을 한 거냐? 아니, 너는 대체 왜 돌아온 건데? 도시가 불타는 광경을 보려고?"

그녀는 멈칫했다. 내가 왜 돌아왔냐고?

소조폴에 무슨 일이 일어났는지 '알기' 위해.

"왜 그렇게 힘들여 달린 거야? 소조폴에 '오기' 위해서였잖아. 더이상 우스페히 씨의 금고가 되길 거부하고 돌아온 거잖아."

그녀는 제 생각을 감히 입 밖에 낼 수 없었다.

소조폴이 어떻게 되었을지 두려웠다. 우스페히 씨가, 블리조 씨와 모두가 걱정되었다. 너무나 초조해서 소조폴로 돌아오는 길에는 온몸의 피가 마르는 것 같았다.

그러나 대가 없이 위험한 곳에 들어갈 생각은 없었다.

티티라는 충격을 받았다.

그토록 소조폴에 남겠다고 고집을 피워 놓고, 안스보다 훨씬 더 소조폴을 신경 썼으면서, 정말 위기가 닥치자 도망가겠다고?

"티."

눈앞의 안스가 너무도 단호하고 굳건해서 더……

"당장은 어렵더라도 며칠 내로 소조폴에 돌아가야 해. 무슨 일이 있으면 우스페히 씨를 도와야 한다."

아니야.

티티라는 충격에서 벗어났다.

"안스, 우리는 가 봤자 아무것도 못 해. 큰일이 난다면 불필요하게 함께 죽는 거고, 안전하다면 어차피 있으나마나 못하겠지."

"'불필요하게'?"

안스는 천천히 단어를 따라 했다.

티티라는 움츠러들지 않았다.

"네가 계속 말하던 거야. 냉정하게 생각하면 우선 소조폴에서 벗어나서 상황을 보는 게 맞아. 대신 우리가 옮겨 간 도시를 우스페히 씨에게 알려 드리고, 도움이 될 수 있는 방법을 찾아보자."

"봉쇄된 도시에 어떻게 우편을 보내? 너 지금 생각은 하고 말하는 거냐?"

"방법은 찾으면 있을 거야. 사람을 보내든……."

"티, 무서워?"

안스는 날카로운 말과 함께 일어섰다.

그녀는 인상을 찌푸렸다.

"무서우면 안 될 게 뭐야? 하지만 그걸 떠나서, 우리가 가 봤자 도움이 안 된다니까?"

"소조폴을 아낀다고 하지 않았나?"

"답답하다. 우린 도움이 안 된다고! 안스, 나는 네가 더 이상해. 도시를 나올 땐 그렇게 무관심했으면서, 지금은 왜 이렇게 집착하는 거야?"

"'집착'?"

"자꾸 말 따라 하지 마! 멍청해 보이니까!"

티티라는 벌컥 화를 내다가, 갑자기 무시무시하게 가라앉았다.

"너 혹시 처음에 우스페히 씨의 말을 조금도 안 믿은 거 아니야? 교국에 대한 책을 그렇게 많이 읽더니, 뭘 좀 더 안다고 그들이 절대 바다를 넘어올 리 없다고 생각한 거 아니냐고. 그러면? 뭐지? 왜 흔쾌히 여행을 나서려고 한 거지? 설마 나랑 여행 가고 싶었니?"

안스가 그녀를 노려보았다.

"너는 여기서 그런 말이…….."

"안 그러면 갑자기 손바닥 뒤집듯 태도를 바꿀 리가 없잖아!"

"태도를 바꾼 건 너지! 소조폴이 걱정돼 질질 짜다가, 이제는 무섭다고? 절대 안 들어간다고? 그러다 소조폴 사람들이 다 죽으면?"

"우리가 들어가면 두 명 더 죽는 거야!"

"같이 죽는 게 낫지!"

"미친 소리 하지 마! 난 안 죽을 거야!"

어딘가에서 터진 불이 그들의 얼굴을 확 밝혔다. 두 사람 모두 도시를 돌아보았다.

한참의 침묵 뒤, 그녀가 먼저 입을 열었다.

"안스, 우린 떠나야 해. 당장. 넋 빠져 있는 건 한나절이면 됐어."

"……."

"가자."

안스는 꿈쩍도 안 했다. 어둡게 잠긴 눈으로 그녀를 바라볼 뿐이었다. 티티라는 답답해서 발을 굴렀다.

"안스!"

"이렇게 떠나면 소조폴에는 언제 돌아오려고?"

"소조폴이 자발적으로 문을 열 때. 완전히 안전해졌을 때—"

"너는 내가 너만큼 이 도시를 사랑하지 않아서 두렵다고 했어……. 그러고도 지금 당연하다는 듯이 돌아서는군."

그는 갑작스레 말을 끊었다. 단어를 절벽에서 밀어낸 듯, 대화가 아닌 선언이었다. 그녀는 그의 다음 말이 무서우면서도 궁금했다…….

"티, 너는 네가 사랑하던 것에도 이러는데, 사랑하지 않는 것에는 어떻게 굴지 도저히 상상이 안 가."

"……내가 소조폴을 죽이기라도 했어? 다시 돌아올 거야."

"……."

"안스."

"……시계탑이 온통 거짓말 같다."

"안스!"

안스는 뒤로 한 걸음 물러났다. 티티라는 다가갔다.

그녀는 그가 흔들릴수록 단단히 섰다. 안스는 생각지도 못한 소
조폴 침공에 충격을 받은 게 틀림없었다.

아젠치에서 우리 부모님을 보러 가자는 둥 헛소리를 한 건 그가
우스페히 씨의 경고를 조금도 진지하게 생각하지 않았다는 증거였
다. 여행에서도 자신과의 관계에만 엄청 신경 쓰다가, 포격이 눈앞
에 닥치자 허둥지둥 서두르고 있는 것이다. 그는 '나와 여행을 가고
싶어서 나온 거 아니냐.' 추궁당해도 변명할 거리가 없었다.

그녀는 지금 그 실수를 돌이킬 기회를 주고 있었다. 내가 대신
걱정하고 고민하고 무너지고 극복했으니, 너는 따라오기만 하면
돼. 나중에 냉정을 찾으면 내게 고마워하게 될 거야.

티티라는 다그치듯 말했다.

"안스!"

그는 터벅터벅 걸어가 말고삐를 쥐었다. 소조폴과 반대 방향으로
돌았다. 그녀는 그가 드디어 마음을 돌린 듯하여 기뻤다.

"어서 가자."

안스는 티티라를 똑바로 바라보았다.

"나는 너 때문에 가는 거야."

"알겠어."

"네가 날 설득해서가 아니라, '너 때문에' 가는 거야."

그녀는 이상한 느낌을 받았다.

그는 결심한 듯 거침없이 말했다.

"네가 위험할까 봐, 널 보호하러 가는 거야. 또 숨을 못 쉬어 고통스러워할까 봐. 이 지경에 이르러서야 오트카저트 때문이라는 걸 인정하는데, 소조폴이 무너져 힘들었다고 하기까진 네 평생이 걸릴지도 몰라서."

티티라는 뒤로 물러났다.

"네가 세상에 어떻게 상처 입을지 몰라서. 너 스스로 무언가를 완성하고도 막상 그게 별게 아니라는 걸 깨달으면 네 인생이 무너질까 봐 가는 거야."

등 아래로 차가운 칼이 스며들었다.

"내가 너를 사랑해서 널 따라가는 거야."

티티라는 숨을 들이켰다. 역수로 꽂힌 칼날이 목소리를 갈랐다.

"지금 말 다 했어?"

정말로 반쯤 쉰 목소리였다. 모욕당해 화가 났다. 제 말을 귀 기울여 듣기는커녕, 네가 못 미더우니 따라가겠다고? 그걸 또 '사랑'이라고? 안스는 진지하지도 않았다. 저따위인데, 사랑한다는 말이 고백으로 느껴질 리 없다. 그보다는 이를 갈아붙인 단어였다. 고집이었다.

"티, 내가 널 사랑하는 걸 몰랐어?"

"그게 중요한 게 아니잖아. 왜 날 비난해?"

"사실이니까. 너는 혼자 있다간 망가질 거야. 그러니 내가 따라가야지."

"네가 뭐라고……? 무슨 자신감으로 그런 소릴 지껄이는지 진짜 모르겠다. 진짜, 도대체……."

안스는 가만히 그녀를 바라보았다. 전혀 상처받지 않은 듯했다. 티티라는 그가 제 반응을 빤히 짐작했다는 사실을 알아차렸다. 당연하지. 저렇게 업신여기는 말을 해 놓고 내가 화내지 않길 바랐다면 바보 멍청이다.

그래도 티티라는 예상했다는 듯 담담한 그의 태도에 화가 났다. 자신을 시험한 것 같았다.

"안스, 원하면 넌 소조폴로 가."

"너 혼자 보낼 수는 없어."

"난 이제 생판 모르는 내륙으로 안 갈 거야. 우스페히 씨 말은 무시하고, 여러 번 들렀던 남부 카르타타로 갈 거야. 반나절 거리인데다 요아나 씨도 있지. 인사드리고 사태가 진정될 때까지 머무를 건데, 여기 어디가 불안해? 난 그게 더 궁금하다."

"……."

"진심이야. 안스, 네가 그딴 생각을 가지고 있으면 우리 그만 갈라지자."

"무슨 생각? 소조폴에 들어가겠다는 계획 말이야?"

그는 알면서도 물어보고 있었다. 마치 긴 내장을 좌판에 나열해 놓고, 팔뚝만 한 칼을 내려치기 직전에 자신을 쳐다보는 것 같았다. 자를까? 자를 거지? 쳐. 찢어 버려. 두 동강 내.

티티라는 이를 악물었다.

"아니. 네가 날 사랑해서 한다는 모든 얼토당토않은 짓들!"

그가 웃었다.

티티라는 더 화가 났다. 폭풍에 떠밀린 파도처럼 쏟아 냈다.

"날 보호하려 들고, 뭘 모르는 사람 보듯 안쓰러워하고, 절대로, 죽어도 내가 독립적인 인간이라는 걸 인정하지 못하는 것. 나는 너희 집 화병이 될 생각 없어, 개 같은 새끼야."

"……."

"발발 떨면 그냥 '그런가 보다' 해. 누구나 힘든 일은 있어. 그러니 나도 딱 그 정도로 힘든 거라고. 네가 날 상처 때문에 인생이 뒤엎인 사람으로 대할수록 나는 점점 더 빈약한 인간이 돼! 네가 바라보는 크기로 쪼그라들어! 나를 의심하게 된다고!"

"……."

"다 필요 없어. 절대 날 아껴서 그런다느니, 보호한다느니, 안쓰럽다느니, 그딴 소리 좀 하지 마. 나는 네 태도 때문에 더 흔들려. 너는 선을 그어 나를 가두는 사람이야. 정말 끔찍하게 해로워. 가장 가까이에 있으면서! 아니, 그렇기 때문에, 누구보다 더!"

티티라는 안스를 지나쳤다. 말고삐를 잡았다.

"안스, 넌 들어가. 난 떠날 거야."

그는 대답하지 않았다.

"소조폴이 열리면 내가 찾아올게. 알겠지? 위험한 곳에 제 발로 들어가는 사람한테 건네는 말로는 과분하지만, 그래도 죽지 말고 기다려."

"난 너 안 기다려."

티티라는 멈칫했다.

안스는 말 등에 어설프게 걸린 짐을 정리했다. 아니, 정리하는 것이 아니라 필요한 물건을 빼내고 있었다.

"차라리 잘됐다."

"……."

"마음대로 해. 카르타타로 가든가."

"……."

"난 이제 모르겠다. 지치고, 너랑 뭘 더 할 마음이 안 든다. 너한테 고백한 뒤론 좋았던 적보다 죽고 싶었던 적이 더 많아. 그러니 헤어지는 게 낫겠다."

"잘됐네."

티티라는 딱 잘라 말했다. 그가 정리해 주니 한결 나았다.

안스는 천천히 짐을 짊어졌다.

그녀는 더 보지도 않고 말을 잡아당겼다. 소조폴과 반대되는 언덕으로 성큼성큼 내려갔다. 한참을 내려갔다. 돌아보지 않으려 부단히 노력했다.

그러나 언덕이 발자국 하나하나를 꾹 쥐고 놓아주지 않는 것처럼 걸어가기가 어려웠다. 자신이 먼저 떨어지자고 말했으면서도 미련을 가진 낯짝이라 꼴사나웠다.

한순간, 티티라는 뒤를 돌아보았다.

언덕 위의 안스는 자신을 바라보고 있었다. 반 잘린 빵처럼 덩그러니 서서 외롭고 볼품이 없었다.

나쁜 자식, 개자식.

티티라는 말에 탔다. 푸르릉거리는 불만을 무시한 채 등자를 걷어찼다. 말은 짜증스레 언덕을 거슬러 올라갔다.

티티라는 굴러떨어지듯 내려 안스를 껴안았다. 꽉. 온 힘을 다

해. 바다 냄새. 그의 손이 더듬거리며 그녀를 마주 안았다.

"안스, 죽지 마. 날 싫어해도 좋으니까…… 죽지 마."

"……죽으러 가는 거 아냐. 널 싫어할 일도 없어."

"나랑 카르타타로 가자."

"다 너 때문이야. 소조폴이랑은 상관없어."

"……."

"너는 죽어도 날 좋아하지 않겠지. 그러니 내가 제정신을 차릴 때까지 떨어져 있을 거야. 안 그러면 나부터 미칠 것 같다."

티티라는 아무 말도 못 했다. 그는 틀리지 않았다. 그를 위해서 라면…… 어쩌면…….

"얼마나 걸릴 것 같아?"

"한 십 년쯤."

그녀는 눈을 크게 뜨곤 그를 올려다보았다.

"말도 안 돼. 난 절대 못 기다려."

"우리가 십 년 동안 같이 있었는데 그 정도는 당연한 거 아냐?"

"안 돼! 아니— 일 년, 이 년, 아, 그래, 삼 년! 그 이상은 절대 안 돼!"

안스는 그녀의 짧은 머리칼을 쓰다듬었다. 매만지고, 몸을 수그 려 파묻었다. 한숨이 흘러나왔다.

"……그래도 지금 네가 잡으면 안 갈게."

티티라는 멈추어 있었다. 카르타타로 함께 가자 제안하고도, 멈추었다. 그녀는 그의 이유를 기억했다. '너는 죽어도 나를 좋아하지 않겠지.' 안스는 그 사실이 끔찍이 괴로운 것 같았다. 너무 오랫동안 고문당해서, 이 지경에 이르렀는데도 자신을 잡아 달라고 하는 것이다.

티티라는 사랑하는 친구가 계속 괴롭도록 둘 수 없었다.

그녀는 영원히 그를 친구 이상으로 생각하지 못할 것이다. 그러니 서로에게 악을 쓰고, 원망하고, 마침내 친구로서 남아 있던 애정마저 하수구처럼 빨려 들어가 사라질 것이다. 안스는 돌려받지 못하는 감정에 갉아먹히고, 자신은 우정에 배반당해 다시는 누구도 믿을 수 없을 것이다.

티티라는 조용히 속삭였다.

"안스, 세 번째 가을에 보자."

그의 긴 속눈썹이 떨렸다.

"절대 죽지 마. 네가 소조폴에서 미친 짓을 했단 소식이 들리면 정말 찾아가서 죽일 거야."

"안 죽어. 난 죽어도 너한테 죽을 거야."

"그 말 안 지키기만 해. 305년에 보자. 같은 날, 여기서…… 해가 질 때……."

그는 한참 동안 그녀를 껴안고 있었다.

"……티."

그는 그녀의 이름을 중얼거렸다.

"티, 티……. 티티라."

"…….'

"후회는 안 해. 하지만……."

소조폴에서는 간헐적으로 무언가 터지는 소리가 났다. 적의 포격이라기보다는, 어딘가 쌓아 둔 화약이나 기름이 폭발하는 모양이었다. 어수선한 성벽 안이 눈에 잡힐 듯했다. 주변 도시민까지 끌어들여 꽉꽉 들어찬 한 통의 냄비가 부글부글 끓었다. 일렁이는 불안감. 웅성거렸다.

그러나 여전히 비명은 들리지 않았다. 누군가 죽지는 않은 것이다. 못돼 먹고 이기적인 소조폴 시민들은 벌써 계산을 하고 있을 것이다. 굴러가는 머릿속이 빗자루 소리처럼 부산스러웠다.

그들은 두 사람을 키운 드세고 뜨거운 도시 앞에서 껴안았다.

불에 비친 그림자가 커졌다가, 작아졌다가, 커졌다가……

티티라는 조심스레 몸을 떼어 냈다.

다짐하듯 말했다.

"바로 들어가면 안 돼. 안전할 때 들어가."

안스가 웃었다.

"걱정하지 마."

"안스, 만일 삼 년 뒤에 돌아오기 싫으면, 안 돌아와도 돼."

"정말?"

"하지만 내가 정말 슬퍼하겠지. 눈이 터질 정도로 많이 울 거야."

"……"

"그러니까, 그때는 다시 삼 년 뒤에 돌아와. 내게 기회를 줘. 우리가 땅에 묻힐 때까지— 아니, 바다에 빠질 때까지, 살아 있는 한 영원히 기회를 줘."

"알겠어."

"난 계속 기다릴 거야."

"'친구를'."

"그래. 내 친구를."

"티, 만약에 내가 기억을 지워도, 어떤 미친 짓을 해도 널 사랑한다고 하면 어떡하지. 그래도 네가 보고 싶으면."

"안스, 내게 '사마귀' 별명이 왜 붙었게?"

"사귀고 죽인다고 해서?"

"이제 와 생각해 보면 맞는 별명인지도 모르겠어. 나는 내게 접근하는 남자를 모두 죽이고 말 거야. 너마저, 가장 완벽한 형태의 애정마저 나는 견딜 수가 없어. 그러니 네가 끝끝내 나를 사랑한다면 나는 나처럼 할게. 널 받아들이고 죽여 줄게. 마지막에는 안아 줄게. 우리가 친구로 남을 수 없다면, 기억 속에 새기는 수밖에."

"그 방법뿐이야?"

"응."

"알겠어."

"안스."

티티라는 그의 뺨에 입을 맞췄다.

천천히 떨어져 나왔다.

티티라는 십 년을 함께한 친구를 바라보았다. 그녀는 그를 위해 목숨을 걸 수 있었다. 하지만 자신을 사랑한다면 그를 죽일 수도 있었다. 사랑은 존재를 일그러뜨리므로. 이 쪼개진 감정이 그녀를 산 채로 끊었다.

그녀는 웃으며 고개를 흔들었다. 그의 도움을 받아 말에 올랐다.

마지막으로 살짝 손을 잡았다. 옛날 동화에 나오는 공주와 종자처럼. 네가 처음으로 데려다주었던 꾀죄죄한 목욕통, 따뜻한 물속에서 떠올렸던 바로 그 동화······.

"티."

그는 그녀의 이름을 불렀다. 작별의 말이었다. 처음이어서 어색할 뿐, 긴 인생에선 아주 잠깐일 따름이다. 그도 그녀도 알고 있었다.

그녀는 말을 달래 언덕 아래로 향했다. 계속 뒤를 돌아보며 인사했다. 그는 서로가 어두컴컴한 밤에 묻혀 보이지 않을 때까지 그녀를 지켜보았다.

티티라는 마른 계절의 불 같은 자신들이 가라앉아 다시 마주 볼 날을 고대했다.

내 다정한 친구.

(2권에서 계속)

BLACK LABEL CLUB 039

**사마귀가 친구에게 1**

초판 인쇄 2022년 2월 14일
초판 발행 2022년 2월 28일

지은이 윤진아
펴낸이 신현호
편집장 예숙영
편집 이혜영
편집디자인 한방울
영업·관리 김민원
물류 이순우 박찬수

펴낸곳 ㈜디앤씨미디어
출판등록 2002년 5월 1일 제117-90-51792호
주소 서울시 구로구 디지털로 26길 111 JnK디지털타워 503호
대표전화 (02)333-2513 팩스 (02)333-2514
전자우편 dncbooks@dncmedia.co.kr
디앤씨북스 블로그 http://blog.naver.com/dncbooks

ISBN 979-11-264-5905-6 (04810)
ISBN 979-11-264-5903-2 (세트)